NUEVAS VOCES

2de A2 → B1

NOUVEAUX PROGRAMMES

Coordination pédagogique
José Inzaurralde
IA-IPR, Académie de Créteil

Auteurs
Stéphane Añorga
Lycée Émile Littré, Avranches (50)

Bouchra Dirou
Lycée Guillaume Apollinaire, Thiais (94)

Maribel Matilla
Lycée Guillaume Apollinaire, Thiais (94)

Hélène Patouraux
Lycée Gabriel Fauré, Annecy (74)

Luc Rodriguez
Lycée Berthollet, Annecy (74)

Pour le précis grammatical
Dulce Gamonal

didier

Bienvenue dans *Nuevas Voces 2de*

▶ *Nuevas Voces* vous propose un parcours dans le temps et l'espace du monde hispanique, à la découverte des peuples qui ont partagé la même langue dans un passé souvent légendaire, et de ceux qui, aujourd'hui, communiquent en espagnol pour construire le présent et inventer l'avenir de sociétés multiculturelles.

▶ *Nuevas Voces* est au pluriel, car ce manuel donne la parole à de nombreuses voix et en premier lieu à celle de l'élève, qui réagira et affirmera son esprit critique en prenant position face à ces découvertes. Les idées, les propositions de chacun, les choix, les décisions prises, contribueront à la réalisation de projets où la langue sera le support et le vecteur de la communication.

▶ Ce parcours d'apprentissage améliorera la capacité de chaque élève à comprendre, lire, parler, dialoguer et écrire en espagnol pour donner du sens aux messages adressés à ses co-équipiers et au monde extérieur.

¡Feliz viaje!

L'équipe de *Nuevas Voces 2de*

I. SOY ESTUDIANTE DE ESPAÑOL

1 ▶ p. 8-25

¡Vota por mí!

PROYECTO

¡Presenta tu candidatura a la elección del delegado de la clase de español!

CULTURA

- Première approche de la vie d'adolescents hispanophones (en particulier au lycée).
- Spécificités du rôle du délégué de classe dans différents pays (Mexique, Paraguay...).

Sentiment d'appartenance – Visions d'avenir

COMUNICACIÓN

EXPRESSION ORALE
- Etablir un premier contact, se présenter.
- Parler de ses goûts et de ses loisirs.
- Décrire sa personnalité.
- Présenter et défendre avec conviction une idée ou un projet.

COMPRÉHENSION ÉCRITE
- Comprendre la description d'un personnage (portrait physique et moral) et d'un groupe (organisation, relations, hiérarchie...).

COMPRÉHENSION ORALE
- Comprendre une personne qui évoque son expérience de délégué de classe.

EXPRESSION ÉCRITE
- Rédiger des propositions pour son lycée.
- Décrire un aspect de la vie du lycée.

LENGUA

LEXIQUE • Traits de caractère • Loisirs • Vie scolaire

GRAMMAIRE • Révision des principaux temps et modes de conjugaison • *Ser/Estar* • Construction des verbes du type *gustar* • La phrase interrogative • Le comparatif • Les adjectifs possessifs • L'obligation personnelle • L'apocope

PRONONCIATION • L'accent tonique • Les sons /r/ et /rr/

ORTHOGRAPHE • L'accent écrit

DOCUMENTOS

2

p. 26-43

¿Qué lenguas hablas?

PROYECTO

¿Sabías que en el mundo hispano se hablan más de 700 lenguas? ¡Presenta en clase una de éstas!

- Les langues du monde hispanique : richesse, diversité et vitalité.
- Langues et identité de jeunes hispanophones.
- La poésie de Mario Benedetti.

Mémoire – Sentiment d'appartenance – Visions d'avenir

EXPRESSION ORALE
- Parler des langues de sa vie : celles que l'on apprend, celles que l'on pratique, celles que l'on connaît.
- Présenter une langue du monde hispanique.

EXPRESSION ORALE
- Discussion : « Plurilinguisme, avantage ou inconvénient ? »

COMPRÉHENSION ÉCRITE
- Comprendre un récit dans lequel le narrateur évoque son rapport aux langues.

COMPRÉHENSION ORALE
- Comprendre un reportage télévisé sur des langues en danger.
- Comprendre un témoignage : une expérience du bilinguisme en Espagne.

EXPRESSION ÉCRITE
- Écriture d'imitation : écrire un court poème.

LEXIQUE • Vocabulaire lié à la langue (apprentissage, maîtrise, sonorités, statut...)

GRAMMAIRE • Les équivalents de « on » • L'expression de l'habitude • L'expression du souhait • La concession • *Ser / Estar* • Le passé composé • L'imparfait de l'indicatif • La concordance des temps

PRONONCIATION • L'intonation de la phrase • La place de l'accent tonique

ORTHOGRAPHE • L'accent écrit • La ponctuation dans un poème

3

p. 44-61

¿Cómo ves el mundo hispano?

PROYECTO

Realiza una entrevista para el programa de radio: "Cosas de España, aquí en Francia".

- Le monde hispanique : sa diversité, sa richesse, ses spécificités.
- Présence et manifestations de la culture hispanique dans le monde.

Sentiment d'appartenance

EXPRESSION ORALE
- Présenter un personnage, un lieu ou un événement marquant du monde hispanique.

EXPRESSION ORALE
- Demander et donner des informations dans le cadre d'une brève interview.

COMPRÉHENSION ÉCRITE
- Comprendre un texte humoristique sur les stéréotypes culturels.

COMPRÉHENSION ORALE
- Comprendre une jeune Espagnole qui évoque l'image de son pays en France.
- Comprendre un témoignage sur la place du français au Mexique.

EXPRESSION ÉCRITE
- Rédiger une interview à partir de notes.

LEXIQUE • Les professions • L'interview • Connecteurs temporels

GRAMMAIRE • Prépositions (cause, but, lieu) • Tutoiement / vouvoiement • La phrase interrogative • Construction des verbes du type *gustar* • *Ser / Estar* • Les temps du passé

PRONONCIATION • L'intonation de la phrase exclamative • Les sons /s/ et /z/

ORTHOGRAPHE • Transcription du son /g/ devant une voyelle

II. DE LO INDIVIDUAL A LO COLECTIVO

▸ p. 62-79

Solo o en tribu

PROYECTO

Crea y presenta tu propia tribu urbana.

CULTURA

- Le phénomène des *tribus urbanas* : esthétique, musique, mode... à travers la presse, la littérature et le cinéma.
- Un exemple de double culture : hispanique et nord-américaine.
- Le *majismo* au temps de Goya.

Sentiment d'appartenance

COMUNICACIÓN

EXPRESSION ORALE
- Parler de son rapport à la mode.
- Présenter un « flash info » sur les « tribus urbaines ».
- Présenter à la classe une « tribu » qu'on a créée.

COMPRÉHENSION ÉCRITE
- Comprendre un témoignage sur la double culture.

COMPRÉHENSION ORALE
- Comprendre des interviews (cinéaste, sociologue) sur le phénomène des « tribus urbaines ».

EXPRESSION ÉCRITE
- Rédiger une fiche descriptive pour le guide *Tribus urbanas*.
- Répondre à une question posée sur un blog en donnant son opinion.

LENGUA

LEXIQUE • Style vestimentaire • Goûts, attitudes • Traits de caractère

GRAMMAIRE • Le gérondif • *Ser / Estar* • La phrase exclamative • La phrase négative • Les comparatifs • Les indéfinis • La traduction de « mais »

PRONONCIATION • L'intonation des phrases exclamatives • Les sons /j/ et /g/

ORTHOGRAPHE • Le tréma • Les mots d'origine étrangère

DOCUMENTOS

5

▸ p. 80-97

Iniciativas solidarias

PROYECTO

En un encuentro de voluntarios vas a representar a una ONG. En cinco minutos deberás convencer al público.

CULTURA

- L'univers des ONG.
- Des exemples d'actions solidaires dans différents pays hispaniques.
- Des témoignages de jeunes volontaires.
- Un exemple de particularité linguistique : en Argentine.

Sentiment d'appartenance – Visions d'avenir

COMUNICACIÓN

EXPRESSION ORALE
- Réagir à un exemple d'action solidaire.
- Justifier le choix d'un visuel pour la campagne d'une ONG.
- Présenter une ONG dans le but de sensibiliser et de convaincre.

COMPRÉHENSION ÉCRITE
- Comprendre des articles de presse relatant des exemples d'engagement et de solidarité.

COMPRÉHENSION ORALE
- Comprendre des témoignages de jeunes volontaires.

EXPRESSION ÉCRITE
- Rédiger un court article pour rendre compte d'une initiative solidaire.
- Exprimer son intérêt pour une action ou un projet particulier.

LENGUA

LEXIQUE • Solidarité et engagement • Exclusion et marginalité • Émotions • Musique • Situer dans l'espace

GRAMMAIRE • L'impératif • *Ser / Estar* • L'obligation personnelle et impersonnelle • Les adverbes de temps et de lieu • Exprimer la cause / le but • Traduction de « peut-être »

PRONONCIATION • Les sigles • L'intonation des phrases interrogatives

ORTHOGRAPHE • Le pluriel des mots finissant par -*z* • *Porque / por qué*

DOCUMENTOS

III. RAÍCES/INSPIRACIONES

p. 98-115

¿Es posible vivir juntos?

PROYECTO

Fabrica un cartel para la exposición "21 de mayo. Día de la diversidad cultural".

- Découvrir la diversité du monde hispanique, passé et présent.
- Découvrir l'Espagne à l'époque de *Al Ándalus*.
- Découvrir l'héritage culturel de *Al Ándalus* : architecture, langue, sciences, etc.

Mémoire – Sentiment d'appartenance

EXPRESSION ORALE
- Parler de la diversité culturelle.
- Exprimer ses idées à partir d'une affiche.
- Expliquer ses choix.

COMPRÉHENSION ÉCRITE
- Comprendre des informations relatives à l'espace (lieux différents) et au temps (passé/présent).
- Comprendre le point de vue de l'auteur dans une chronique.

COMPRÉHENSION ORALE
- Comprendre le sujet principal d'une émission de radio sur le thème de *Al Ándalus*.
- Comprendre des indications temporelles (époque, dates).

EXPRESSION ÉCRITE
- Rédiger une légende pour une photo ou une affiche.
- Rédiger un article pour présenter un événement.

LEXIQUE • Quartier multiculturel • Héritage • Monarchie • Religion

GRAMMAIRE • Les ordinaux et les cardinaux • Exprimer la date (jour et mois) et l'heure • Diminutifs et augmentatifs • Absence de préposition *de* • *Para* et *por* • Traduction de « ce que »/ « celui qui » • L'ordre et la défense • *Soler* + infinitif • Le passé simple

PRONONCIATION • Le "d" final

ORTHOGRAPHE • "v" ou "b"

p. 116-133

Encuentro de dos mundos

PROYECTO

Crea el juego de cartas: "Descubrimiento y Conquista".

- Les liens historiques qui unissent l'Ancien Monde (l'Europe) et le Nouveau Monde (l'Amérique).
- Des aspects de la découverte et de la conquête du Nouveau Monde.
- Les apports (culture, langue, richesses...) de chaque monde.
- Les liens entre l'Amérique hispanique et l'Espagne d'aujourd'hui.

Mémoire – Sentiment d'appartenance

EXPRESSION ORALE
- Exprimer un point de vue suite au commentaire d'un tableau historique.
- Parler d'un personnage et d'un événement historique.

COMPRÉHENSION ÉCRITE
- Comprendre l'information principale d'un extrait de roman.
- Comprendre les sentiments et le point de vue d'un personnage dans un texte narratif.

COMPRÉHENSION ORALE
- Comprendre l'essentiel d'une discussion sur un thème familier.
- Comprendre des informations nouvelles sur un sujet étudié en classe.

EXPRESSION ÉCRITE
- Relater un événement historique à partir de photos ou d'images.
- Écriture d'invention : rédiger une chronique subjective du Nouveau Monde.

LEXIQUE • Découverte et Conquête • Impressions

GRAMMAIRE • Les temps du passé • La phrase négative • Les adverbes de manière • Les démonstratifs • La date

PRONONCIATION • Les sons /an/, /en/, /in/, /on/ • Les sons /ia/ et /ía/

ORTHOGRAPHE • L'accent écrit • Les noms en *-za*

IV. IDEAR Y PROYECTAR

Y tú, ¿qué me cuentas?

PROYECTO

Escribe un breve relato y participa en un concurso de "Aprendices de escritor".

CULTURA

- Des textes de la littérature hispanophone : récits classiques ou fantastiques, contes traditionnels, *"microcuentos"*.
- Le festival de tradition orale *"Un Madrid de cuento"*.
- Le film *"El Laberinto del Fauno"*.

Mémoire

COMUNICACIÓN

EXPRESSION ORALE
- Raconter : un rêve, une anecdote, un conte que l'on connaît.
- Donner son avis sur un récit, lu ou entendu.

COMPRÉHENSION ÉCRITE
- Comprendre des textes narratifs : identifier les lieux, les temps du récit, les personnages ; comprendre leurs réactions et l'évolution de l'histoire.

COMPRÉHENSION ORALE
- Comprendre un conte de la tradition orale.
- Comprendre un témoignage personnel sur les contes de notre enfance.

EXPRESSION ÉCRITE
- Imaginer et rédiger un récit cohérent à partir d'une série d'images.
- Écrire des *"microcuentos"* en s'inspirant d'un modèle.
- Écrire un récit court, en veillant à la cohérence et à l'intérêt pour le lecteur.

LENGUA

LEXIQUE • Rêve • Bande dessinée • Indicateurs temporels • Conte • Récit

GRAMMAIRE • Les adjectifs démonstratifs • Les indicateurs de fréquence • *Al* + infinitif • L'imparfait de l'indicatif • Les temps du passé

PRONONCIATION • Le son /ll/ • Les virelangues

ORTHOGRAPHE • L'enclise du pronom au gérondif

DOCUMENTOS

- Découvrir la version espagnole de contes traditionnels
- Concevoir un livre électronique

¡Muévete por tu ciudad!

PROYECTO

Imagina, crea y propón un proyecto atractivo para mejorar el entorno y la vida de tu ciudad.

CULTURA

- Quelques villes d'Espagne et d'Amérique latine ; des exemples d'initiatives pour les « réinventer ».
- Le phénomène des *"urbanizaciones"*, à travers le film *La Zona*.
- L'œuvre de l'architecte Calatrava.

Sentiment d'appartenance – Visions d'avenir

COMUNICACIÓN

EXPRESSION ORALE
- Réagir au phénomène des ghettos, illustré dans le film *La Zona* ; imaginer et raconter la suite de l'extrait visionné.
- Réagir à des témoignages de citoyens, et donner sa propre vision de la ville.

EXPRESSION ORALE
- Concevoir et discuter d'un projet pour rénover un quartier de sa ville ; défendre ce projet devant la classe.

COMPRÉHENSION ÉCRITE
- Comprendre des textes relatant des initiatives citoyennes, pour changer la ville.

COMPRÉHENSION ORALE
- Comprendre les témoignages de jeunes hispanophones sur leur ville.

EXPRESSION ÉCRITE
- Rendre compte d'un événement qui a eu lieu dans sa ville.
- Rédiger des propositions pour améliorer les loisirs dans sa ville.

LENGUA

LEXIQUE • Pauvreté / richesse • Administration d'une ville • Nécessités / possibilités • Écologie • Sécurité • Culture • Sports

GRAMMAIRE • L'opposition • La proposition relative • *Ser* / *Estar* • *Ir* + *a* + verbe • La concordance des temps • Passé simple / passé composé • Le conditionnel

PRONONCIATION • Le son /ch/ • L'intonation

ORTHOGRAPHE • L'accent écrit

DOCUMENTOS

- Découverte d'une ville espagnole
- Réaliser le plan interactif d'un quartier

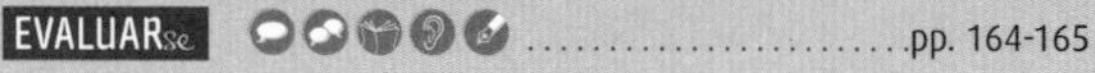

p. 170-185

Inventando el futuro

MINI PROYECTOS
- Debate: También es posible vivir sin ordenadores.
- Imagina "el invento" que cambiará nuestro futuro.
- Realiza una encuesta en tu clase.
- Presenta una "idea sostenible para un planeta verde".

- Des projets innovants dans les domaines de l'éducation, de la science, des relations sociales, de l'écologie.

Visions d'avenir

EXPRESSION ORALE
- Débattre de la place des « nouvelles » technologies dans notre vie.
- Mener une enquête dans la classe sur les réseaux sociaux.

EXPRESSION ORALE
- Présenter un projet innovant dans le domaine de l'écologie.

COMPRÉHENSION ÉCRITE
- Comprendre des articles de presse sur des projets novateurs (éducation, science, écologie).

COMPRÉHENSION ORALE
- Comprendre des reportages audio et vidéo sur des projets innovants (éducation, technologie, écologie).

EXPRESSION ÉCRITE
- Écrire un court article sur la concurrence *Facebook / Tuenti*.
- Rédiger un texte publicitaire pour promouvoir une invention.
- Rédiger le commentaire d'un sondage.

LEXIQUE • Éducation • Innovations et nouvelles technologies • Écologie • Chiffres, nombres, pourcentages

GRAMMAIRE • Révision des principaux temps • Expression de la condition • Traduction de « même si » et « bien que » • Simultanéité (*al* + infinitif) • *Cuando* + subjonctif • Traduction de « dont »

IMAGES

TEXTES

AUDIO

VÍDEO

* Et pour poursuivre l'entraînement : des exercices de langue interactifs sur le site *www.nuevas-voces.com*

Miguel Ardanuy, 18 años (España). Vive en Madrid, donde estudia Ciencias Políticas. Y le apasiona. "No sé si quiero ser político, pero sí cambiar lo que no me gusta. Y la política es la mejor manera de cambiar las cosas".

Secuencia 1

¡Vota por mí!

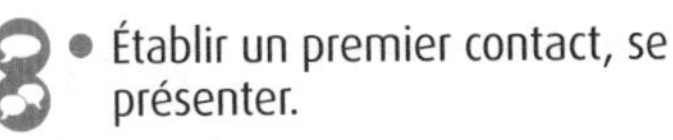

DÉCOUVRIR

- Première approche de la vie d'adolescents hispanophones (en particulier au lycée).
- Spécificités du rôle du délégué de classe dans différents pays (Mexique, Paraguay...).

COMMUNIQUER

- Établir un premier contact, se présenter.
- Parler de ses goûts et de ses loisirs.
- Décrire sa personnalité.
- Présenter et défendre avec conviction une idée ou un projet.

- Comprendre la description d'un personnage (portrait physique et moral) et d'un groupe (organisation, relations, hiérarchie...).

- Comprendre une personne qui évoque son expérience de délégué de classe.

- Rédiger des propositions pour son lycée.
- Décrire un aspect de la vie du lycée.

UTILISER

- **Lexique**

- Traits de caractère
- Loisirs
- Vie scolaire

- **Grammaire**

- Révision des principaux temps et modes de conjugaison
- *Ser / Estar*
- Construction des verbes du type *gustar*
- La phrase interrogative
- Le comparatif
- Les adjectifs possessifs
- L'obligation personnelle
- L'apocope

- **Prononciation**

- L'accent tonique
- /r/ et /rr/

- **Orthographe**

- L'accent écrit

PROYECTO → p. 19

¡Presenta tu candidatura a la elección del delegado de la clase de español!

¿Se puede conocer a alguien en 7 minutos?

El *speed dating* (citas rápidas o multicitas) suscita cada vez más interés en España.

Cartel y fotograma de la película *7 minutos*, 2009

Entrénate

① ¿Te suena el *speed dating*?
Sí, me parece que...
Sí, creo que...
No, pero según la foto...

② Mira la fotografía. ¿Qué le preguntará primero el uno al otro?

¿Qué ...? | ¿Cómo ...? | ¿Dónde ...? | ¿De dónde ...? | ¿Cuántos ...? | ¿Por qué ...?

③ ¿Qué más les interesará descubrir?

aficiones | carácter | familia | ocupación | ...

Saber si...
Saber lo que...

④ ¡Ahora te toca a ti! Juega con tu compañero al *speed dating*.
¡Atención!, es una mini charla: en sólo 7 minutos, deberás hacerle preguntas y contestarle.

⑤ Ahora que lo conoces mejor, preséntalo a la clase.

⑥ **TU OPINIÓN** ¿De qué otra manera se puede conocer a los compañeros de clase?

ESTRATEGIA

En cas de panne, contourne l'obstacle en utilisant une périphrase.
Exemple : *una cita → un encuentro entre dos o más personas.*

¿Qué objeto te define mejor?

Tamara Jazmín Chávez, 16 años (México).
Estudia bachillerato y fotografía, juega al baloncesto.
Posa frente a un mural de Rufino Tamayo, en el Hotel Camino Real.

Ariel Passamani, 17 años, posa en el escenario del teatro Cervantes de Buenos Aires (Argentina). Quiere ser actor.

Practica

¡Un minuto para hablar de ti!

Trae un objeto personal y cuéntales a tus compañeros por qué lo has elegido y lo que representa para ti.

LENGUA

Vocabulario

aficiones

- dedicar tiempo a, pasarse el tiempo, ser aficionado a
  Le dedico mucho tiempo a mi deporte favorito.
  Me paso el tiempo bailando.
- gustar, encantar, apasionar
  Es lo que más me gusta hacer.
  Me encantan los cómics.
- ir de marcha / salir de marcha: *faire la fête*

carácter

ser sociable, tímido, divertido...

Gramática

Le présent de l'indicatif

Verbes irréguliers à la 1re pers. :

Soy *un chico tímido.*
Tengo *dos hermanas.*
Salgo *poco por las noches.*
Voy *al gimnasio de mi barrio.*

▸ Gramática 21 p. 201
▸ Ejercicio p. 201

Verbes du type *gustar*

*No **me gusta** la política.*

▸ Gramática 18 p. 198

Les mots interrogatifs

*¿**Cuáles** son tus pasatiempos?*
*¿**Quiénes** son tus mejores amigos?*
*¿**Cuántas** horas dedicas a hacer deporte?*

▸ Gramática 39 p. 213

Pronunciación

L'accent tonique

Tous les mots espagnols comportent une syllabe accentuée.

PISTE 2 Écoute et classe les mots selon la place de l'accent.

□ □ ■ (escribir)	□ ■ □ (colegio)	□ □ ■ □ □ (matemáticas)

▸ Gramática 3 p. 189
▸ Ejercicio p. 189

Silvia, ¿una amiga perfecta?

¿Conocéis a Silvia?

No puedo creer que no sepáis quién es Silvia. Todo el colegio la conoce. No hay otra alumna como ella. Silvia es más guapa que cualquiera[1] de las chicas de mi clase, y su ropa es también mucho más bonita que la nuestra. La madre de Silvia, que también es guapa y más elegante que cualquiera de nuestras madres, es periodista y a veces sale por televisión. Su padre trabaja en política. Viven en una casa muy grande, una casa preciosa con jardín y piscina.

Nadie entiende por qué Silvia viene a este colegio: con lo que ganan su padre y su madre, bien podrían llevarla a una de esas escuelas privadas y carísimas con clases de equitación y excursiones de esquí en la semana blanca. En lugar de eso, Silvia viene a nuestro colegio, donde no hay chicas con madres famosas y nadie tiene, como ella, ocho vaqueros[2] de marca y siete pares de zapatillas de deporte. Mi padre dice que los padres de Silvia no la cambian de colegio porque tienen que dar ejemplo, y yo, la verdad, no sé a quién. Pero me alegro de lo del ejemplo, o de lo que haya hecho que Silvia Páez venga a mi escuela y podamos ser amigas.

Además de ser guapa y simpática, además de tener una casa preciosa con una piscina rodeada de árboles, Silvia es lista[3], y muy aplicada. Saca siempre las notas más altas de la clase. Un día me dijo que su padre le había explicado que estaba obligada a ser la mejor en todo. Debe de ser por lo del ejemplo. El caso es que siempre le ponen sobresalientes[4], y a veces, algún notable[5] el profesor de matemáticas, que le tiene manía a Silvia[6], o a lo mejor a su padre, que es político y tiene hasta una foto con el rey.

Todo el mundo quiere ser amigo de Silvia, para ir a su casa a jugar, a ver pelis[7] en la tele de plasma o a bañarse en verano. Pero no es sólo por la casa. También es por ella, que es divertida, se ríe mucho y es más graciosa que nadie a la hora de imitar a los profesores o de sacar motes[8].

Silvia les cae bien a todos, pero a ella sólo le caen bien algunos, porque, como dice siempre, en esta vida hay que seleccionar.

Marta Rivera de la Cruz (autora española), *¿Conocéis a Silvia?*, 2008

1. cualquiera : *n'importe quelle*
2. vaqueros : *jeans*
3. lista : inteligente
4. sobresaliente : *excellent*
5. notable : *très bien*
6. le tiene manía a Silvia : no quiere a Silvia
7. películas
8. sacar motes : *donner des surnoms*

Entrénate

① **LEE** y completa con lo que sabes de Silvia:
- retrato físico / apariencia: ...
- relación con los otros / con la narradora: ...
- personalidad: ...
- sus padres: ...
- su casa: ...
- la educación que le dan sus padres: ...

② **TU OPINIÓN** ¿Te gustaría tenerla como amiga?

ESTRATEGIA

Regarde d'abord le titre et les illustrations, puis cherche dans le texte d'autres indices pour confirmer tes prédictions.

¿Qué cuenta más: la fuerza o el carácter?

Animales sociales

La clase se inicia. El profesor comienza a hablar acerca de los animales sociales.

Los lobos son una especie social y su comportamiento está en gran medida condicionado por las relaciones con otros miembros de su raza. Su forma usual de organización es la manada, un grupo más o menos amplio de ejemplares regidos por una severa pauta jerárquica[1]*. Así pues, cada miembro de la manada posee un* 5 *diferente grado de estatus que determina su acceso al alimento y a la reproducción. Los rangos se establecen mediante una serie de luchas y enfrentamientos rituales en los que realmente pesa más el carácter y la actitud que el tamaño*[2] *o la fuerza. Cada manada tiene dos líderes claros: el macho alfa*[3] *y la hembra alfa, que guían los movimientos del grupo y tienen preeminencia sobre los demás a la hora de* 10 *alimentarse, procrear y criar a sus camadas*[4]*.*
Por debajo de los líderes se encuentra el macho o la hembra beta, que sólo muestra obediencia a los alfas, y así sucesivamente.

César MALLORQUÍ (autor español), *Chico omega*, 2008

1. *règles hiérarchiques* – **2.** *la taille* – **3.** primera letra del alfabeto griego – **4.** *élever ses portées*

Practica

① ¿Qué asignatura enseña este profesor?

② ¿Entiendes por qué los lobos son "una especie social"?

③ Y en la clase: ¿el delegado debe ser un líder? ¿Cómo debe ser designado?

LENGUA

Vocabulario

cualidades
ser amable, simpático, listo, gracioso, divertido, modesto...

defectos
ser desagradable, antipático, tonto, aburrido, pesado, orgulloso...

Gramática

Le présent du subjonctif

*Es imposible que no **sepáis** quién es Silvia.*
*Me encanta que **podamos** ser amigas.*

▸ Gramática 28 p. 205
▸ Ejercicio p. 206

Le comparatif

más que / menos que
*Silvia se cree **más** lista **que** sus compañeras.*
*Tengo **menos** amigas **que** Silvia.*

▸ Gramática 36 p. 212

Les adjectifs possessifs

*Las chicas de **mi** clase...*
***Su** padre es muy exigente.*
*Todos la conocen en **nuestro** colegio.*

▸ Gramática 16 p. 196

Ortografía

L'accent écrit

Le mot qui n'obéit pas aux règles d'accentuation porte à l'écrit un accent aigu qui indique la place de l'accent tonique : *televisión, política, así, carácter, líder.*

▸ Gramática 3 p. 189
▸ Ejercicio p. 189

COMPRENSIÓN ORAL

¿Cómo debe ser el delegado de clase?

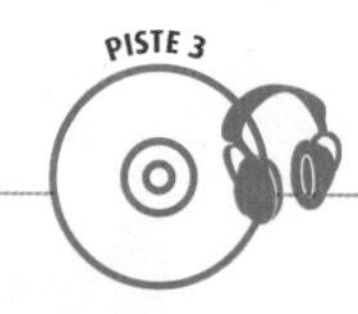

Fui delegado de clase

Cristian nos habla de su experiencia.

Estudiantes de una secundaria

Entrénate

ESTRATEGIA

Anticiper ce que tu vas entendre te permettra de mieux comprendre.

① **ANTES DE ESCUCHAR** ¿Qué le preguntarías tú a Cristian?

② **ESCUCHA** la grabación para ver si le hacen las mismas preguntas.

③ ¿De dónde es Cristian?

④ Emplea dos veces el mismo adjetivo para calificar su experiencia: ¿cuál es? ¿Por qué será?

⑤ Apunta las palabras que se refieren al papel del delegado de clase.

⑥ **TU OPINIÓN** ¿A ti te gustaría ser delegado de clase?

Escuela

(Maestro)
¿Qué doncella se casa
con el viento?

(Niño)
La doncella de todos
los deseos.

(Maestro)
¿Qué le regala
el viento?

(Niño)
Remolinos de oro
y mapas superpuestos.

(Maestro)
Ella ¿le ofrece algo?

(Niño)
Su corazón abierto.

(Maestro)
Decid cómo se llama.

(Niño)
Su nombre es un
secreto.
La ventana del colegio
tiene una cortina de
luceros.

F. García Lorca

¿Qué tipo de delegada era Mª del Mar?

¡Cuéntanos cómo fue!

Viaje escolar

María del Mar

Practica

① Escucha hasta el final para saber:
- de dónde es esta chica (cita la ciudad, el país y sitúalos en un mapa),
- cómo considera su experiencia de delegada de clase.

② María del Mar recuerda dos proyectos que organizó en esa época.
El primero fue...
Para financiarlo...

③ El segundo proyecto fue la coordinación de pasantías *(stages)*. Indica: **a)** en qué momento del año se realizan, **b)** dónde se llevan a cabo, **c)** cuál es su finalidad.

④ Según lo que cuenta, ¿qué tipo de chica será María del Mar?

PISTE 5

ESCUCHA EN CASA

① Escucha el poema (p. 14) varias veces.

② Apréndelo de memoria para recitarlo con un compañero (*Maestro / Niño*).

LENGUA

Vocabulario

un delegado

debe:	**debe ser:**
involucrarse en	capaz de
dedicarse a	hábil
solucionar	dinámico
negociar	ingenioso
...	espabilado
	...

Gramática

L'obligation personnelle

tener que + infinitif / *deber* + infinitif :

*El delegado **tiene que** negociar con los profesores.*
***Debes** hacer más esfuerzos para integrarte en el grupo.*

▸ Gramática 41 p. 214

L'apocope

bueno → buen

*¿Cómo debe ser **un buen delegado**?*

▸ Gramática 13 p. 193

Ser / Estar

- Tournures indiquant l'origine : *SER*
  *Cristian **es** de México.*
- Voix passive : *SER*
  ***Fue** elegido delegado **por** sus compañeros.*

▸ Gramática 31 p. 207
▸ Ejercicio p. 208

Pronunciación

Les sons /r/ et /rr/

PISTE 6 Écoute et classe les mots selon le son que tu entends : abrazo, creación, realmente, drama, frágil, perro, relaciones, graciosa, preciosa, corre, divertida, seleccionar, imitar, reina

/r/ (senderismo)	/rr/ (guitarra)

▸ Gramática 2 p. 188

EXPRESIÓN ESCRITA

El colegio ideal

Los mejores inspectores de los centros escolares son los alumnos. Cuatro jóvenes aportaron sus ideas.

Entrénate

① Apunta las ideas que proponen estos cuatro estudiantes para mejorar:

El equipamiento del instituto (aulas y salones)	**El aprendizaje** (maneras de aprender y de enseñar)	**La convivencia** (profesores, alumnos, administrativos, padres)

② TU OPINIÓN ¿Qué te gustaría mejorar en tu propio instituto? Escribe una lista de propuestas dentro de estas categorías y otras que consideres necesarias (higiene, horarios, transporte escolar...).

¿LO SABÍAS?

En español, **el tuteo** es la forma de tratamiento más corriente en la calle, en los comercios y en el trabajo. Por lo general, los alumnos españoles también tutean a sus profesores y los llaman por su nombre de pila.

Ilustración de Guillermo DEL OLMO, *El País Semanal*, 13/09/2009

Aporta tu contribución a la página Web de tu instituto

Practica

Es cierto que se puede mejorar tu instituto, pero ya hay muchas cosas que vale la pena dar a conocer. ¡Promociona lo mejor!

Describe la acción, el proyecto, etc. que te parece más original, interesante o atractivo en uno de los ámbitos siguientes:

LENGUAS EXTRANJERAS	ACTIVIDADES EXTRAESCOLARES	INTERCAMBIOS INTERNACIONALES	INFRAESTRUCTURAS	EVENTOS	PROYECTOS

EVENTOS

LENGUA

Vocabulario

el instituto

- las aulas (de informática, multimedia), los salones, el patio de recreo, el comedor escolar, el gimnasio
- los profesores, los tutores, el director, el jefe de estudios
- las asignaturas: *les matières*
- el horario del día y de la semana

Gramática

Le futur

*¿Quién **organizará** la elección del delegado?*
*La nueva sala de informática **tendrá** red wifi propia.*

▸ Gramática 25 p. 203
▸ Ejercicio p. 204

Le conditionnel

Expression du souhait :
***Me gustaría** organizar una fiesta de fin de año.*

▸ Gramática 29 p. 206
▸ Ejercicio p. 206

L'article

Devant un nom féminin commençant par "*a*" accentué :
la → el ; una → un
*Queremos **un aula** especial para las clases de tecnología.*

▸ Gramática 14 p. 193

Ortografía

L'accent écrit

L'accent écrit apparaît même sur les lettres majuscules :
SALÓN DE ACTOS, INFORMÁTICA, BATERÍA, PLÁSTICA

NUEVAS TECNOLOGÍAS

Para navegar, pp. 236-237

PRIMERA CONEXIÓN

Crea tu perfil para la red social de la clase

1. Para que te conozcan mejor tus compañeros de clase, conéctate a *www.nuevas-voces.com* y crea tu perfil.

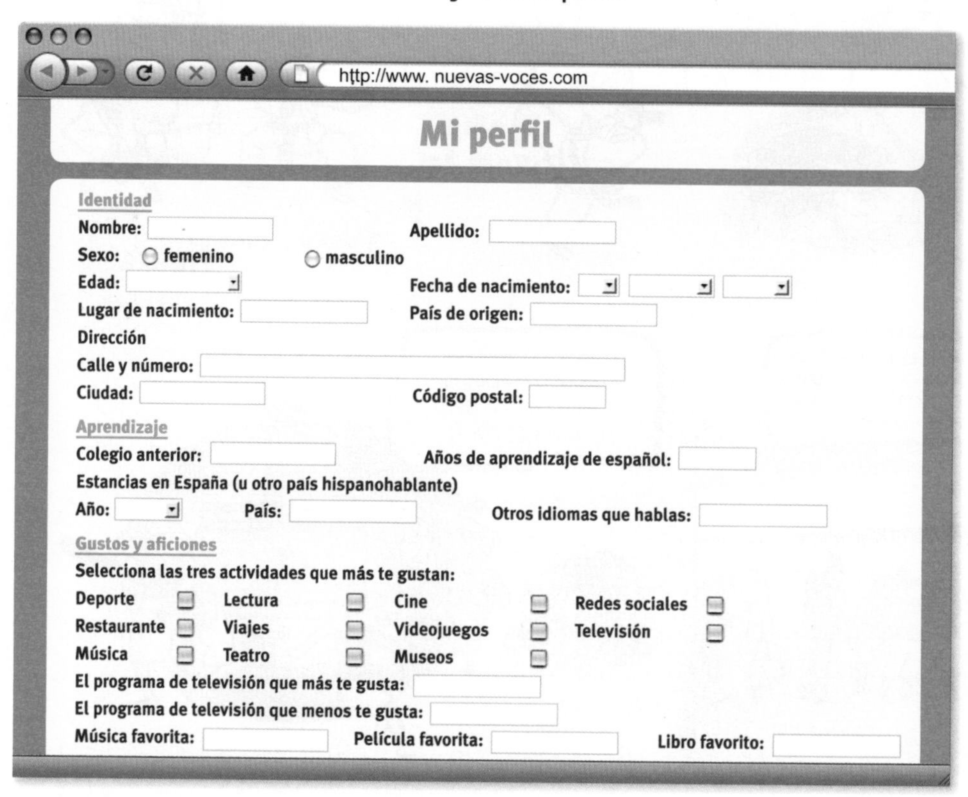

http://www. nuevas-voces.com

Mi perfil

Identidad

Nombre: Apellido:

Sexo: femenino masculino

Edad: Fecha de nacimiento:

Lugar de nacimiento: País de origen:

Dirección

Calle y número:

Ciudad: Código postal:

Aprendizaje

Colegio anterior: Años de aprendizaje de español:

Estancias en España (u otro país hispanohablante)

Año: País: Otros idiomas que hablas:

Gustos y aficiones

Selecciona las tres actividades que más te gustan:

Deporte / Lectura / Cine / Redes sociales

Restaurante / Viajes / Videojuegos / Televisión

Música / Teatro / Museos

El programa de televisión que más te gusta:

El programa de televisión que menos te gusta:

Música favorita: Película favorita: Libro favorito:

2. Informaciones personales: ¿Hay algunas que no publicarías en una red? ¿Depende de quién va a tener acceso?

B2i | **Adopter une attitude responsable** | ✓ Je protège ma vie privée en réfléchissant aux informations personnelles que je communique.

HAZ TU PROYECTO CON LAS TIC

Entrénate para pronunciar

Antes de presentarte a tus compañeros, escucha para pronunciar correctamente lo que vas a decir.

1. Conéctate en este sitio Web muy divertido: ***http://www.oddcast.com/demos/tts/tts_example.php***
2. Escribe el texto, por ejemplo: "¡Hola! Me llamo... Voy a hablaros un poco de mí..."
3. Luego, escoge la lengua y por fin, la voz (sexo y origen).
4. Escucha... alucinante ¿verdad?

Consejos útiles

- Attention, avant de saisir le texte sur le site, tape-le dans un traitement de texte afin que l'accentuation et la ponctuation soient respectées !

Candidato en acción. Preséntate a la elección del delegado de clase.

Etapas

1. TIPO DE TRABAJO

Individual.

2. PREPARACIÓN

Eres candidato:

- Piensa en la imagen que vas a dar de ti.
- Selecciona las cualidades personales que vas a poner de relieve como candidato.
- Haz la lista de las razones que te motivan.
- Haz el repertorio de las situaciones o circunstancias en las que te comprometes a representar a tus compañeros.

Eres elector:

- Piensa en las cualidades que para ti debe tener un buen delegado de clase.
- Durante la presentación de las candidaturas: ¿qué vas a observar para saber si el candidato posee esas cualidades?
- Prepara las preguntas que te parece importante hacerle.

3. REALIZACIÓN

Haz acto de candidatura delante de la clase.

¡Convence y consigue votos!

Consejos útiles

- **Respeta el plan de la preparación para exponer los diferentes puntos.**
- **Emplea un tono convincente.**
- **Intenta interactuar con tus compañeros haciéndoles preguntas y respondiendo a sus interrogaciones.**

▸ Nuevas tecnologías, p. 18

EVALUARse

CD CLASSE

COMPRENSIÓN ORAL Señas de identidad

Escucha y rellena.

Nombre: *Juan Miguel*
Apellidos: *Alonso Mora*
Ciudad de nacimiento:
Ciudad de residencia actual:
Edad:
Estado civil:
Profesión de los padres:
Carrera u ocupación actual:
Aficiones:

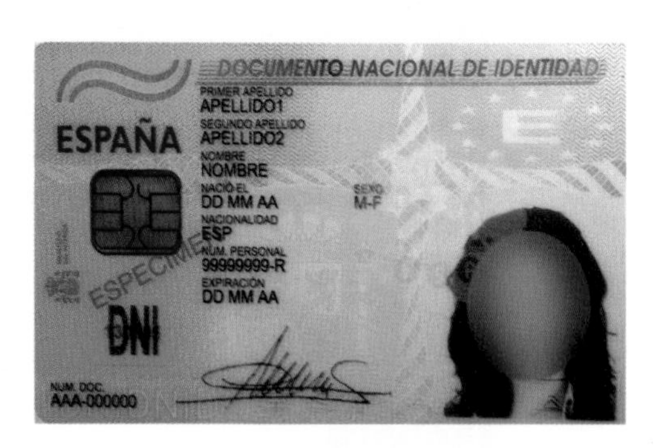

Mon bilan

○ Je peux comprendre quand quelqu'un se présente, parle de sa famille ou de ses goûts.
→ par exemple, quand il dit son nom, son âge, où il habite, ce qu'il aime et les loisirs qu'il préfère.

○ Je peux comprendre si la personne parle de faits présents, passés ou futurs.
→ par exemple, repérer quand la personne parle du lieu où elle est née, de ce qu'elle fait actuellement et de ses projets.

A2

COMPRENSIÓN LECTORA Cero coma cinco

–Planas
–¡Presente, Don Gerardo!
–Dígame una cosa, Planas: ¿sabe usted qué asignatura imparto[1] yo en este instituto?
Planas alzó la vista hacia el techo.
–Eeeh...Estoo... déjeme pensar un poco... es que así, de improviso... ¡Ah! Biología, ¿No?
–¡Efectivamente, Biología! se lo pregunto porque, corrigiendo la prueba escrita que hizo usted ayer, me dio por pensar si acaso no se habría preparado por error la materia de otro profesor. Lo digo porque ha hecho un examen absolutamente deleznable[2], amigo Planas. Vamos, que no ha puesto correctamente ni la fecha. De todas formas, como me cae usted bien, le voy a regalar medio puntito; gentileza de la casa.
–Gracias, Don Gerardo. Muy reconocido.
–Nota final, por tanto: cero coma cinco.

Fernando Lalana y José Mª Almárcegui (autores españoles), *Doble o nada*, 2004

1. *(ici)* enseño
2. lamentable

① ¿Dónde se sitúa la escena?

② ¿Quiénes son Planas y Don Gerardo?

③ ¿Cuál es el tema del diálogo?

④ ¿Don Gerardo es una persona muy seria o tiene humor? Justifica.

Mon bilan

○ Je peux comprendre l'essentiel d'un texte court et simple.
→ par exemple, de quoi parle le texte et les événements qu'il rapporte.

○ Je peux identifier et comprendre les sentiments d'un personnage.
→ par exemple, interpréter une attitude ou un geste.

EXPRESIÓN ORAL ¿Te apuntas?

Prepárate para la entrevista de un casting en la que deberás hablar de ti.

¡Entrénate bien! para que te seleccionen deberás: presentarte, hablar de tus cualidades, de tus aficiones, de tus proyectos y de algún defectillo que se pueda confesar.

✓ Mon bilan

○ Je peux utiliser des expressions et des phrases simples pour dire qui je suis, où j'habite, ce que je fais... 
→ par exemple, dire quel établissement je fréquente, quelles matières j'étudie et ce que j'aime faire.

○ Je peux décrire en termes simples comment j'occupe mes loisirs et expliquer en quoi une chose me plaît ou me déplaît. **A2**

○ Je peux justifier très simplement un projet, à condition d'avoir pu me préparer avant. **A2**

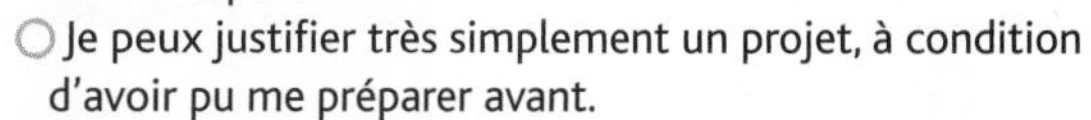

→ par exemple, expliquer mon intérêt pour une profession.

EXPRESIÓN ESCRITA Un correo electrónico

Envíale un mail a un amigo argentino que está disfrutando de sus vacaciones en pleno verano del hemisferio sur.

Le cuentas todo sobre:

- tus profesores
- tu instituto
- tus nuevos amigos
- el ambiente de clase

Hola, ¿qué tal el surf?
Aquí es la vuelta al cole...

✓ Mon bilan

○ Je peux écrire un message personnel très simple, en décrivant l'endroit où je suis, ce que je fais et en donnant des informations sur des gens que je connais. 
→ par exemple, décrire mon lycée, mes professeurs et mes nouveaux amis.

○ Je peux décrire mon état d'esprit avec des mots simples et familiers. **A2**
→ par exemple, dire comment je me sens en ce début d'année scolaire.

OTROS ENFOQUES

A. *Así es Miguel*

Quino Petit, 15/11/2009

"Me he matriculado[1] en Ciencias Políticas porque me gustaría cambiar muchas cosas. Me gusta mucho la política. No sé si quiero ser político. Pero sí quiero cambiar lo que no me gusta".
Así es Miguel Ardanuy. Madrileño, de 18 años, del barrio de Pacífico. Hijo de padres separados, ambos odontólogos[2], que han sufragado[3] los 335 euros de matrícula en la Universidad Complutense para el año académico. "Me gustaría encontrar algún trabajo para compatibilizarlo con mis estudios. He hecho un curso de monitor de campamento para aprender, ayudar a los niños y sacar unas pelas[4]". Miguel es también hermano de Ana y Alicia, de 22 y 24 años. Soltero. Asiduo de redes sociales[5] internautas como Tuenti[6]. Viajero. Despierto. Y apasionado de la política. "No me identifico con ningún partido. Ninguno representa totalmente mis ideas. Pero... no quiere decir que no me guste la política. Todo lo contrario. Creo que es la mejor manera de cambiar las cosas."
"A los jóvenes de mi edad me gustaría decirles que tengan inquietudes. Y que sepamos priorizar[7] los verdaderos problemas de esta vida. Lo bonito de la vida es que tiene límite. Más nos vale intentar ser felices".

El País Semanal

1. matricularse : *s'inscrire* - **2.** los dos dentistas - **3.** pagado - **4.** un poco de dinero - **5.** *habitué des réseaux sociaux* - **6.** la mayor red social española - **7.** dar la importancia que merece

① ¿Qué te parece este retrato de Miguel? ¿Te haces una idea de qué tipo de chico es?

② Y tú, ¿qué le contarías de tí?

B. *¿El fin justifica los medios?*

Fotograma de la serie de televisión *El internado*

① ¿Se nota que es un colegio para la élite?

② ¿Cuál será la intención del profesor?

③ ¿Te parece que la primera lección del curso es la más importante?

Autorretratos

En un autorretrato, el artista representa no sólo sus rasgos físicos, sino también algunos aspectos de su propia personalidad. La pintura española cuenta con extraordinarios ejemplos de este género; numerosos artistas dejaron y siguen dejando su imagen a la posteridad.

Diego RODRÍGUEZ DE SILVA VELÁZQUEZ (Sevilla, 1599 - Madrid, 1660). *Autorretrato*, 1623. Óleo sobre lienzo, 56 × 38 cm. Museo del Prado, Madrid.

Velázquez, el gran retratista de la Familia Real, así como de campesinos y gente de pueblo, no se quedó en la anécdota sino que profundizó en la personalidad de cada uno de los protagonistas. Al lado de sus numerosos retratos, Velázquez realizó pocos autorretratos.

Pablo RUIZ PICASSO, (Málaga, 1881 - Mougins, Francia, 1973). *Autorretrato*, 1907. Óleo sobre lienzo, 50 × 46 cm. Narodni Gallery, Praga.

Picasso recurrió al autorretrato en numerosas ocasiones. Decía el artista: "Al principio, el autorretrato es un aprendizaje, y luego se vuelve una representación; he aquí como me veo, he aquí como pienso que me vi".

Los ojos de Picasso

Siempre es todo ojos.
No te quita los ojos.
Se come las palabras con los ojos.
Es el siete ojos.
Es el cien mil ojos en dos ojos [...].

Rafael ALBERTI, 1970

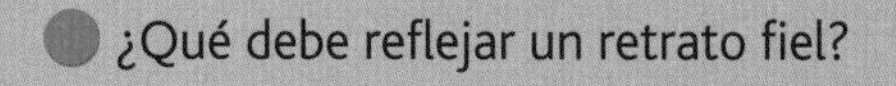

¿Qué debe reflejar un retrato fiel?

LECTURA EN CASA

Nacimiento de un ídolo

En el coche sonaba una canción de Bob Dylan. *The answer, my friend, is blowing in the wind...*

Aunque Álex daba[1] inglés en el colegio, su nivel era muy elemental. Curioso, les preguntó a sus padres, que iban delante, qué decía la letra de aquella canción. Ninguno le respondió. Y él, que iba detrás, solo, se permitió una ironía en voz alta que tampoco nadie comentó: "No hace falta[2] que respondáis, que[3] yo siempre le hago las preguntas al aire".

Como no sabía inglés, tampoco supo que, en realidad, sí estaba siendo contestado. Bob Dylan, desde el cedé del coche, le repetía, una y otra vez: *La respuesta, amigo mío, está flotando en el viento...*

Así, Álex se quedó sin saber que si haces las preguntas al aire, tal vez te responda el viento. Y por eso mismo[4], nunca buscó educar su oído para escuchar al viento. [...]

Hasta que un día dejó de[5] hacer preguntas y dejó de escuchar y dejó de esperar nada.

Cuando cumplió doce años ya era un niño que no soportaba el silencio. Necesitaba ruido para poder vivir. Y lo buscaba donde fuera y como fuera. Jugaba a las máquinas, se juntaba con sus amigos de pandilla[6], hablaba incluso cuando corría en dirección a la portería[7] dando patadas al balón. En clase no podía estar callado. Muchas veces lo expulsaron por faltar al respeto al profesor. Nadie tenía derecho a hablar y a ser escuchado. Nadie, como él, había sufrido ante el silencio, y él, más que nadie, se merecía hablar. Por tanto, que no le hablaran de[8] respeto. El respeto empezaba en él y terminaba en él mismo. Los demás eran ruido de segunda clase. Su ruido era el mejor, el más heroico. Y habría de defenderlo aunque tuviera que aplastar[9], por el camino, cualquier palabra de los demás.

Entre sus colegas era popular. Su encanto arrasaba[10]. Y en su cháchara[11] incesante, que había desarrollado con cierto arte, envolvía a los otros, los camelaba. Su insolente actitud era un aliciente[12] para quienes, distintos de él, no se atrevían a tal nivel de provocación o vacile. Parecía no tener límites. Consiguió así un enjambre

de seguidores[13] que, como histéricos fans de un cantante, lo seguían y lo jaleaban, conscientes de que su ídolo poseía ese don del que ellos carecían[14]: tenía voz, si no entonada y armónica, sí capaz de hacerse oír, apagando[15] cualquier otro sonido, en todo el inmenso imperio del colegio.

A los trece años ya era el más popular de la clase. El jefecillo máximo, emperador de un escuadrón de medianos guerreros. Álex necesitaba a su público tanto como su público lo necesitaba a él. Era el pastor del rebaño. Hablaba a las ovejas y las ovejas le balaban al terminar cada parrafada[16], a modo de aplauso unánime. Pero ninguno de aquellos lanudos y obedientes corderos sabía que, en su casa, Álex no gozaba de la más mínima popularidad. Ninguno sabía que, de pequeño, había buscado, desesperadamente, un sitio para hablar y ser escuchado. Ninguno sabía que Álex, al llegar a casa, cerraba su boca con pegamento, y se encerraba en su cuarto, con los auriculares del *ipod* pegados a las orejas y el mando de la *playstation* nerviosamente aferrado en sus manos.

Lola BECCARIA (autora española), *La diferencia*, 2008

1. aprendía
2. no es necesario
3. porque
4. por esa razón
5. dejar de : *arrêter de*
6. *sa bande*
7. *le but*
8. *« qu'on ne vienne pas lui parler de… »*
9. *écraser*
10. arrasar : *faire des ravages*
11. *bagout*
12. *un encouragement*
13. un grupo de admiradores
14. carecer : *manquer*
15. apagar : *éteindre*
16. cada vez que hablaba

Comprender el texto

① (l. 1-14) ¿Los padres de Álex le prestaban la suficiente atención? ¿Cómo reaccionó Álex frente a esa actitud?

② (l. 15-24) ¿En qué se refugió cuando se hizo adolescente?

③ ¿Cómo se comportaba con sus compañeros y profesores?

④ (l. 25-32) A pesar de eso, ¿cómo se explica su popularidad?

⑤ (l. 32-42) ¿Álex era la misma persona en el colegio y en su casa? ¿Cómo se puede explicar eso?

⑥ Con tanta popularidad, ¿crees que Álex podría ser el delegado de clase ideal?

Luis Gordillo, *Fa*, 1963. Óleo sobre lienzo adherido a tabla, 73 × 92 cm. (Colección De Pictura)

Secuencia 2

¿Qué lenguas hablas?

DÉCOUVRIR

- Les langues du monde hispanique : richesse, diversité et vitalité.
- Langues et identité de jeunes hispanophones.
- La poésie de Mario Benedetti.

COMMUNIQUER

- Parler des langues de sa vie : celles que l'on apprend, celles que l'on pratique, celles que l'on connaît.
- Présenter une langue du monde hispanique.
- Discussion : « Plurilinguisme, avantage ou inconvénient ? »
- Comprendre un récit dans lequel le narrateur évoque son rapport aux langues.
- Comprendre un reportage télévisé sur des langues en danger.
- Comprendre un témoignage : une expérience du bilinguisme en Espagne.
- Écriture d'imitation : écrire un court poème.

UTILISER

- **Lexique**
  - Vocabulaire lié à la langue (apprentissage, maîtrise, sonorités, statut...)
- **Grammaire**
  - Les équivalents de « on »
  - L'expression de l'habitude
  - L'expression du souhait
  - La concession
  - *Ser / Estar*
  - Le passé composé
  - L'imparfait de l'indicatif
  - La concordance des temps
- **Prononciation**
  - L'intonation de la phrase
  - La place de l'accent tonique
- **Orthographe**
  - L'accent écrit
  - La ponctuation dans un poème

PROYECTO → p. 37

¿Sabías que en el mundo hispano se hablan más de 700 lenguas? ¡Presenta en clase una de éstas!

EXPRESIÓN ORAL

¿Hablar varias lenguas, les ayudará a encontrar lo que buscan?

1

Canguro* que habla euskera e inglés con bebés y niños.

Me llamo Maitane, tengo 24 años, soy de San Sebastián y estoy estudiando Ciencias Empresariales. Hablo inglés y alemán fluidamente y soy bilingüe en euskera. Me encantan los niños por lo que he trabajado como niñera y también como monitora de campamentos en EEUU.

Publicado el: 29/08/2008
Lugar: Donostia-San Sebastián
Servicios ofrecidos: cuidado de bebés, cuidado de niños
Idiomas: alemán, euskera, español, inglés

2

Luis
(A Coruña / La Coruña)
Hablo español y gallego.
Intercambio idioma con nativ@ inglés.

Busco clases - busco profesora. Estoy interesado en intercambiar mi idioma español o gallego por el inglés, vivo en A Coruña, ¡podríamos quedar!!!

Idiomas: alemán, gallego, español, inglés

3

Anita

Hola a todos, soy nueva en este foro, me gustaría aprender inglés y también estaría dispuesta a enseñar castellano. En estos momentos estoy aprendiendo catalán. Soy de Venezuela y estoy viviendo en Barcelona, España. Soy arquitecta, así que si desean saber un poco de arquitectura de Barcelona y de Venezuela estaría dispuesta a enseñarles.
Bienvenidos a todos los que deseen aprender castellano.
¡Un abrazo muy fuerte!

* canguro, niñera : persona que cuida niños

¿LO SABÍAS?

Variedad lingüística en España

- En España existen cinco lenguas oficiales:

- El Facebook español habla en catalán, euskera, gallego y hasta inglés.

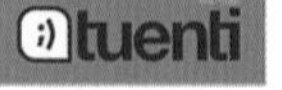

Tuenti a partir de hoy, también habla en **catalán**, **euskera** y **gallego**, y es que la mayor red social de España activa la posibilidad de cambiar el idioma de tu perfil* a través de la 'configuración de cuenta'. "Es un gran día para Tuenti, desde hoy mismo podrás usar nuestro servicio en cualquiera de las lenguas oficiales del Estado. De forma sencilla, cualquier usuario de Tuenti puede ya mismo cambiar su opción de idioma y navegar en catalán, vasco o gallego", destacó Ícaro Moyano, responsable de comunicación de Tuenti.

REQUENA nosologeeks.es, 03/12/2009

* el perfil : *le profil*

Entrénate

① Sitúa en un mapa el lugar de dónde provienen estos jóvenes.
Habla de la "biografía lingüística" de cada uno de ellos:
- su lengua materna,
- las lenguas estudiadas,
- los lugares donde seguramente las han aprendido: en casa, con amigos, en la escuela, en el extranjero...

② ¿Qué lengua comparten? ¿Por qué la hablan los tres?

③ *Maitane*: ¿A los padres que la van a contratar, les interesará que Maitane hable varias lenguas?
Luis: ¿Crees que a un inglés le puede interesar aprender gallego?
Anita: ¿Sabe adaptarse bien a su nueva vida en España?

④ TU OPINIÓN ¿Te parece que es una ventaja o un inconveniente para el país que se hablen varios idiomas?

¡Y ahora, háblanos de ti!

))) Las lenguas de mi vida

①))) **Las lenguas que hablo o que comprendo**
– Mi(s) lengua(s) materna(s): ...
– Las otras lenguas que practico sin haberlas estudiado en el colegio: ...

②))) **Las lenguas que he estudiado en clase**

	Nombre de la lengua	Año del comienzo del aprendizaje
Mi primera lengua extranjera	*Es el...*	*Empecé...*
Mi segunda lengua extranjera	*Es el...*	
Mi ...		

③))) **Las lenguas que me gustaría aprender un día**
El... porque...
El... para...

④))) **Contacto con las lenguas y culturas fuera de la escuela**
Indica de qué idioma quieres hablar (alemán, árabe, armenio, bretón, camboyano, catalán, corso, chino, español, euskera, hebreo, inglés, italiano, portugués, turco...).

¿Con quién?
miembros de mi familia – amigos – vecinos – en un intercambio con...

¿Dónde?
en mi casa – en mi edificio – mi barrio – mi pueblo – en una asociación – en un intercambio escolar – durante las vacaciones

¿Cómo?
por correo – por correo electrónico – en chats – navegando por la Web – viendo televisión – escuchando la radio – viendo películas en versión original – escuchando música – leyendo periódicos, revistas, libros...

⑤))) **Lo que me gusta cuando escucho o hablo otras lenguas**
❑ escuchar los sonidos y la melodía de otras lenguas
❑ imitar un acento
❑ pasar de un idioma a otro
❑ comparar las palabras, las expresiones
❑ descubrir otros modos de vida
❑ comprender un texto, una película, una canción
❑ escribir en otra lengua
❑ comprender o ayudar a las personas que no hablan mi lengua materna

Practica

Háblanos de las "lenguas de tu vida".

LENGUA

Vocabulario

la lengua = el idioma
- la lengua materna ≠ las lenguas extranjeras
- dominar una lengua = hablar muy bien una lengua
  Domino el inglés, tengo un nivel medio en alemán y soy principiante en euskara.

frecuencia
siempre, a menudo, a veces, en ciertos casos, casi nunca

Gramática

Les équivalents de « on »
- *se* + verbe à la 3e personne
  *En Cataluña **se habla** catalán y castellano.*
- *uno / una*
  *Cuando **uno habla** varias lenguas es más fácil viajar.*

▸ Gramática 19 p. 200
▸ Ejercicio p. 200

Ser / Estar
- Devant un nom/pronom : *SER*
  ***Soy** usuario de Tuenti.*
  *¿**Es** ella la niñera?*
- Devant un gérondif : *ESTAR*
  *Anita **está** aprendiendo catalán.*
- Devant un nom de lieu : *ESTAR*
  *A Coruña **está** en Galicia.*

▸ Gramática 31 p. 207
▸ Ejercicio p. 208

Le passé composé
Participes passés réguliers :
*¿Qué lenguas **has aprendido** en el colegio?*

▸ Gramática 22 p. 202
▸ Ejercicio p. 202

Pronunciación

L'intonation de la phrase

PISTE 7 **Écoute et classe les phrases selon leur intonation.**
phrase déclarative ↘
phrase interrogative ↗
phrase interrogative ↘

▸ Gramática 4 p. 189

Varias lenguas: ¿una oportunidad o un problema?

Mi primera lengua

Durante un breve periodo de mi niñez el euskara o vascuence fue para mí una lengua completamente normal. Carecía de[1] opiniones sobre ella, y su futuro no me preocupaba. Llamaba a mi padre y a mi madre *atta* y *ama*, igual que llamaba *ebi* a la lluvia y *eguzki* al sol, y a eso se reducía todo, a nombrar personas y cosas con las palabras de siempre. En ese sentido, en nada me distinguía de los niños que en el pasado habían nacido en mi casa, Irazune: también ellos, lo mismo en el siglo XX, que en el XIX o en el XVIII, habían dicho *atta, ama, ebi* y *eguzki* cuando querían referirse al padre, a la madre, a la lluvia o al sol. Los demás niños de mi pueblo, Asteasu, y muchos más a lo largo y ancho del País Vasco, se encontraban asimismo en ese caso: todos éramos *euskaldunak*, es decir, "gente que posee el euskara".

No era, sin embargo, la única lengua que yo sentía[2] a mi alrededor. Algunos de mis compañeros de juego, las hijas y los hijos de los primeros emigrantes andaluces, hablaban en castellano –*papá, mamá, lluvia, sol*–, y lo mismo hacían el médico del pueblo y los maestros y las maestras; obligatoriamente, éstos últimos, porque uno de los objetivos oficiales de la educación de entonces era, precisamente, el de enseñarnos la segunda lengua. El castellano era, asimismo, lo que sonaba a todo volumen en los enormes aparatos de radio que presidían la taberna principal del pueblo o el taller de las modistas[3]. Al marchar por la calle, llegaban a nuestros oídos suspiros o gritos que decían "¡te amo, Gustavo!" o "¡gol de Puskas!", y con aquellas expresiones íbamos haciendo oído[4].

Por otra parte, acudíamos con frecuencia a la iglesia, donde parte de los rezos[5] seguían siendo en latín: "*Pater noster...*". A pesar de que lo utilizáramos poco, el latín era importante para nosotros, porque, al ser la lengua de una religión que hablaba de lugares lejanos como Galilea y Babilonia, o de las dulces praderas[6] del cielo, nos resultaba[7] misteriosa; más aún[8] cuando la escuchábamos entre sonidos de órgano[9] o con el perfume del incienso. El latín reforzaba por contraste la normalidad de las otras lenguas, sobre todo de la que más utilizábamos, el euskera. De haberme preguntado alguien si mi primera lengua me parecía importante, no habría entendido la pregunta. Habría respondido que sí lo era, en la medida en que hablar y decir cosas es importante.

Bernardo ATXAGA (autor español), *Mi primera lengua*, www.atxaga.org

Vista de Asteasu, País Vasco

1. carecía de : no tenía
2. *(ici)* oír
3. el taller de las modistas : *l'atelier des couturières*
4. nos habituábamos a oírlo
5. los rezos : *les prières*
6. las praderas : *les prairies*
7. nos parecía
8. más aún : *plus encore*
9. el órgano : *l'orgue*

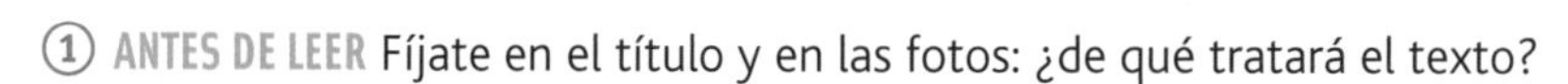

Entrénate

ESTRATEGIA

Les majuscules et les mots en italiques te permettent de repérer les noms propres et les mots d'une autre langue.

① **ANTES DE LEER** Fíjate en el título y en las fotos: ¿de qué tratará el texto?

② **LEE EL TEXTO** e identifica al narrador. ¿De qué tipo de texto se trata?

③ En cada párrafo, el narrador evoca una lengua diferente: encuéntrala.

④ Fíjate en todas las palabras en *bastardilla* del texto.

a) En el primer párrafo: ¿te ayudan a identificar cuál es la "primera lengua del narrador"? Busca un adjetivo que utiliza para calificarla.

b) Y las del segundo párrafo, ¿a qué lengua se refieren?
Es la lengua que oye....

c) Y el latín, ¿con qué palabras lo asocia el narrador?

⑤ **Y TÚ,** ¿eres sensible al sonido de las lenguas?

Plaza de Hondarribia, Euskadi

¿Una pedagogía eficaz?

Habla en vascuence, por favor

En alguno de los años que siguieron a la niñez, mi padre organizó un concurso en casa. Se trataba de confeccionar un cartel como los que solían verse en las fiestas del pueblo y de anunciar allí, no ya una carrera ciclista o una orquesta de baile, sino una demanda: "Egizu euskaraz, arren" –"Habla en vascuence, por favor". Preguntamos a nuestro padre para dónde lo quería, y él nos respondió señalando una de las paredes del pasillo de nuestra casa. Se daba cuenta de que cada vez hablábamos más en castellano, lo mismo que otros niños del pueblo; una actitud que llevaría el vascuence a su muerte.

Bernardo Atxaga, *Mi primera lengua*, www.atxaga.org

Practica

① Para comprobar lo que has entendido, completa la tabla siguiente:

Lo que constata el padre	Lo que teme	Su idea
Sus hijos...	*El vascuence...*	...

② ¿Se te ocurren otras ideas para perpetuar una lengua?

LENGUA

Vocabulario

el sonido
- dulce
- suave
- áspero
- duro
- pronunciar
- la música
- la melodía

Gramática

L'expression de l'habitude

Soler + inf. :
*Los maestros **solían hablar** en castellano.*
*En casa el narrador **solía hablar** en euskara.*
▸ Gramática 41 p. 214

L'imparfait de l'indicatif

*El objetivo **era** enseñarnos una segunda lengua.*
***Llegaban** a nuestros oídos suspiros que **decían**...*
*Aunque lo **utilizábamos** poco el latín **era** importante.*
▸ Gramática 23 p. 202
▸ Ejercicio p. 203

L'imparfait du subjonctif

*El padre no quería que **se les olvidara** el euskera.*
▸ Gramática 28 p. 205 y 32 p. 208
▸ Ejercicios p. 206 y 208

Ortografía

L'accent écrit

Il permet de distinguer certains mots :
- ***Si*** (condition) / ***Sí*** (oui)

  ***Si** alguien te lo pregunta dile que **sí**.*
- ***Mi*** (adj. possessif) / ***Mí*** (pronom personnel)

  ***Mi** primera lengua fue para **mí** muy importante.*

▸ Gramática 3 p. 189

COMPRENSIÓN ORAL

¿Por qué algunas lenguas desaparecen?

Idiomas en riesgo

Enlace Nacional es un programa informativo diario que se emite en Perú.

La UNESCO advierte que las lenguas quechua y aymara se encuentran en peligro.

Entrénate

ESTRATEGIA

Procède par étapes : fais-toi d'abord une idée globale du sujet à partir des images et des sous-titres.

¿LO SABÍAS?

El quechua y el aymara, dos lenguas oficiales del Perú, fueron consideradas por la ONU dentro de los 2.500 idiomas que se encuentran en peligro de un total de 6.000 existentes en todo el mundo.
Hay cinco lenguas en el Perú que ya están extintas: el mochica, el culle, el cholón, el panobo y el yameo.

① **ANTES DE VER** el vídeo, lee el título y observa las fotos: ¿De qué tratará el reportaje? ¿Puedes decir a qué región del mundo se refiere y situarla en un mapa?

② **MIRA EL VÍDEO** entero.

a) ¿Se parece a lo que habías imaginado?

b) ¿Cuántas partes ves en este vídeo? Di en una o dos palabras en qué consiste cada una.

c) Apunta los nombres geográficos e intenta situarlos en un mapa de América Latina.

③ Fíjate en la segunda parte y explica por qué aparecen subtítulos en la canción que canta la chica.

④ Ahora mira otra vez la tercera parte.

a) Apunta las palabras que te indican lo que se hace para salvar esas dos lenguas indígenas.

b) Según la UNESCO, una lengua está en peligro cuando:

- los niños la hablan sólo en la escuela.
- los niños la entienden pero no la hablan.
- los niños la hablan sólo en casa.

⑤ **TU OPINIÓN** ¿Qué habrá motivado la acción de Magaly Solier?

¿Qué lenguas habla Silvia?

PISTE 8

Entrevista a Silvia

Camino de Santiago de Compostela

Practica

1. ¿De dónde es Silvia?
2. ¿Qué lenguas habla?
3. ¿Para Silvia es más importante su región de origen o su país?
4. ¿Te parece que es una chica bien informada? ¿Por qué?
5. ¿Has aprendido algo que no sabías sobre el tema?

ESCUCHA EN CASA

PISTE 9

Apunta los siguientes datos:

- país y ciudad donde vive María del Mar;
- idiomas que habla (nombre, estatuto, zonas donde se hablan);
- lugar donde aprendió su segundo idioma;
- lugar donde lo habla.

LENGUA

Vocabulario

- enseñar, la enseñanza
aprender, el aprendizaje
Algunos países se preocupan por fomentar el aprendizaje de las lenguas autóctonas.
- defender, preservar una lengua en peligro de extinción = una lengua extinta = que no se habla más

Gramática

Traduction de « ne... plus »

- *ya no* + verbe ou *no* + verbe + *más*
*Los niños **ya no** hablan el quechua en casa.*
*Los niños **no** lo hablan **más**.*

Traduction de « ne... que »

- *sólo* + verbe
*Los niños **sólo** hablan castellano.*

***Aunque* + indicatif : bien que...**

Le fait est réel :
***Aunque** el gobierno peruano **hace** esfuerzos, el aymara no se habla mucho.*

▸ Gramática 33 p. 209

Pronunciación

La place de l'accent

Sauf quelques exceptions, un mot conserve la même accentuation en dépit des variations de forme qu'il subit.

PISTE 10 Écoute et entraîne-toi à prononcer les mots suivants :
la raíz / las raíces
el origen / los orígenes
el joven / los jóvenes
el árbol / los árboles
el examen / los exámenes

▸ Gramática 3 p. 189

¿Las palabras son también para jugar?

Botella al mar

Pongo estos seis versos en mi botella al mar
Con el secreto designio[1] de que algún día
Llegue a una playa casi desierta
Y un niño la encuentre y la destape[2]
Y en lugar de versos extraiga[3] piedritas
Y socorros[4] y alertas y caracoles[5]

Mario Benedetti, *Cotidianas*, 1978-1979

1. el designio : el deseo – **2.** destapar : *déboucher* ≠ tapar – **3.** extraer : sacar – **4.** socorros : *des « au secours ! »* – **5.** caracoles : *des escargots*

Entrénate

① Ordena estas imágenes para ilustrar el poema:

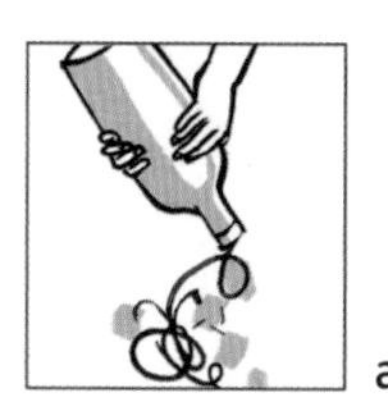
a.

b.

c.

d.

El poeta puso versos y salieron...

¿La botella es mágica?

② ¡Viva la magia de la poesía! Elige 3 ó 4 palabras bonitas que saldrán de tu botella.
Quiero que de mi botella salgan...

③ Imagina el lugar a donde llegará tu botella:
Quizás...
A lo mejor...
Llegará...

¿Quién la encontrará?

④ Ahora escribe el poema. Puedes indicar al principio de cuántos versos se compone.
Pongo estos seis (o siete u ocho) versos en mi botella al mar...

Ilústralo.

Inventa un haikú

el invierno me gusta
si hace calor

si en el crepúsculo
el sol era memoria
ya no me acuerdo

los sentimientos
son inocentes como
las armas blancas

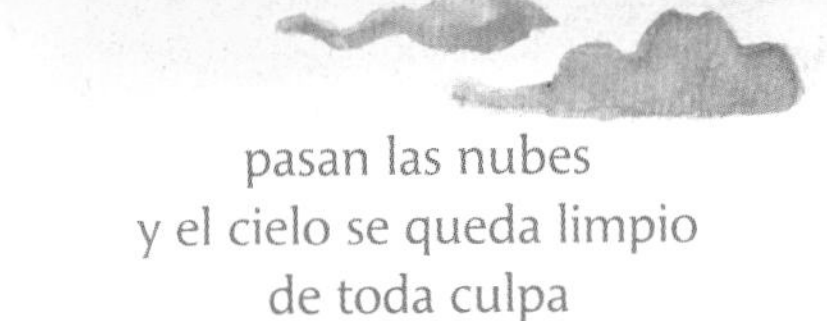

pasan las nubes
y el cielo se queda limpio
de toda culpa

Mario Benedetti, *Rincón de haikús*, 1999
(escritor uruguayo)

¿LO SABÍAS?

¿Qué es un haikú?
De origen japonés, el haikú es un poema breve de 3 versos que suman 17 sílabas.
El haikú es una forma poética sencilla y concisa: sin título ni rima, puede también prescindir de signos de puntuación y mayúsculas; en él abundan los sustantivos.
El poema suele tratar de la naturaleza, de lo percibido por los sentidos, de un acontecimiento, a menudo trivial, que llama la atención del poeta.

Practica

① Elige el haikú de Mario Benedetti que más te gusta y explica por qué en dos frases.
Prefiero... porque... / En efecto, me parece...

② ¿Significan algo o son sólo palabras bonitas?

③ Y ahora, el poeta eres tú:
- Piensa en un tema o idea (las estaciones del año, un lugar, un pensamiento, una atmósfera, un planeta...).
- Escoge palabras poéticas para expresarlo.

LENGUA

Vocabulario

un poema
original, divertido, gracioso, misterioso, inquietante...

un deseo
desear: *souhaiter*
pedir un deseo: *faire un vœu*
Te deseo que tengas mucho éxito en los exámenes.
Te deseo un feliz cumpleaños.
Cierra los ojos y pide tres deseos.

Gramática

L'emploi du subjonctif

Après un verbe de souhait ou de volonté :
Mario Benedetti ***desea que*** *su botella* ***llegue*** *a una playa desierta.*
Quiere que *un niño* ***descubra*** *su botella.*

▸ Gramática 28 p. 205
▸ Ejercicio p. 206

Ortografía

Certains poètes écrivent sans ponctuation, comme c'est le cas ici pour Mario Benedetti. La lecture à haute voix et la disposition visuelle des mots permettent au lecteur de donner un rythme au poème et de créer sa propre ponctuation.

NUEVAS TECNOLOGÍAS

▸ Para navegar, pp. 236-237

CIBERINVESTIGACIÓN

Redacta un artículo sobre una lengua para Wikipedia

1. Elige una lengua: euskera, gallego o aymara.
2. Busca estas informaciones en la red:

El idioma	
Nombre del idioma en la lengua de origen	
Territorios, regiones o países en los que se habla este idioma	
Número de hablantes	
Estatuto del idioma : ¿oficial o no?	
Medios de difusión: enseñanza, radio, televisión, prensa, etc.	
¿Una lengua en peligro?	

Páginas Web de interés:
- http://www.linguamon.cat (selecciona el idioma español)
- http://www.sorosoro.org/

3. Con los datos obtenidos, redacta una breve presentación del idioma.

B2i — **Créer, produire, traiter, exploiter des données**

 Je sais utiliser des outils permettant de travailler à plusieurs sur un même document (espace collaboratif).

HAZ TU PROYECTO CON LAS TIC

Baja y edita un documento audio

1. Puedes bajar una muestra sonora de 30 segundos del idioma que has escogido para el proyecto. La encontrarás por ejemplo en la sección "Recursos en línea" del sitio *Linguamón*.
2. Abre el fichero con *Audacity* y selecciona la secuencia que más te interesa.

Sugerencias

- ¡Ten cuidado al cortar!
- Ayudas y consejos en *nuevas-voces.com*

PROYECTO

Lingüistas en acción. Da a conocer un idioma hablado en el mundo hispano. Realiza un mapa de la diversidad lingüística de los países hispanohablantes.

Etapas

1. TIPO DE TRABAJO

Colectivo: cada equipo investiga sobre un idioma. (Ponte de acuerdo con tus compañeros para decidir de antemano las tareas y el papel que le corresponde a cada uno, en la preparación y en la presentación de vuestra investigación.)

2. PREPARACIÓN

Con tus compañeros de equipo, elige el idioma que os interese más:

el catalán | el gallego | el euskera | el valenciano | el quechua

el aymara | el guaraní | el maya quiché | el mapuche

...o cualquier otro idioma hablado en los países hispanohablantes de América Latina: ¡son muchísimos!

3. REALIZACIÓN

a) Busca informaciones sobre el idioma elegido:

su origen y su nombre original	► por ejemplo "catalá" por "catalán"
la zona geográfica donde se habla	► sitúalo en un mapa
el número de hablantes, su estatuto	► oficial o no
indica si lo enseñan en las escuelas	
da un ejemplo de difusión	► radio, televisión, prensa, etc.
comprueba si está en peligro o no.	

b) Con tus compañeros de equipo, presenta el resultado de vuestra investigación.

c) Para terminar, cada equipo pega en un mapa del mundo hispanohablante una tarjeta con los datos de la lengua que le corresponde.

¿LO SABÍAS?

La palabra **jaguar** proviene del guaraní *yaguar*. Los indios usaban esta palabra para referirse a los perros. Un médico holandés y un naturalista alemán tomaron esta palabra guaraní, la transformaron a *jaguara*, y la usaron para describir un felino americano y diferenciarlo de los tigres, panteras y leopardos.

Consejos útiles

- Vas a expresarte oralmente, no se trata de leer un texto escrito previamente.
- Si te parece útil, prepárate una ficha guía. ► Nuevas tecnologías, p. 36
- Muestra fotos e imágenes, proyéctalas si puedes, para que la presentación sea más atractiva.
- Consigue en Internet una conversación en esa lengua para escuchar en clase.

► Nuevas tecnologías, Haz tu proyecto con las TIC, p. 36

¡Investiga, descubre y sorprende!

EVALUARse

COMPRENSIÓN ORAL Un idioma sin fronteras

ESCUCHA GLOBAL ① ¿Cuántas voces se oyen? ¿Es un diálogo?

② El programa es conducido por: ¿una mujer? ¿un hombre?

ESCUCHA DETALLADA ③ ¿Qué día de la semana es?

④ Estamos: a. al principio, b. en la mitad, c. al final del programa. ¿Cómo nos damos cuenta?

⑤ En este fragmento del programa hay dos partes:
– en la primera, la periodista...
– en la segunda, una voz masculina...

⑥ De estas informaciones, se puede deducir que *Un idioma sin fronteras* es un programa de radio dedicado a...

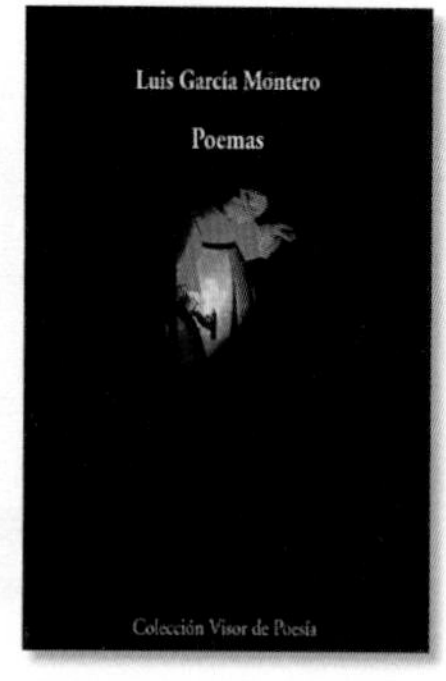

✓ Mon bilan

○ Je peux suivre les rubriques d'une émission de radio sur des sujets qui me sont familiers, même si je ne comprends pas tous les détails.
→ par exemple, reconnaître de quel type d'émission il s'agit (économique, culturelle...).

○ Je peux aussi comprendre les points essentiels.
→ par exemple, reconnaître les thèmes abordés et le type d'information transmise.

COMPRENSIÓN LECTORA Irina

① Identifica todas las palabras que te permiten situar este relato.

② ¿Quién es la narradora?

③ ¿De quién habla?

Nombre	País de orígen	País donde vive actualmente (¿desde hace cuánto tiempo?)	Rasgos físicos	Idiomas que habla y nivel

④ En este retrato: ¿qué le llama más la atención a la narradora?

⑤ ¿Qué sentimientos provoca Irina en ella?

El primer día, la tutora presentó a Irina, diciéndonos que venía de Bielorusia, que sus padres habían llegado a Madrid hacía sólo dos meses y que fuésemos simpáticos con ella. [...]
Que Irina fuese de un lugar tan raro como Bielorusia nos llamó mucho la atención, como también el que fuese tan rubia y con unos ojos rasgados de un raro color gris. [...] Pero lo que más me sorprendió, a mí y a todos, fue lo bien que Irina hablaba Español. La verdad, yo pensé que si sólo llevaba unos meses en España, iba a chapurrear malamente, pero hablaba casi igual que nosotros. Durante el recreo, casi todos rodeamos a Irina, que nos explicó que hasta entonces había hablado ruso, y como es un idioma muy difícil, le resultaba muy sencillo aprender otras lenguas.
Tenía una voz muy bonita, como si siempre estuviese cantando, y un acento muy gracioso.

Marta Rivera de la Cruz (autora española), *¿Conocéis a Sivia?*, 2008

✓ Mon bilan

○ Je peux comprendre l'essentiel d'un court récit, sur un sujet qui m'est familier.
→ par exemple, identifier à quels personnages ou à quels lieux renvoie le narrateur.

○ Je peux aussi comprendre des éléments plus implicites.
→ par exemple, identifier les sentiments du narrateur.

EXPRESIÓN ORAL Idiomas que hablo

Quieres trabajar durante las vacaciones. La oficina de turismo de tu ciudad busca estudiantes para informar a los turistas.
Presenta tu "biografía lingüística" al seleccionador de candidatos y coméntala.

① Habla de tu lengua materna, de las lenguas estudiadas en la escuela y en otras circunstancias.

② Indica tu nivel (escrito y oral) en cada idioma.

③ Explica por qué has elegido uno de ellos como lengua extranjera en el colegio.

✓ Mon bilan

○ Je peux utiliser une série de phrases ou d'expressions pour décrire en termes simples mon expérience ou ma formation. 
→ par exemple, pour parler de ma « biographie langagière ».

○ Je peux justifier très simplement un choix. 
→ par exemple, expliquer pourquoi j'ai choisi telle langue étrangère.

EXPRESIÓN ESCRITA Un haikú

Escribe un haikú inspirándote de una de estas dos pinturas.

- Respeta la métrica.
- Utiliza sustantivos.
- Habla de la naturaleza, de un personaje, de un instante...

El autobús, Frida Kahlo, 1929. Óleo sobre tela, 26 × 55 cm. Fundación Dolores Olmedo, México D.F.

La era, Diego Rivera, 1904. Óleo sobre tela, 100 × 114 cm. Museo Casa Diego Rivera, Guanajato

✓ Mon bilan

○ Je peux écrire un poème court et simple sur des personnages imaginaires, un paysage, une atmosphère... 

○ Je peux imiter un genre poétique précis. 
→ par exemple, composer un haikú à la manière de Mario Benedetti.

OTROS ENFOQUES

Modernidad y tradición

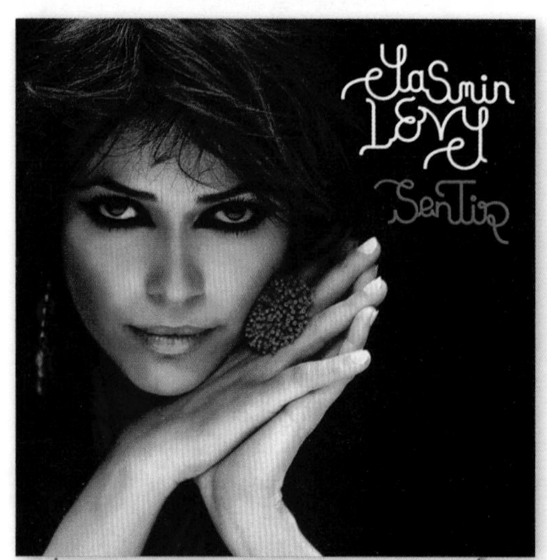

Yasmin Levy (Jerusalén, 1975) como descendiente de sefardíes, ha propiciado con su poderosa voz que se conozca el ladino y que los romances de los judíos que fueron expulsados de la península Ibérica hace más de quinientos años no se olviden.
Amelia Castilla, elpais.com, 17/10/2009

¿LO SABÍAS?

El ladino, sefardí o judeo-español

En 1492, cuando fueron expulsados de España, los judíos llevaron consigo la lengua que sus descendientes siguen hablando hoy en día. Unos 100.000 judíos abandonaron España. Se distribuyeron principalmente por Grecia, Turquía, Palestina, Egipto y Norte de África. Se les conoce como Sefardíes, es decir, habitantes de Sefarad, el nombre que ellos le daban a España. Lo curioso de este lenguaje es que aún guarda las formas, algunas palabras y la pronunciación que utilizaban los españoles del siglo XV y XVI.

Alfonsito

PISTE 11

De los arvoles de frutas
De punta el melokoton
I de los reyes de Espanya
Alfonsito de Borbón

Donde vas tu Alfonsito
Donde vas-tu por ayi
Voy en busca de Mercedes
Ke ayer tarde no la vi

Merceditas esta muerta
Muerta esta ke yo la vi
Siete dukes la yoravan
Todos por amor de ti

Al entrar al palasio
Una sombra negra vi
Kuando mas me arretiraba
Mas se aserkava pa mi

No te asustes Alfonsito
No te asustes tu demi
Ke soy tu esposa Mercedes
Ke me vengo a despedir

Si eres mi esposa Mercedes
Echa los brasos a mi
Los brasos ke te abrasavan
A la tierra se los di

Tradicional ladino

Sefarad es una banda de música sefardí de Turquía. El grupo es muy conocido y popular en Turquía y la República Turca del Norte de Chipre, ya que interpretan melodías en ladino y en turco.

Aman Aman

Aman Aman
Yo a ti kuando te vide ennamori
Aman aman
Tu te aleshaste de mi
Aman aman

Este amor me kema el korason
Aman, Aman
Kuando va a ser la eskapasion
Aman, aman.

① Lee en voz alta la letra de las canciones y luego intenta trancribirlas al español moderno.

② ¿Qué historia cuenta cada una de ellas?

③ ¿Qué se siente al leer las letras o escuchar la música?

④ ¿Se refleja de alguna manera en ellas el origen de esta lengua?

Nuevos jeroglíficos mayas

Frida LARIOS, *Nuevo lenguaje maya*

Relieve maya.
Museo Nacional de Antropología, México.

Los mayas poblaron Meso América de 1500 a.C. hasta 1519 d.C. Se han necesitado siglos para descifrar el lenguaje escrito maya. Los escribas mayas ocupaban una posición importante en el sistema político y social por sus múltiples talentos. Eran artistas, escultores y calígrafos, también debían ser astrónomos, matemáticos, historiadores y contables reales. Los jeroglíficos mayas originales eran fonográficos. A esta escritura difícil sólo tenía acceso la élite.

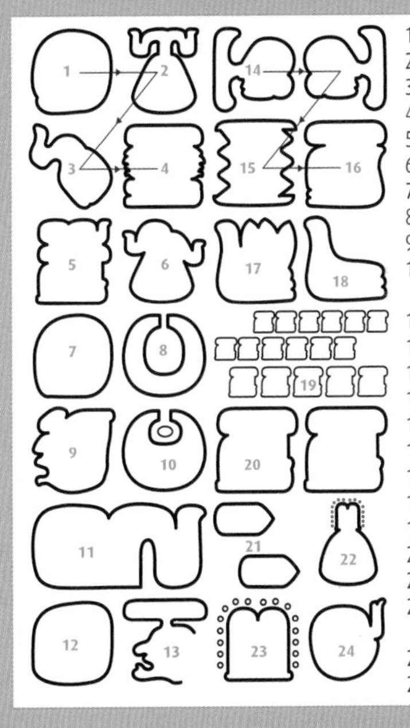

1. Fecha en piedra d.c.
2. Volcán en erupción
3. Piedra de lava
4. Familia en la casa
5. Casa en llamas
6. Volcán sigue erupcionando
7. Paisaje en piedra
8. Vasija con frijoles
9. Hombre joven come frijol
10. Vasija de cerámica auto elaborada
11. Caserío en cenizas
12. Pared descubierta
13. Estructura antigua
14. Equipo arqueológico
15. Aprender (libro abierto)
16. Construir
17. Cosechar la siembra
18. Comer
19. Aldea
20. Casas
21. Camino a
22. Centro ceremonial sobre montaña
23. Portal supernatural
24. Niño verde

Frida Larios es una diseñadora gráfica originaria de América Central que intenta resucitar los códigos únicos de la escritura maya para utilizarlos en la comunicación visual contemporánea. Ha ideado un sistema gráfico llamado "Nuevo lenguaje maya" en el que recrea algunos ideogramas mayas para expresar conceptos o frases enteras. (www.fridalarios.com)

1. Construye una frase con los elementos que puedas reunir.
Ejemplo: 14 + 21 + 19 =
Un equipo arqueológico va de camino a una aldea.

2. ¿Crees que esta escritura puede ser útil en la actualidad?

LECTURA EN CASA

Mi primer día de clase de francés

¿Qué música escuchaba en quinto o sexto curso? Además de la clásica que sonaba en casa, sólo la música sin tiempo de los Beatles. Algunos de mi clase no habían oído hablar de ellos, y otros se burlaban de mis gustos antiguos: los mismos que, poco más tarde, morirían por *Help!* durante la siguiente oleada[1]. Así es como[2] aprendí a hablar inglés, y así es como a los once años era capaz de soñar con otra cara –*wearing the face that she keeps in a jar by the door*– o de ponerme evocativo, *There are places I remember...*

Porque lo que nos enseñaban en la escuela no era inglés, sino francés. Mi primer día de clase fue muy peculiar. Una señora como con peluca entró por la puerta del aula hecha una exhalación[3] y nos soltó:

– *Bonjour, les enfants. Faites attention ! Si c'est la, c'est elle. Si c'est le, c'est il. Vous avez compris ? D'accord : répétez, maintenant !*

–¿Y esta tarada[4]? –me preguntó al oído Iribarne, dándome un codazo[5].

Nuestro primer libro de lectura fue *Le Ballon rouge*. En la portada, un niño con cara de pánfilo sostenía un globo. Lo supe de memoria[6]. Todos los días teníamos una hora de francés. Cada año una profesora distinta. *Aujourd'hui, c'est lundi. Aujourd'hui, c'est mardi*. Escribíamos la fecha día a día, todas las semanas, durante siete años. Llegamos a pronunciar impecablemente. Llegamos a entender el francés oral. Llegamos a soñar con Madame Nené, que no se llamaba así, pero no importa. Y jamás conseguimos escribir correctamente *aujourd'hui*.

Durante el sexto curso pude por fin cantar una canción de moda: *Voyage*. Recuerdo que era importantísimo no pronunciar la ese interior en la parte que decía *les hauteurs*, por culpa de[7] la hache no podía hilarse[8] como en la parte que decía *des idées*. Madame Nené nos enseñó la letra completa para que la cantáramos en la fiesta de final de curso. Se ponía furiosa y encantadora cuando pronunciábamos esa ese prohibida, y entonces nos mostraba su sonrisa enfadada, y con aquella misma sonrisa de labios estiradísimos pronunciaba una *e* muy, muy abierta, señalándose el carmín[9], y nosotros, la escuchábamos callados y pensábamos en sus medias.

Me da la sensación de que en nuestras infancias argentinas tuvimos que repetir
30 muchas cosas extranjeras que no entendíamos del todo. Y no sólo en las clases
de francés. Para el inglés, estaba el cine. Lo normal eran las versiones subtituladas.
Leíamos muy rápido y aprendíamos a hablar como Stallone casi sin darnos cuenta;
creo que hasta torcíamos la boca. Iribarne, Emsani, Mizrahi, Paz y yo fuimos un día a
ver una película. Ponían algo así como Stallone echando pulsos[10] o Stallone matando
35 vietnamitas otra vez. Estábamos emocionados porque íbamos solos, nuestros padres
nos habían dejado en la puerta del cine y no volverían hasta un rato después de la
película. Como nos sobraron[11] algunas monedas, fuimos los cinco a la hamburguesería
Pumper Nic.

Comíamos con ketchup, bebíamos coca-cola y torcíamos la boca para hablar.
40 Estábamos eufóricos: íbamos siendo libres.

Andrés NEUMAN (autor hispano-argentino), *Una vez Argentina*, 2003

1. moda
2. *c'est ainsi que*
3. como un suspiro
4. tonta, pánfila
5. *un coup de coude*
6. saber de memoria : *apprendre par cœur*
7. *à cause de*
8. hilar : *(ici) faire la liaison*
9. *le rouge à lèvres*
10. echar pulsos : *faire un bras de fer*
11. nos quedaban

Comprender el texto

① (l. 1-7) ¿El narrador tenía facilidad para los idiomas?

② (l. 8-20) ¿Qué te parece su primer encuentro con el francés?

③ (l. 21-24) ¿El francés era un idioma difícil de entender o de pronunciar?

④ (l. 24-28) ¿Crees que la profesora de francés era realmente estricta?

⑤ (l. 29-40) ¿Con qué identificaba el narrador al inglés?

⑥ ¿Qué puedes decir de su biografía lingüística?
¿lengua materna? / ¿primera lengua extranjera? /
¿lengua estudiada fuera del colegio?

cinespaña 09
14e FESTIVAL DU CINEMA ESPAGNOL DE TOULOUSE
2 au 11 octobre 2009
www.cinespagnol.com
28 Sept > 4 Oct 2009
18è Festival
Biarritz
Amérique
Latine
cinémas et cultures
www.festivaldebiarritz.com
graphisme www.ateliermele.com

Secuencia 3

¿Cómo ves el mundo hispano?

DÉCOUVRIR

- Le monde hispanique :
  - sa diversité,
  - sa richesse,
  - ses spécificités.
- Présence et manifestations de la culture hispanique dans le monde.

COMMUNIQUER

- Présenter un personnage, un lieu ou un événement marquant du monde hispanique.
- Demander et donner des informations dans le cadre d'une brève interview.
- Comprendre un texte humoristique sur les stéréotypes culturels.
- Comprendre une jeune Espagnole qui évoque l'image de son pays en France.
- Comprendre un témoignage sur la place du français au Mexique.
- Rédiger une interview à partir de notes.

UTILISER

- **Lexique**
  - Les professions
  - L'interview
  - Connecteurs temporels
- **Grammaire**
  - Prépositions (cause, but, lieu)
  - Tutoiement / vouvoiement
  - La phrase interrogative
  - La construction des verbes du type *gustar*
  - *Ser* / *Estar*
  - Les temps du passé
- **Prononciation**
  - L'intonation de la phrase exclamative
  - Les sons /s/ et /z/
- **Orthographe**
  - Transcription du son /g/ devant une voyelle

PROYECTO → p. 55

Realiza una entrevista para el programa de radio: "Cosas de España, aquí en Francia".

EXPRESIÓN ORAL

1. Javier Bardem

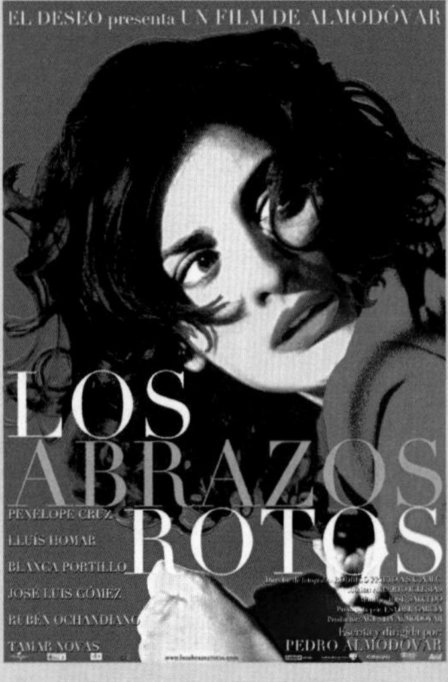

2. Película de Pedro Almodóvar, 2009

3. Machu Picchu, Perú

7. El Museo Guggenheim, Bilbao

8. Frida Kahlo en 1931

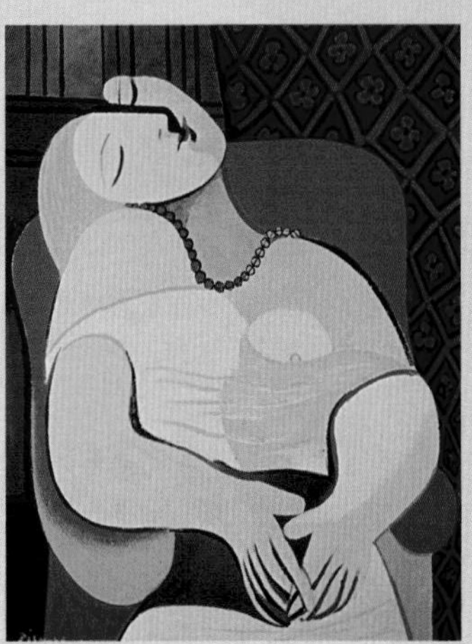

9. P. Ruiz Picasso, *El sueño*, 1932

10. Sara Baras

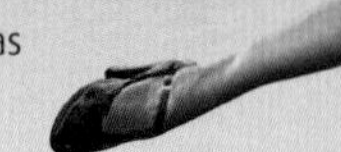

Entrénate

¿Qué conoces del mundo hispano? ¿Qué te gustaría descubrir?

CINE

① ¿Has visto alguna vez una película en español?

② ¿En versión original o doblada?

③ ¿Puedes citar nombres de actores o directores de cine hispano?

④ ¿Recuerdas algún título de película?

GEOGRAFÍA

① ¿Qué nombres de lugares (países, ciudades, montañas, ríos) te vienen a la mente cuando te dicen "Mundo hispano"?

② ¿Puedes situarlos geográficamente?

③ ¿Alguno de ellos te suena más?

LITERATURA

① ¿Has leído ya algún libro o fragmento escrito por un autor de habla hispana?

② Foto 5: seguro que conoces a estos dos personajes. ¿Qué sabes de ellos?

③ ¿Puedes citar el nombre de algún poeta?

ARTE

Pintores y artistas de renombre, cuadros famosos, museos importantes: haz memoria y verás que conoces muchos de ellos.

1. Parque Güell, Barcelona

5.

6. Federico García Lorca en 1919

11. Pareja de bailarines, Buenos Aires

12. "Los Pumas", selección oficial de rugby argentino

13. Baloncesto femenino en España

MÚSICA

① ¿Qué estilo de música representan los artistas de las fotos 10 y 11?

② ¿Conoces algún músico, cantante o grupo hispano?

③ ¿Sabes el título de alguna canción?

DEPORTE

① Presencia hispana en el mundo del deporte: ¿cuántos nombres de deportistas conoces? ¿y de estadios famosos?

② ¿En qué deporte(s) te parece que los hispanos tienen más éxito?

TU OPINIÓN ¿La cultura hispana es conocida en Francia?

Practica

Habla de un cuadro, una película, un libro, un poema, un paisaje, un artista... del mundo hispano que para ti, vale la pena descubrir.

LENGUA

Vocabulario

profesiones

un/una futbol**ista**, ten**ista**, art**ista**, novel**ista**
un poeta, una poetisa
un actor, una actriz
un director de cine

Gramática

L'article devant un nom de pays

*Me gusta mucho **Ø** España.*
mais : ***La*** España moderna.

▸ Gramática 14 p. 193

Les indéfinis

alguno / algún : quelque
ninguno / ningún : aucun
- *¿Has estado ya en **algún** país hispanohablante?*
- *No, en **ninguno**.*

▸ Gramática 17 p. 197
▸ Ejercicio p. 198

Ser / Estar

• Devant un adjectif, pour indiquer une caractéristique essentielle : *SER*
__Es__ famoso. __Es__ colombiano.
• Devant un adjectif, pour décrire un état lié aux circonstances :
*En esta foto, Lorca **está** sonriente.*
• Devant un complément de lieu : *ESTAR*
*¿Dónde **está** el parque Güell?*

▸ Gramática 31 p. 207
▸ Ejercicio p. 208

Le passé composé

*¿**Has visto** ya esa película?*

▸ Gramática 22 p. 202
▸ Ejercicio p. 202

Pronunciación

Intonation : exprimer la surprise

PISTE 12 Écoute et entraîne-toi à reproduire l'intonation :
¿De verdad es colombiano? ↗
¡No lo sabía! ↘
¡Pensaba que era español! ↘
¿Estás seguro? ↗

▸ Gramática 4 p. 189

COMPRENSIÓN LECTORA

¿Dónde está el error?

Un sándwich de jamón

Un bocadillo de jamón serrano

Sándwiches y bocadillos

Fue en el tren Talgo[1], volviendo desde Granada hacia Madrid. Entraron en la cafetería dos jóvenes japonesas y, antes de pedir algo, se entretuvieron en leer todos los carteles anunciadores de los productos en venta. Algunos de esos carteles tenían, además de texto, sugerentes fotografías de las viandas[2], y una de esas fotos fue la que hizo que las japonesitas decidiesen lo que iban a comer.

Una de ellas, la menos vergonzosa[3] o la que más palabras conocía en español, se dirigió titubeante al camarero y dijo algo así como: "Dos café con leche y dos sándwich tortilla patata". El empleado del "catering" del tren, ofuscado y algo malhumorado por su exceso de trabajo, respondió con mal talante: "Aquí no hay sángüiches de tortilla. Tenemos sángüich de jamón, de queso y de jamón y queso".

La turista comenzaba a no entender la situación y optó[4] por señalarle la foto que estaba en el cartel anunciador y en la que se veía, en primer plano, lo que para ella era un sándwich de tortilla de patatas. "¡No! ¡Eso no es un sángüich! ¡Eso es un bocadillo! ¡Bo-ca-di-llo!", dijo el empleado en voz alta para que le entendiera mejor. "Tenemos sángüich de jamón, de queso y de jamón y queso, y bocadillos de tortilla, de chorizo, de jamón serrano, de salchichón y de queso manchego".

La japonesa, que no entendía nada, ni el mal humor del camarero ni el lío[5] aquel de los sángüiches y los bo-ca-di-llos, se puso seria, volvió a señalar la foto y sentenció: "Yo quiere éste. Quiere dos".

Alberto Gómez Font (autor español), 11/01/1999

En el vagón-bar

1. el Talgo : tipo de tren rápido
2. viandas : comidas
3. vergonzosa : tímida
4. optar por : *(ici)* decidir
5. el lío : *une embrouille*

Entrénate

ESTRATEGIA

La ponctuation peut te fournir de précieux indices pour la compréhension.

① **ANTES DE LEER** Fíjate en las ilustraciones y en el título: ¿cuál será el tema del texto?
Observa la puntuación: las comillas "", los signos de interrogación ¿?, de admiración ¡!, el guión -. ¿Qué puedes deducir?

② **LEE EL TEXTO** Fíjate en los nombres propios y determina el lugar de la anécdota.

③ Identifica a los protagonistas e indica quién dice:
"Dos café con leche y dos sándwich tortilla patata."
"Aquí no hay sángüiches de tortilla. Tenemos sángüich de jamón..."
"¡No! ¡Eso no es un sángüich! ¡Eso es un bocadillo! ¡Bo-ca-di-llo!"
"Yo quiere éste. Quiere dos."

④ ¿Qué piensas del camarero? ¿Por qué lo dices?

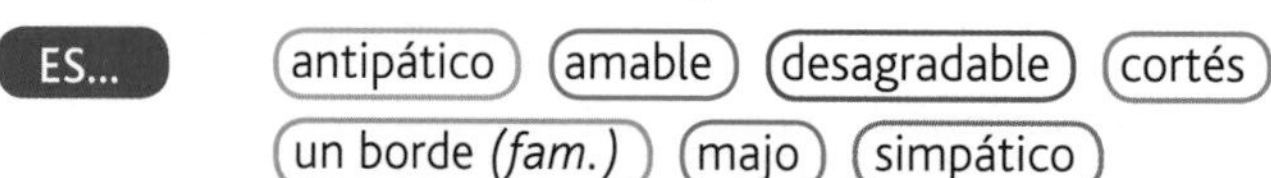

⑤ " ...dijo el empleado con voz alta para que le entendiera mejor."
¿Crees que así la turista va a entenderle mejor?

⑥ **TU OPINIÓN** ¿Basta con hablar el idioma para comunicarse en el extranjero?

¿Y aquí?

¿Saben algo de España?

Sé bien que ellos son la primera potencia del mundo y nosotros nada, una birrita*. Pero es que saben tan poco que es pasmante:
–Soy española.
–¡Ah!, ¿mexicana?
–No, española. 5
–¿De Puerto Rico?
–No, española, de Madrid, de España, de Europa.
–¡Ah, española de España!, ¡ah... qué interesante! Y no vuelven a decir palabra, se ve que su interés es muy discreto. O quizá es que no estén muy seguros de por dónde cae la cosa. De España les suena vagamente que hay corridas de 10 toros, claro está. También les suena Franco. Algunos se desalentaron muchísimo cuando les informé de que Franco se había muerto hacía diez años: es natural, perdían así, de un solo golpe, la mitad de sus conocimientos sobre España.

Rosa Montero (autora española), "Estampas bostonianas", *El País*, 14/08/1985

* una birrita : algo insignificante

Practica

① Según la narradora, ¿qué saben los norteamericanos de España?
A ella eso le parece...

② Para ti, lo que cuenta la narradora es:

verosímil | exagerado | irónico | humorístico | una caricatura | ...

¿Por qué?

③ Ponle un título a este texto que refleje el tono de la narradora.

LENGUA

Vocabulario

un malentendido
- una equivocación
  Se equivocó: dijo una palabra por otra.
- una mala interpretación
- entender *(comprendre)* ≠ oír *(entendre)*

Gramática

Passé simple et imparfait
- Passé simple : action ponctuelle et achevée.
  *La japonesa **volvió** a señalar la foto.*
- Imparfait : action qui a duré.
  *Algunos de esos carteles **tenían** sugerentes fotografías.*

▸ Gramática 24 p. 203 y 23 p. 202
▸ Ejercicios p. 203

Les prépositions *por* (cause) et *para* (but)

*El empleado... algo malhumorado **por** su exceso de trabajo...*
*...dijo en voz alta **para** que entendiera mejor.*

▸ Gramática 34 p. 209
▸ Ejercicio p. 211

Fue: ¿ir o ser?
- Fue → IR:
  *¿**Adónde fue** la japonesa?*
  ***Fue a** comprarse un bocadillo.*
- Fue → SER:
  *¿**Dónde fue** el lío?*
  ***Fue en** el Talgo.*

¿De qué le hablan a Ana?

Una joven española en París

Ana es asistente de español en un instituto en Francia.

Entrénate

① **ANTES DE ESCUCHAR** ¿Qué crees que encontrará Ana de su país en Francia?

② **ESCUCHA Y APUNTA** ¿De dónde es Ana? (ciudad, comunidad autónoma, situación geográfica).

③ Cuando dice que es española, siempre le hablan de:
- dos palabras: ...
- música y cantantes: ...
- series de televisión: ...
- comida: ...

④ Y tú, con lo que has aprendido, ¿le hablarías de otros temas? ¿Qué preguntas le harías?

⑤ **Y A TI,** ¿te gustaría encontrar algo de tu país en el extranjero?

ESTRATEGIA

Aide-toi de tout ce que tu connais déjà du thème pour te préparer à mieux comprendre ce que tu vas entendre.

af Alianza Francesa Xalapa

Viernes de
Cine a la Francesa
en la Alianza Francesa

Todos los Viernes a las 18:00 hrs.
Entrada gratis. Películas subtituladas al español

"Le cinéma, c'est l'écriture moderne dont l'encre est la lumière" Jean Cocteau

¿En tu país se habla de Francia?

Cristian es asistente de español en un instituto en Francia.

Practica

① Escucha atentamente y apunta informaciones sobre Cristian.

Su país, ciudad	Idiomas que habla	Su carrera universitaria	¿Con qué objetivo aprendió el francés?

② ¿Cuál es la lengua extranjera más estudiada en su país? ¿Por qué será?

③ ¿Por qué el aprendizaje del francés despertará tanto interés en los jóvenes mexicanos?

ESCUCHA EN CASA

PISTE 15

Vas a oír una serie de respuestas. Relaciónalas con las preguntas correspondientes:

a) ¿De dónde vienes?

b) ¿Desde hace cuánto estás aquí en París?

c) ¿Cómo va todo?

d) ¿Cuándo decidiste venir?

e) ¿Es tu primer viaje?

f) Lo desconocido... ¿te atrae o te da miedo en general?

LENGUA

Vocabulario

- recordar
acordarse de: *se rappeler, se souvenir de*
Hay cosas que le recuerdan España.
- conocer
¿Conoces alguna tienda española en tu ciudad?
Conozco una canción española pero no conozco la letra.

Gramática

Construction des verbes du type *gustar*

***A** muchos de mis alumnos, **les encanta** el regaetón.*

▸ Gramática 18 p. 198

La phrase interrogative

*¿**Dónde** queda eso?*
*¿**Qué** es eso?*
*¿**Cómo** se llama el programa?*
¿Hay cosas que te recuerdan tu país?

▸ Gramática 4 p. 189 y 39 p. 213

Pronunciación

Prononcer les sons /s/ et /θ/

lettre	son	
s	/s/	televi**s**ión
c + e, i **z**	/θ/	**c**iencia ga**z**pacho

PISTE 16 Écoute et classe les mots selon que tu entends le son /s/ ou /θ/.

/s/	/θ/

▸ Gramática 2 p. 188

Redactar una entrevista

ENTREVISTA CON

Daniel Casares

Daniel Casares es un joven guitarrista flamenco.

Daniel Casares en el puerto de Estepona

A.C.: Daniel, tú naciste en Málaga en 1980. ¿Son tus padres de allí?
D.C.: No, mi familia es originaria de Cádiz, pero mi padre se mudó a Málaga en busca de trabajo. Por 5 eso nací aquí, en Málaga.
A.C.: ¿Procedes de una dinastía de artistas flamencos?
D.C.: No. Soy el primer artista flamenco de mi familia. 10
A.C.: ¿Quién te enseñó a tocar la guitarra? ¿Quién fue tu mejor profesor?
D.C.: He aprendido de mucha gente, no he tenido un único pro- 15 fesor. Recibí clases en la Casa de la Cultura de Málaga. Más tarde estudié con el guitarrista José Antonio. Aprendí mucho de él. Es alguien increíble. 20
A.C.: ¿Recuerdas la primera vez que te subiste a un escenario?
D.C.: Por supuesto que sí. Fue en Estepona. Toqué en un concierto en la Casa de la Cultura. 25
A.C.: ¿Qué edad tenías en aquel entonces?
D.C.: Nueve o diez años, pero lo recuerdo como si fuera ayer. No podía esperar a subirme al esce- 30 nario. Fue una experiencia maravillosa. Algo que nunca olvidaré.
A.C.: ¿Quién ha sido tu mayor influencia? ¿De qué guitarrista has recibido la mayor inspiración? 35
D.C.: Paco de Lucía[1] es alguien a quien admiro y respeto profundamente. Es un guitarrista enorme, un gran músico que le ha dado tanto al flamenco. Todos los gui- 40 tarristas flamencos querríamos, de un modo o de otro, ser como Paco.
A.C.: ¿Te pones nervioso antes de un concierto? ¿Sientes el miedo escénico? 45
D.C.: No, no, para nada... Siento un enorme respeto por lo que hago y por la gente que asiste a mis conciertos, así que no, nunca me pongo nervioso. 50
A.C.: ¿Qué tienes previsto para el futuro?
D.C.: Bueno, voy a empezar una gira[2] por España para promocionar mi nuevo CD, *Caballero*. También 55 me iré de gira por Malasia, así que voy a estar bastante ocupado...
A.C.: Daniel, me consta que eres una persona muy ocupada, por eso me gustaría agradecerte el que 60 hayas sacado tiempo para venir y charlar conmigo hoy. Te deseo el mayor de los éxitos con tu nuevo CD y mucha suerte con la gira. Espero que todo vaya bien. 65
D.C.: Ha sido un placer.

Tony Bryant, http://www.esp.andalucia.com

1. Paco de Lucía : (Algeciras, 1947) músico español, considerado como el guitarrista flamenco de mayor prestigio internacional. – **2.** una gira : *une tournée*

Entrénate

① **ANTES DE ESCRIBIR.** Lee la entrevista, observa e identifica:

a) El tratamiento: usted o tú.
b) El estilo de las preguntas: presencia de signos de interrogación, inversión del sujeto...
c) Los tiempos verbales: preguntas sobre el pasado, el presente, el futuro.
d) Los indicadores temporales (ejemplo, "*En 1980...*").
e) La manera de expresar el entusiasmo, la pasión, la admiración *("¡Es alguien increíble!)*.
f) La manera de despedirse.

② **ESCRIBE.** Ahora, redacta la continuación de la entrevista. Escribe las preguntas del periodista y las respuestas de Daniel Casares a partir de los datos siguientes:

Preguntas acerca de...	Lo que contesta Daniel
1. Sus sensaciones: tocar en establecimientos pequeños / teatros	intimidad / experiencia diferente / no importa
2. Su primer CD	*Duende Flamenco*, 1999
3. La primera vez que vio actuar a Paco de Lucía	genial – inolvidable
4. Su opinión sobre los críticos	la mayoría = competentes, importantes
5. Interés por otro tipo de música / otras influencias	el blues, el jazz, el rock
6. Momentos memorables de su carrera	muchos: encuentro con maestros, 12 horas diarias de ensayo...

A.C.: ¿Tienes más sensaciones cuando tocas en grandes teatros? ¿Disfrutas lo mismo en lugares pequeños?

D.C.: Los lugares pequeños son más íntimos; pero me gusta también tocar en teatros, aunque es una experiencia diferente. En realidad, no importa el lugar donde te encuentres. Lo que importa es cómo te expresas...

Talentos hispanos

Gael García Bernal

- nacido en Guadalajara (México), 1978
- residencia: ciudad de México
- padres actores de teatro: J.A. García / P. Bernal
- sus padres: gran influencia en su destino profesional
- debuta en el teatro con sus padres
- actor de teatro, televisión, cine
- primera telenovela, "Teresa" a los 11 años / con Salma Hayek
- estudia actuación en Londres, en Central School of Speech and Drama
- primera película: "Amores perros", 2000: gran éxito internacional
- 2004: dos películas exitosas: "Diarios de motocicleta" (director brasileño, Walter Salles); "La mala educación" (director español, Pedro Almodóvar)
- primer proyecto como director: "Déficit" (2007)
- actuación con: Penélope Cruz, Victoria Abril, Brad Pitt...
- viajes / trabaja en México, Inglaterra, España, Estados Unidos...
- muchos premios y nominaciones (Óscar, César...)

Practica

Eres periodista de la revista "Talentos hispanos" y acabas de entrevistar al actor mexicano Gael García Bernal. De regreso a casa, redactas la entrevista a partir de tus apuntes.

LENGUA

Vocabulario

situar en el tiempo
- en 1980
- más tarde
- la primera vez que...
- en aquel entonces

una vida de artista
- debutar
- irse de gira: *partir en tournée*
- el ensayo: *la répétition*
- recibir un premio

Expresiones

Por supuesto que sí: *bien sûr que oui*
No, para nada: *non, pas du tout*
Como si fuera ayer: *comme si c'était hier*
Bueno, voy a...
Ha sido un placer.

Gramática

Prépositions : *a*, *en*, *de*

Indications spatiales :
*Mi padre se mudó **a** Málaga.*
*Recibí clases **en** la Casa de Cultura.*
*Sus padres se marcharon **de** Cádiz.*

▸ Gramática 34 p. 209
▸ Ejercicio p. 211

Tutoiement / vouvoiement

Tú → 2ᵉ pers. sing.
Usted → 3ᵉ pers. sing.
*¿**Tú naciste** en Málaga?*
*¿**Usted nació** en Málaga?*
*¿Quién fue **tu** mejor profesor?*
*¿Quién fue **su** mejor profesor?*

▸ Gramática 18 p. 198

Ortografía

Le *g* devant voyelle

Peut représenter deux sons différents :
- suivi de ***e***, ***i*** (***ge**nte*, ***gi**tano*), ***g*** a le même son que ***j*** (*jefe, jamás*).
- suivi de ***a***, ***o***, ***u*** (***ga**to*, ***go**ta*, ***gu**sto*), il se prononce comme dans « gâteau ».

Attention : devant ***e*** et ***i***, ce son est représenté par la séquence ***gu*** : ***gu**erra*, *Mi**gu**el*, ***gu**isante*.

Para navegar, pp. 236-237

CIBERINVESTIGACIÓN

Escribe un breve informe sobre los hispanohablantes en el mundo

1. Busca estas informaciones en la red:

Hispanohablantes en el mundo	
Número de hispanohablantes en el mundo	
Los 5 países del mundo con mayor número de hispanohablantes	
Número de españoles residentes en Francia	
Las 2 ciudades francesas con mayor número de españoles	
Dirección del Centro español o de la Asociación de españoles más cerca de tu instituto	

Páginas Web de interés:
- El Instituto Cervantes http://cvc.cervantes.es/ > lengua
- La Federación de Asociaciones y Centros de Españoles Emigrantes en Francia (FACEEF): http://www.faceef.fr/ (selecciona el idioma español)

2. Utiliza los datos obtenidos para redactar el informe (6/8 líneas). Puedes ilustrarlo con un cuadro, un mapa, fotos, etc.

B2i **S'informer, se documenter**

 Je sais énoncer des critères de tri d'informations (comparer différentes sources pour valider le résultat d'une recherche).

HAZ TU PROYECTO CON LAS TIC

Graba y cuelga

Si grabas el reportaje con *Audacity* y lo cuelgas en la página Web de tu instituto, tus compañeros podrán escucharlo como un programa de radio.

Sugerencias

Como en la radio de verdad:
- Dale un nombre al programa,
- Preséntalo (*"Hola, bienvenidos a..."*),
- Ponle música para ambientar, introducir, cambiar de tema, etc.
- Ayudas y consejos en *nuevas-voces.com*

PROYECTO

Periodistas en acción.

Imagina que eres periodista y debes realizar una entrevista para el programa de radio: "Cosas de España, aquí en Francia".

Etapas

1. TIPO DE TRABAJO

Juego de rol en parejas en las que un alumno será el entrevistador y el otro el entrevistado.

El entrevistado podrá ser, según los temas: "historiador", "especialista", "universitario", "director de escuela o instituto", "gerente de empresa", "empleado", "cliente", etc.

2. PREPARACIÓN

Elige con tu compañero un tema para tratar un aspecto de la presencia hispana en Francia, por ejemplo:

- un personaje que da su nombre a una calle, a un colegio, a un instituto, a un centro cultural, etc.

o

- un producto, una marca española (Chupa Chups, Zara, The Art Company, Mango, Camper, Seat...)

3. REALIZACIÓN

a) Cada uno debe buscar informaciones y seleccionar 2 ó 3 aspectos que más llamen la atención.

b) Prepara la entrevista después de definir cuál va a ser el papel de cada uno. Recuerda que, como en la radio:

- se saluda a los oyentes y se anuncia el contenido del programa,
- se presenta a la persona entrevistada,
- se introduce el tema y se realiza la entrevista (preguntas y respuestas),
- al final del programa, el periodista se despide del entrevistado y del público.

¡En el aire!

- Si lo necesitas, consulta tus apuntes pero sin leerlo todo. Trata de ser lo más espontáneo posible.
- Tienes que interpretar un papel; recuerda que estás jugando a ser periodista o personaje entrevistado.
- Puedes grabar la entrevista.

► Nuevas tecnologías, p. 54

EVALUARse

CD CLASSE

COMPRENSIÓN ORAL Un día en Madrid

① Este documento es un fragmento de: a. un programa musical; b. una entrevista; c. un reportaje

② Escucha varias veces y apunta lo que has entendido sobre el tema y el objetivo de este programa.

③ Estamos: al principio / en la mitad / al final
a. del programa; b. del día.
¿Cómo lo sabes?

④ ¿Cuántas voces oyes? ¿Quiénes son las personas? Indica en qué lugar están al final del documento.

⑤ A partir de lo que has comprendido, imagina a qué tipo de lugares nos llevará el programa para continuar el paseo por Madrid.

Mon bilan

○ Je peux comprendre le thème d'une émission de radio en langue standard sur un sujet qui m'est familier, même si je ne comprends pas tous les détails.  A2

○ Je peux aussi comprendre des informations spécifiques simples. B1
→ par exemple, comprendre l'annonce des sujets qui vont être abordés au cours de l'émission.

COMPRENSIÓN LECTORA Un caramelo[1] con palo

① Di brevemente de qué trata el artículo. ¿Qué otro título le pondrías al artículo? Busca en el texto.

② Cita las frases del texto que contienen las informaciones siguientes:

Problema inicial	Idea para solucionarlo	Nombre del inventor	Nombre de la invención

③ Apunta todo lo que has entendido sobre el logotipo y su evolución:

Primer logotipo	Nuevo logotipo

Alrededor de 1950, cuando España no atravesaba su mejor momento económico, los más pequeños del país empleaban la mayor parte de su dinero en unas pequeñas bolas dulces[2] que, aunque eran la perdición de los niños, desesperaban a los mayores. Manos, boca y ropa de estos menores de 16 años quedaban totalmente pringadas[3] debido a que el tamaño de los caramelos no les permitía mantenerlos en su boca hasta el fin. Así fue como nació la magnífica idea de unir un palo de madera a un caramelo, así fue como nació Chupa Chups.

Enric Bernat, nieto del que fue el primer fabricante de dulces en España, [...] tuvo [esta] magnífica idea. [...]

Había que crear un logotipo. Una pequeña niña con trenzas sería la imagen de la compañía durante los primeros años. Sin embargo, a medida que el producto se iba expandiendo por mercados de todo el mundo, se hacía necesario un diseño que fuera más universal, para lo que Enric Bernat se desplazó hasta Figueras en busca del gran pintor Salvador Dalí. En un trozo de periódico y en menos de una hora, este gran genio esbozó el logotipo de Chupa Chups que continúa hasta nuestros días.

www.sap.com, abril 2007

1. *un bonbon*
2. *une friandise* / dulce (adj.) : *sucré*
3. *tachées, salies*

Mon bilan

○ Je peux identifier l'information principale dans un court article de journal décrivant des faits.  A2
→ par exemple, repérer où se situe l'information la plus importante par rapport au sujet abordé.

○ Je peux aussi identifier les points significatifs d'un article informatif et en suivre l'articulation.  B1

EXPRESIÓN ORAL Habla del mundo hispano

¡Habla de un tema o de un personaje que te gusta y que quieres dar a conocer! Por ejemplo:

- un personaje público (cantante, actor, deportista...),
- una película que has visto,
- un cuadro o un pintor,
- un escritor o una novela,
- un lugar hispano (país, ciudad, pueblo) que has visitado o que te gustaría conocer.

Mon bilan

○ Je peux parler en termes simples d'un sujet ou d'un thème sur lequel j'ai travaillé. 
→ par exemple, pour présenter à la classe un lieu, une personne, ou une œuvre qui me plaît.

○ Je peux justifier très simplement mes opinions à condition d'avoir pu me préparer avant. 
→ par exemple, pour expliquer pourquoi ce sujet me plaît.

EXPRESIÓN ESCRITA Una entrevista

Preparas un trabajo sobre el cine español contemporáneo. Has podido entrevistar a Chus Gutiérrez, directora de cine, y has tomado los datos siguientes.

Redacta las preguntas y respuestas de la entrevista.

- española, de Granada
- sus actividades: directora de cine y guionista
- dirección de 7 películas: entre las cuales, "Retorno a Hansala" (2008), "Poniente", (2002), "Alma gitana" (1995).
- tipo de películas que le gustan: dramas, películas dramáticas
- su carácter: nómada (diferentes domicilios: Granada, Nueva York, Londres, Madrid)

Mon bilan

○ Je peux mettre en forme de façon succincte des notes prises pendant une discussion ou une lecture. 
→ par exemple, reconstituer l'interview (questions et réponses) à partir d'une série d'informations.

○ Je peux rédiger en utilisant quelques expressions idiomatiques courantes et les codes spécifiques à l'interview. 

A. *Una voz diferente*

Concha Buika: su familia proviene de Guinea Ecuatorial y creció entre gitanos en Palma de Mallorca. Su música mezcla el flamenco con el soul, el jazz, el funk y la copla. Es una de las cantantes más singulares del panorama de la música española actual.

La falsa moneda

...

"Gitana, que tú serás como la falsa moneda,
que de mano en mano va y ninguno se la queda."

...

Letra: Ramón Perello Ronedas
Interpretada por Concha Buika

El flamenco viaja a Senegal

Importantes exponentes del flamenco, como Raimundo Amador, Tomasito o Rancanpino han llevado su particular arte musical a un país remoto de los sones flamencos, Senegal. Allí se ha organizado el primer festival afro-flamenco y tuvo como escenario la Plaza del Obelisco de Dakar. Afro-Flamenco nace como una mezcla de estilos musicales y de culturas. Los conciertos demostraron que el mestizaje es posible y que las tradiciones musicales pueden expresarse con una voz diferente pero con la misma pasión artística.

Hispanorama, nº 445, 03/08/2009

○ Escucha la canción y lee los textos. Apunta todo lo que te permite decir que la música tradicional española:

- se exporta: ...
- evoluciona: ...

B. *Españoles en el mundo*

Una española en Guinea Ecuatorial

Fragmento del programa de RTVE *Españoles en el mundo*

① España y Guinea Ecuatorial: ¿qué vínculos históricos?, ¿culturales?

② Apunta todos los indicios que permiten vincular los dos países.

③ Guinea Ecuatorial: ¿un país de habla hispana olvidado o desconocido?

"El sur también existe"

Lo que Torres García intentaba con esta ilustración era *promocionar* Sudamérica como una "escuela del sur" donde estaban pasando cosas tan interesantes como lo que sucedía en esos momentos en ciudades como Nueva York o París.

"En realidad, nuestro norte es el sur. No debe haber norte, para nosotros, sino por oposición a nuestro sur. Por eso ahora ponemos el mapa al revés, y entonces ya tenemos una justa idea de nuestra posición, y no como quieren en el resto del mundo."

(Joaquín Torres García, *Universalismo Constructivo*, Bs. As.: Poseidón, 1941.)

Joaquín Torres García, *América Invertida*, 1943. Museo Torres García, Montevideo.

Joaquín Torres García (Montevideo, Uruguay, 1874-1949), artista de dos mundos, por ser hijo de un catalán inmigrante en América y de una uruguaya descendiente de españoles, unía ambas márgenes del Atlántico. Nació en Uruguay, vivió en España, se casó con una catalana, pasó un tiempo en Nueva York y París, regresó a Montevideo.

1. ¿Las obras de arte tienen que transmitir mensajes?
2. ¿Los artistas deben representar el mundo tal cual es?

El cementerio de los libros olvidados

Un amanecer de 1945, un muchacho es conducido por su padre a un misterioso lugar oculto en el corazón de la ciudad vieja: El cementerio de los libros olvidados.

Allí, Daniel Sempere encuentra un libro maldito que cambia su vida y le arrastra a un laberinto de intrigas y secretos enterrados en el alma oscura de la ciudad.

Todavía recuerdo aquel amanecer en que mi padre me llevó por primera vez a visitar el Cementerio de los Libros Olvidados.

[...]

–Anda Daniel, vístete. Quiero enseñarte algo –dijo.

–¿Ahora? ¿A las cinco de la mañana?

–Hay cosas que sólo pueden verse entre tinieblas –insinuó mi padre blandiendo[1] una sonrisa enigmática que probablemente había tomado prestada de algún tomo de Alejandro Dumas.

Las calles languidecían[2] entre tinieblas y serenos[3] cuando salimos al portal. Las farolas de las Ramblas dibujaban una avenida de vapor, parpadeando[4] al tiempo que la ciudad se desprendía[5] de su disfraz de acuarela.

[...]

Finalmente mi padre se detuvo[6] frente a un portón de madera labrada ennegrecido por el tiempo y la humedad.

Frente a nosotros se alzaba lo que me pareció el cadáver abandonado de un palacio, o un museo de ecos y sombras.

–Daniel, lo que vas a ver hoy no se lo puedes contar a nadie. Ni a tu amigo Tomás. A nadie.

Un hombrecillo con rasgos de ave rapaz y cabellera plateada nos abrió la puerta. Su mirada aguileña se posó en mí, impenetrable.

–Buenos días Isaac. Éste es mi hijo Daniel, anunció mi padre–. Pronto cumplirá once años y algún día él se hará cargo de la tienda. Ya tiene edad de conocer este lugar.

El tal Isaac nos invitó a pasar con leve asentimiento. Una penumbra azulada lo cubría todo, insinuando apenas trazos de una escalinata de mármol y una galería de frescos poblados con figuras de ángeles y criaturas fabulosas. Seguimos al guardián a través de aquel corredor palaciego y llegamos a una gran sala circular donde una auténtica basílica de tinieblas yacía bajo una cúpula acuchillada de haces de luz que pendían desde lo alto. Un laberinto de corredores y estanterías repletas de libros ascendía de la base hasta la cúspide, dibujando una colmena de túneles, escalinatas, plataformas y puentes que dejaban adivinar una gigantesca biblioteca de geometría imposible. Miré a mi padre, boquiabierto.

El me sonrió, guiñándome un ojo.

–Daniel, bienvenido al Cementerio de Los Libros Olvidados.

[...]

–Este lugar es un misterio Daniel, un santuario.

Cada libro, cada tomo que ves, tiene alma. El alma de quién lo escribió, y el alma de quienes lo leyeron y vivieron y soñaron con él. Cada vez que un libro cambia de manos, cada vez que alguien desliza la mirada por sus páginas, su espíritu crece y se hace fuerte. Hace ya muchos años, cuando mi padre me trajo por primera vez aquí, este lugar ya era Viejo. Quizá tan viejo como la misma ciudad. Nadie sabe a ciencia cierta desde cuando existe, o quienes lo crearon. Te diré lo que mi padre me dijo a mí.

Cuando una biblioteca desaparece, cuando una librería cierra sus puertas, cuando un libro se pierde en el olvido, los que conocemos este lugar, los guardianes, nos aseguramos de que llegue aquí. En este lugar, los libros que ya nadie recuerda, los libros que se han perdido en el tiempo, viven para siempre, esperando llegar algún día a las manos de un nuevo lector, de un nuevo espíritu. En la tienda nosotros los vendemos y los compramos, pero en realidad, los libros no tienen dueño. Cada libro que ves aquí ha sido el mejor amigo de alguien. Ahora sólo nos tienen a nosotros, Daniel. ¿Crees que vas a poder guardar este secreto?

Mi mirada se perdió en la inmensidad de aquel lugar en su luz encantada. Asentí y mi padre sonrió.

–¿Y sabes lo mejor? –preguntó.

Negué en silencio.

–La costumbre es que la primera vez que alguien visita este lugar tiene que escoger un libro, el que prefiera, y adoptarlo, asegurándose de que nunca desaparezca, de que siempre permanezca vivo. Es una promesa muy importante. De por vida –explicó mi padre–. Hoy es tu turno.

Carlos RUIZ ZAFÓN (autor español), *La Sombra del Viento*, 2008

1. mostrando
2. *se languissaient*
3. *(ici)*, la humedad
4. parpadear : *clignoter*
5. se quitaba
6. detenerse : *s'arrêter*

Comprender el texto

① **(l. 1-22)** ¿Cómo logra el autor crear una atmósfera de misterio en este primer párrafo?

② **(l. 23-36)** ¿Qué sentiría Daniel a medida que iba descubriendo ese lugar tan extraño?

③ **(l. 37-45)** ¿Cuál era la intención del padre de Daniel?

④ **(l. 46-53)** ¿Te parece que los guardianes de los libros hacían algo útil?

⑤ **(l. 54-61)** ¿Cómo te sentirías tú en el lugar de Daniel?

49. Teknohippies - Rotterdam. Ari Versluis&Ellie Uyttenbroek - exactitudes / PiArt

Singular y plural

Secuencia 4

Solo o en tribu

DÉCOUVRIR

- Le phénomène des *tribus urbanas* : esthétique, musique, mode... à travers :
  - la presse,
  - la littérature,
  - le cinéma.
- Un exemple de double culture : hispanique et nord-américaine.
- Le *majismo* au temps de Goya.

COMMUNIQUER

- Parler de son rapport à la mode.
- Présenter un « flash info » sur les « tribus urbaines ».
- Présenter à la classe une « tribu » qu'on a créée.

- Comprendre un témoignage sur la double culture.

- Comprendre des interviews (cinéaste, sociologue) sur le phénomène des « tribus urbaines ».

- Rédiger une fiche descriptive pour le guide *Tribus urbanas*.
- Répondre à une question posée sur un blog en donnant son opinion.

UTILISER

- **Lexique**
  - Style vestimentaire
  - Goûts, attitudes
  - Traits de caractère
- **Grammaire**
  - Le gérondif
  - *Ser / estar*
  - La phrase exclamative
  - La phrase négative
  - Les comparatifs
  - Les indéfinis
  - La traduction de « mais »
- **Prononciation**
  - L'intonation des phrases exclamatives.
  - Les sons /j/ et /g/
- **Orthographe**
  - Le tréma
  - Les mots d'origine étrangère

PROYECTO → p. 73

Crea y presenta tu propia tribu urbana.

EXPRESIÓN ORAL

¿Lo importante es estar a la moda?

Entrénate

① ¿Qué evoca para ti el término "emo"?

la alegría | la tristeza | la melancolía | el miedo | la vergüenza | el amor | la estética | la mirada | el romanticismo | el dolor | el color | ...

② ¿Te parece que el estilo de este chico refleja su personalidad?

la ropa | la camiseta | las zapatillas | el cinturón | los pantalones | el corte de pelo | los accesorios | el color

③ ¿Es una moda accesible? (1 usd = un dólar estadounidense = 1 $)

④ Para ti, ¿algunos elementos son más importantes que otros? Justifica.

⑤ **TU OPINIÓN** Comenta una de estas tres afirmaciones:
- La ropa debe reflejar nuestras opiniones.
- Formar parte de una tribu es sólo una moda.
- Es una locura gastar tanto dinero para vestirse.

Estoy de acuerdo con... / No comparto esa opinión... / Es posible pero... / Estoy de acuerdo, sin embargo... / Por un lado... por otro lado ...

ESTRATEGIA

Pour te lancer à l'oral, sers-toi du vocabulaire fourni et des consignes.

Rituales de las tribus

A

este es el Abasto? me dijeron que aca se juntan todas las tribus...

ABASTO - B

Abasto : centro comercial de Buenos Aires – acá : aquí

B

Tribus en peligro

Uno de cada tres piercings termina con problemas de salud
Lo afirman especialistas en adolescentes y dermatólogos. Algunos jóvenes sufren infecciones leves y otros hasta deben recurrir a cirugías. Recomiendan vacunarse contra el tétanos antes de la aplicación. 5

Los "piercings" en la lengua, la nariz, las orejas... no son simples perforaciones que 10 se usan como adornos. Pueden tener sus consecuencias serias para el organismo: uno 15 de cada tres casos termina mal, según advierten especialistas médicos de la Sociedad Argentina de Pediatría (SAP). 20
"Si bien las perforaciones en el cuerpo se realizan desde hace muchos siglos, ahora son más frecuentes entre los adolescentes. Como médicos, no acordamos con la prohibición, pero 25 nos preocupa. Es necesario que se sepa que pueden tener riesgos", afirmó Patricia Goddard, secretaria del comité de adolescencia de la SAP.
A fines de los años setenta, los pier- 30 cings eran impulsados por el movimiento punk. Hoy, es frecuente entre algunas tribus urbanas, como los "floggers" y los "emos". Hasta el momento, no existe una legislación 35 nacional que regule la práctica.

Valeria Román, Clarín.com, 20/05/2009

Practica

Documento A:

① ¿Quiénes serán los cuatro protagonistas? ¿De qué tribu formarán parte?

② ¿Por qué pondrán esas caras?

③ El dibujante querrá: divertir al lector, criticar algo, informar...

Documento B:

④ Transforma este artículo de prensa en un flash radiofónico. Dispones de 30 segundos; selecciona las informaciones indispensables.

LENGUA

Vocabulario

la ropa

- vestirse
  Me visto muy sencillamente, con lo primero que encuentro.
- llevar
  Se llevan mucho las zapatillas negras en esta temporada.
- las zapatillas de deporte
- las joyas : *les bijoux*

el cuerpo

- el pelo teñido
- el corte de pelo
- tener pinta de : parecer
  ¿Esos chicos tienen pinta de emos o de frikis?

Expresiones

estar de moda
costar un ojo de la cara : costar caro
Me compré una cazadora de piel que me costó un ojo de la cara.

Gramática

La traduction de « mais » :
pero, no... sino

*No me importa la ropa **pero** me interesa la música.*
*Este joven **no** es gótico **sino** emo.*

▸ Gramática 33 p. 209

La phrase exclamative

*¡**Qué** guapa!*
*¡**Qué** chica más elegante!*

▸ Gramática 40 p. 213

Pronunciación

Intonation des phrases exclamatives ¡ !

Dans les phrases exclamatives, le ton de la voix monte puis descend en fin de phrase.

PISTE 18 Écoute et entraîne-toi à prononcer ces phrases :
¡Estupendo! - ¡Qué bien! - ¡Qué va! - ¡Qué horrible! - ¡No estoy para nada de acuerdo contigo! - ¡Jamás me cortaría el pelo así! - ¡Por favor!

COMPRENSIÓN LECTORA

¿Para ti esta chica es realmente rebelde?

De gótica a campeona de atletismo

Y así fue como terminé en Santo Domingo. Pienso que mi mamá calculó que me sería más difícil escapar de una isla donde no conocía a nadie, y de cierta manera tuvo razón. Ya llevo seis meses aquí y estoy tratando de tomarme las cosas con mucha filosofía. No fue así al principio, pero con el tiempo tuve que darme por vencida[1]. [...] 5

Estoy asistiendo a la escuela. No va a contar para nada cuando regrese a Paterson[2], pero me mantiene ocupada, lejos de las travesuras[3] y rodeada de gente de mi propia edad. No tienes por qué estar todo el día con nosotros los viejos dijo mi abuela. De la escuela, no sé qué pensar todavía. Lo que sí es cierto es que he mejorado muchísimo mi español. La Academia ____ 10 es una escuela privada que aspira a ser tan exclusiva como el Carol Morgan[4] y está repleta de hijos de mami y papi[5]. Y, bueno, aquí estoy. Si era dificilísimo ser gótica en Paterson, imagínense ser una dominican-york en una de estas escuelas privadas en la R.D.[6] No hay muchachas más insoportables que éstas. No dejan de hablar de mí. [...]

Estoy en el equipo de atletismo de la escuela. Me apunté porque mi amiga Rosío, 15 [...] me dijo que me aceptarían con sólo ver el largo de mis piernas. Son piernas de campeona, profetizó. En fin, parece que sabía de lo que estaba hablando, a pesar de mis dudas, porque resulta que soy la mejor corredora de toda la escuela en los 400 metros y en distancias cortas. El hecho de tener talento para algo tan simple no deja de asombrarme[7]. 20

Junot Díaz (autor dominicano), *La maravillosa vida breve de Óscar Wao*, 2008

1. darse por vencida: *(ici)* aceptar esa situación
2. Paterson es una ciudad del estado de New Jersey, Estados Unidos.
3. travesuras : *(ici) bêtises*
4. Carol Morgan : prestigiosa escuela americana en Santo Domingo
5. hijos de papi y de mami : *fils à papa*
6. República Dominicana
7. asombrar : sorprender

Entrénate

① **ANTES DE LEER** Sitúa la República Dominicana en el mapa.
¿Sabes qué lengua se habla en ese país? ¿Por qué razón histórica?

② **LEE EL TEXTO** y apunta:
a) lo que te permite identificar a la narradora, **b)** los términos que se refieren a lugares, **c)** las expresiones de tiempo *("ya llevo seis meses aquí"...)*.
Relaciona las informaciones que te permitirán comprender: **a)** dónde vive actualmente la narradora, **b)** desde hace cuánto tiempo, **c)** dónde vivía antes.

③ ¿Por qué se encuentra ahora en esta isla? ¿Por su propia voluntad? ¿Porque la obligan? Justifica tu respuesta con elementos del texto.

④ ¿Qué idiomas hablará esta chica? ¿Por qué?
¿Puedes explicar ahora lo que significa ser una "dominican-york"?

⑤ Apunta los elementos del texto que indican la opinión de la narradora sobre su escuela actual: "La Academia...":

Aspectos positivos	Inconvenientes
"me mantiene ocupada" ...	*"No va a contar para nada"* ...

⑥ ¿Te parece que se ha adaptado a su nueva vida? Cita el texto.

⑦ **TU OPINIÓN** ¿Crees que el deporte le ayudó a resolver sus problemas?

ESTRATEGIA

Des indices grammaticaux (formes verbales, pronoms personnels, possessifs) peuvent t'aider à relever des informations sur le narrateur.

¿Una "dominicana de verdad"?

Santo Domingo, República Dominicana

Un dilema

Lola, la narradora, habla de su amiga Rosío y de su nueva vida.

Tanto ha cambiado en estos meses, en mi cabeza, en mi corazón. Rosío me hace vestir como una "muchacha dominicana de verdad". Ella es la que me ayuda a arreglarme el pelo y a maquillarme y algunas veces, cuando me veo en el espejo, ni me conozco. No es que me sienta infeliz ni nada por el estilo. [...] La verdad es que estoy pensando en quedarme un año más. Mi abuela no quiere que me vaya. Te extrañaría, me dice, de forma tan sencilla que no puede dejar de ser cierta, y mi mamá me ha dicho que puedo quedarme si quiero pero que también sería la bienvenida en casa. [...]
Me mandaron un retrato de toda la familia y mi abuela lo enmarcó, y no puedo mirarlo sin que se me agüen los ojos*.

Junot Díaz, *La maravillosa vida breve de Óscar Wao*, 2008

* se me agüen los ojos : me ponga triste

Practica

① ¿Cómo se nota que la narradora ha cambiado en estos meses?

② ¿Qué nueva alternativa se le presenta ahora?

③ En definitiva, es una chica:

rebelde | sensible | curiosa | original | inestable | imprevisible | sorprendente | ...

LENGUA

Vocabulario

ser rebelde ≠ ser dócil
ser sumisa ≠ ser independiente
Los adolescentes de hoy no son tan dóciles y sumisos como los de antes.

Expresiones

pasarlo bien: divertirse
pasarlo bomba *(fam.)*
En la fiesta de los metaleros lo pasé bomba, me divertí mucho.
pasarlo mal: aburrirse (como una ostra), pasarlo fatal

Gramática

Le gérondif

- *Estar* + gérondif : action en cours de réalisation
  Está pensando *en su país de origen.*
- *Ir* + gérondif : action progressive
  La moda ***se va globalizando*** *cada vez más.*

▸ Gramática 27 p. 204
▸ Ejercicio p. 205

La phrase négative

- *nada*: rien
  Esta escuela no representa nada para mí.
- *nadie*: personne
  Nadie sabe por qué me enviaron a esta isla.
- *ninguno(a)*: aucun(e)
  Ninguna *imagen puede reflejar mi personalidad.*

▸ Gramática 38 p. 213

Ortografía

Le tréma

Comme en français, le tréma indique que deux voyelles doivent être prononcées distinctement :
No puedo mirarlo sin que me agüen los ojos.
vergüenza

COMPRENSIÓN ORAL

PISTE 19

Una crónica social...

Las "juanis"

Juan José Bigas Luna, director de la película *Yo soy la Juani*

Entrénate

Vas a escuchar una charla de la radio Cadena Ser sobre una tribu urbana de moda: las juanis.

ESTRATEGIA

Repère les adjectifs qualificatifs qui accompagnent les noms : ils te permettront de caractériser ce dont on parle (personnes, choses, lieux...).

① **ANTES DE ESCUCHAR** Observa la fotografía: ¿cuál será la intención de estas chicas?

desafiar · provocar · ofender · fanfarronear · divertirse · agradar · seducir

② **ESCUCHA** la grabación entera y completa la tabla:

	1ª parte	2ª parte	3ª parte
¿Quién habla? / ¿Qué se oye?			

③ Escucha la primera parte y apunta la definición que da el periodista de "una tribu urbana". ¿Quién inventó el nombre de esta tribu?

④ Escucha la última parte y apunta los términos empleados por Bigas Luna para definir a la juani.

⑤ **TU OPINIÓN** ¿Qué imagen de la juani transmitirá la película?

tierna · positiva · despreciativa · negativa · elogiosa

¡Un tema de investigación!

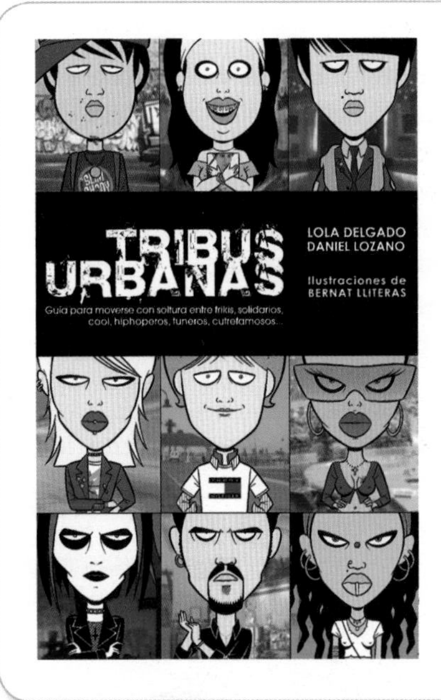

Entrevista con la autora de *Tribus urbanas*

Lola Delgado, coautora de *Tribus urbanas*

Practica

Lola Delgado nos habla de dos tribus: "las juanis" y "los frikis".

① Antes de escuchar, recuerda lo que sabes de "las juanis". Y la palabra "frikis", ¿te suena?

② Escucha la entrevista. ¿Qué caracteriza a esta nueva tribu?
- A los frikis les gusta leer... y ver...
- Están enganchadísimos a...
- Dedican mucho tiempo a...

③ ¿Con cuál de las dos tribus (juanis/frikis) te parece mejor asociar los términos siguientes?

glamour | informática | música discotequera | literatura fantástica | aspecto físico | carácter extravertido | sensibilidad | introvertido

④ TU OPINIÓN ¿Las "tribus" serán únicamente "urbanas"?

ESCUCHA EN CASA

PISTE 21

Escucha tu CD y trata de identificar las intenciones de comunicación: interrogar, regañar *(gronder)*, expresar contrariedad, suplicar.

LENGUA

Vocabulario

personalidad
- atrevido(a): no le tiene miedo a nada ni a nadie
- romántico(a)
- extravertido(a)

gustos y adicciones
- estar enganchado(a)
  Los frikis están enganchados al ordenador.
- ser adicto(a) a
  Las juanis son adictas a las discotecas.
- volverse loco(a) por
  Los frikis se vuelven locos por las novelas fantásticas.

Gramática

Les indéfinis à valeur quantitative
- S'ils sont adjectifs :
  ***Muchas** personas compran ropa sin preocuparse por la moda.*
  *A **muchos** jóvenes les gusta ese tipo de música.*
  ***Poca** gente se viste de esa forma.*
- S'ils sont adverbes : invariables
  *Habla **mucho** y dice **poco**.*
  *Hablan **mucho** y dicen **poco**.*

▸ Gramática 17 p. 197
▸ Ejercicio p. 198

Pronunciación

Prononcer les sons /j/ et /g/

/j/ *jugar*
/g/ *gustar*

Écoute et entraîne-toi à prononcer ces phrases :
- Me gusta mucho tocar la guitarra con los compañeros del colegio.
- No hay que juzgar a los jóvenes por la vestimenta que escojan sino por lo que son.
- La gente joven se junta todos los fines de semana en la misma plaza.

▸ Gramática 2 p. 188

EXPRESIÓN ESCRITA

¿Cómo retratar una tribu?

En nuestros días, existen variopintas y diferentes subculturas. Las llamadas "tribus urbanas" están muy presentes en la actualidad y crecen incesantemente. Estas son algunas de ellas:*

–**MOD**: Movimiento musical y cultural basado en la moda y la música que se desarrolló en Londres, Reino Unido a finales de la década de los cincuenta y que alcanzó su esplendor durante la primera mitad de la década de los sesenta. Los elementos más significativos son la música, la moda y los scooters. Usaban como símbolos propios flechas, dianas y banderas británicas. Su vestimenta sufrió algunas modificaciones: chaqueta con tres o cuatro botones de color oscuro, camisa y mocasines en piel de cocodrilo y de diversos colores.

–**PUNKIES**:

J.L.V./C.M., *El País de los Estudiantes*, 22/06/2009

* *bigarrées*

nombre de la tribu
definición
elementos significativos
tipo de ropa

Grupo de *mods* en Londres, 1976

Punkies en Caracas

Una rapera

Un gótico en un cementerio, Buenos Aires

Entrénate

Una hippie en Ibiza

Para completar esta guía, redacta una descripción de la tribu urbana que más te llama la atención en las fotos.

PLAN:

- Nombre de la tribu: ...
- Definición: ...
- Elementos más significativos: ...
- Ropa: ...
- Justifica tu elección: ...
  La he elegido porque... / Para mí...

extravagante | original | vanguardista | rebelde | ridículo(a) | alternativo(a)

ESTRATEGIA

N'hésite pas à t'inspirer du modèle proposé non seulement pour le plan mais aussi pour la construction des phrases, le vocabulaire, etc.

Tribus urbanas, ¿qué pueden aportar a la sociedad?

Pregunta:

Edgar

Ayer vi un documental de TV sobre el tema de las tribus urbanas (góticos, darketos, skaetos, cholos, chicanos, pachucos, etc.), cosa que me pareció muy interesante. ¿Qué opinas de estas expresiones culturales?

Respuestas:

Pepita

Son unos excéntricos y estúpidos, con apodos[1] raros que quieren atemorizar[2] y no lo logran.

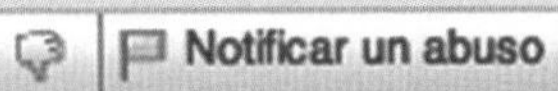

Artiom

Que es una manera maravillosa de expresar los gustos y los sentimientos.

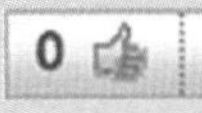

Notificar un abuso

Grace

Una moda nada más, buscan destacarse en algo en la vida y lo hacen de esa manera.

Notificar un abuso

Alf

Lo único que digo es que me dan pena.

Notificar un abuso

1. un apodo : *un surnom*
2. atemorizar : provocar miedo

Practica

Redacta tu respuesta y envíala a Edgar.

LENGUA

Vocabulario

tribus urbanas

ser gótico
el luto
la muerte
la cadena

ser emo
la emoción
la tristeza
la melancolía

ser hippie
ser pacifista
las camisas floreadas

ser metalero
el pelo largo
una cazadora de piel

ser rapero
las comunidades afroamericanas
la ropa ancha

Gramática

Les comparatifs

*Los emos son **más** sensibles **que** los metaleros.*
*Actualmente se ven **menos** "punks" **que** en los años 80.*
*A las juanis les gusta **tanto** el flamenco **como** la música tecno.*

▸ Gramática 36 p. 212

Le pluriel des adjectifs

- Terminés par une voyelle : **-s**
  rebelde → rebeldes
- Terminés par une consonne ou par un **í** accentué : **-es**
  especial → especiales, marroquí → marroquíes

▸ Gramática 10 p. 192

Ser / Estar

- Pour indiquer la matière : *SER*
  ***Son** de piel de cocodrilo.*
- Résultat d'une action : *ESTAR*
  ***Está** muy maquillada.*
- Devant un nombre : *SER*
  *En la foto **son** dos.*

▸ Gramática 31 p. 207
▸ Ejercicio p. 208

Ortografía

Mots d'origine étrangère
Ils peuvent conserver leur orthographe d'origine, ou être transcrits selon la prononciation espagnole : *freaks* (angl) → *frikis* (esp)

Para navegar, pp. 236-237

CIBERINVESTIGACIÓN

Habla de un cuadro de Goya

Como lo descubrirás en la sección "Una historia de... arte" p. 77, ya existían tribus en la época de Goya (siglo XVIII).
¡Date una vuelta por el Museo del Prado de Madrid para saber más sobre este pintor!

1. Busca en la red estas informaciones sobre Goya:

- influencia pictórica: ...
- principales obras → cartones para tapices: ...
  → retratos: ...
  → temas históricos: ...
  → últimas etapas de su vida: ...

Página Web de interés:
- http://www.museodelprado.es

2. Elige una de sus obras. Lee el texto y escucha el audioguía.

3. Presenta brevemente el cuadro a tus compañeros: di lo que te gustó, lo que te sorprendió, etc.

B2i **S'approprier un environnement informatique de travail**

 Je sais régler les principaux paramètres de fonctionnement selon mes besoins.

HAZ TU PROYECTO CON LAS TIC

Crea un diaporama

Ilustra la presentación oral de tu tribu con algunas diapositivas: una por cada aspecto (estética, gustos musicales, etc.). Puedes utilizar el programa *OpenOffice Impress*.

Sugerencias

- No recargues demasiado las diapositivas (como máximo una o dos imágenes y palabras claves en vez de frases largas). No se trata de escribir todo lo que vas a decir.
- Si has hecho un dibujo de tu tribu, puedes escanearlo.
- Ayudas y consejos en *nuevas-voces.com*

Estilistas de moda en acción.
Crea una nueva tribu urbana, realiza un cartel y preséntala a tus compañeros.

Etapas

1. TIPO DE TRABAJO

Individual o colectivo.

2. PREPARACIÓN

a) Inventa tu tribu (nombre, origen, "ideología", estética, gustos musicales, lenguaje...).

b) Busca y selecciona lo que vas a necesitar para realizar el cartel: catálogos, revistas, Internet, etc.

3. REALIZACIÓN

a) Haz el cartel.

b) Presenta tu tribu en clase:

Son los... El nombre proviene de... Para ellos lo más importante es...

- Da detalles sobre su estética, sus gustos musicales y su lenguaje:

estética

corte de pelo o peinado, vestimenta, zapatos, accesorios: joyas, tatuajes, piercings... (Busca el vocabulario necesario en las secciones "léxico" y "gramática" de la secuencia.)

gustos musicales

Sus grupos predilectos son... / están enganchados a... / se pasan el tiempo... / están siempre + gérondif...

lenguaje

Han inventado palabras como... / para referirse a...

- Explica en qué es diferente de las otras tribus ya existentes.

Son originales porque... Son únicos...

¡A marcar tendencia!

Consejos útiles

- No leas, intenta recordar las etapas del plan (elige unas diez palabras clave para preparar tu presentación oral.)
- Muestra el cartel y haz preguntas a la clase:
¿Está claro? ¿Qué os parece? ¿Qué más queréis saber? ¿Alguna pregunta?
- En lugar de un cartel puedes realizar un diaporama.

▸ Nuevas tecnologías, p. 72

EVALUARse

CD CLASSE

COMPRENSIÓN ORAL Las tribus urbanas en estado puro

① Identifica: el nombre de la radio, el nombre del programa y el tema de hoy.

② Escuchamos: a. el programa completo, b. un fragmento.

③ El programa es conducido por: a. un hombre, b. una mujer.

④ Apunta lo que has comprendido sobre las tribus urbanas citadas:
- nombre/características...
- ¿actualmente de moda?

¿Has comprendido más informaciones?

⑤ En este retrato, dirías que las tribus urbanas aparecen como un grupo: a. muy diverso, b. bastante homogéneo, c. conflictivo, d. que convive en armonía.

✓ Mon bilan

○ Je peux reconnaître et distinguer différentes informations dans une émission de radio, sur un sujet qui m'est familier.
→ par exemple, identifier le nom de la radio, de l'émission, et le thème du jour, ou reconnaître des informations factuelles simples.

A2

○ Je peux aussi suivre l'essentiel de ce qui est dit, même si je ne comprends pas tous les détails.

B1

COMPRENSIÓN LECTORA No eran disfraces

① Apunta los elementos que permiten retratar (físicamente) a los personajes:

	Sexo	Edad (adulto/ adolescente)	Otras características
El narrador			
El grupo que describe			

② La historia tiene lugar durante el carnaval: ¿verdadero o falso?

③ ¿Cómo reaccionan las personas que ven al grupo humano que se distingue?

④ A tu parecer, ¿qué sentimientos provoca en el narrador esa visión?
a. simpatía b. miedo c. envidia

Estaban en el aeropuerto. Pensé que se me venían encima los carnavales y me dio un vuelco el estómago[1]. ¡Dios, pensé, ya están aquí otra vez! Pero no, no eran disfraces[2]. Eran muchachas normales (unas seis o siete), de poca edad (no creo que llegaran a los dieciocho años), vestidas de colores chillones y los pelos cortados en diferentes capas y formatos y teñidos hasta el delirio de colores desafiantes [...]. Un grupo humano diferente a los demás grupos que las rodeaban. Todas las miradas sobre ellas y ellas, a pesar de la violencia o el desconcierto o la burla[3] de tanta mirada, parecían felices, agresivas y maravillosamente altivas sin saber bien por qué. [...]
Yo quise entenderlas y quise recordar mis quince años rebeldes y heroicos frente al mundo. [...] Y en ese momento pensé que debería volver a pintarme las uñas de verde limón y el pelo de color añil[4].

Elsa López (autora española), *laopinion.es*, 13/10/2009

1. *mon estomac se retourna*
2. *des déguisements*
3. *la moquerie*
4. *bleu indigo*

✓ Mon bilan

○ Je peux reconnaître dans un court texte narratif à quels personnages ou à quels lieux renvoie le narrateur.

A2

○ Je peux aussi comprendre des éléments plus implicites.
→ par exemple, identifier les sentiments du narrateur.

B1

EXPRESIÓN ORAL Moda en los museos

Acabas de ver una exposición.
Dos obras han llamado tu atención.

① Compara los dos cuadros (época, pintores, tamaño, género, lugares, personajes...).

② Di cuál te gusta más y por qué.

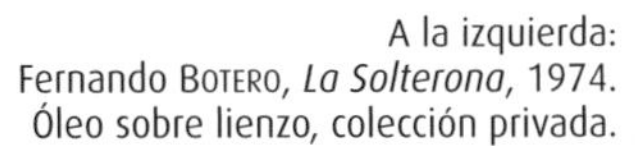

A la izquierda:
Fernando BOTERO, *La Solterona*, 1974.
Óleo sobre lienzo, colección privada.

A la derecha:
Francisco DE GOYA Y LUCIENTES, *Majas en el balcón*, 1810. Óleo sobre lienzo, 195 ×126 cm., Metropolitan Museum of Art, Nueva York.

✓ Mon bilan

○ Je peux utiliser une série de phrases ou d'expressions simples pour comparer deux tableaux.  A2

○ Je peux justifier très simplement un choix que j'ai fait, à condition d'avoir pu me préparer avant.  A2

EXPRESIÓN ESCRITA ¿Prefieres ser el centro de atención o pasar desapercibido?

María: El centro no, pero sí llamar la atención, pasar desapercibido es de mediocres.

Arturo: Me gusta pasar desapercibido, de esta forma evito muchos problemas.
Soy una persona tranquila y humilde, no me gusta sobresalir ni rebajar a los demás, y me desagradan los que lo hacen.

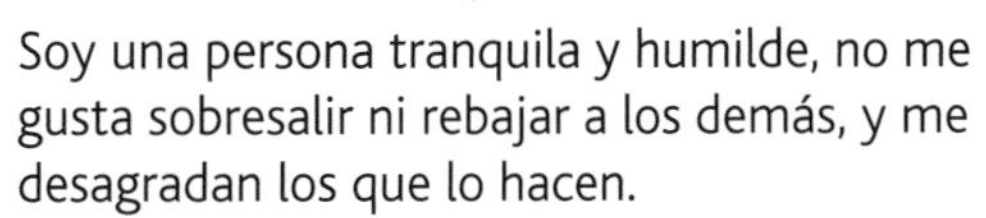

① Explica por escrito en unas líneas con cuál de estos dos puntos de vista estás de acuerdo.

② Di cómo haces para llamar la atención o para ser lo más discreto posible (ropa, corte de pelo, accesorio, etc.).

○ Je peux décrire simplement qui je suis, mes goûts, ma personnalité.  A2

○ Je peux exprimer brièvement un point de vue personnel ou une opinion.
→ par exemple, en réaction à des points de vue que j'ai lus sur un site.  B1

OTROS ENFOQUES

A. *Recepción en la embajada*

Editorial Lumen, 2005

Joaquin S. Lavado (Quino), *¡Qué presente impresentable!*

① ¿La señora de la primera viñeta y su marido serán gente importante?

② ¿Por qué después de ponerse contenta, parece preocupada?

③ Es ingeniosa, ¿no? ¿por qué?

④ Además es un poco filósofa... "Los demás tampoco son ellos" ***(Les autres non plus ne sont pas eux-mêmes)***: ¿que querrá decir?

B. *Tribus urbanas en las Islas Canarias*

Reportaje Televisión Canaria

① ¿Las tribus urbanas pueden sustituir a la familia tradicional?

② ¿Te parece que tienen razón los que tildan *(cataloguent)* ese fenómeno de moda pasajera?

Modas, usos y costumbres

Los habitantes de los barrios bajos de Madrid, los majos, usaban ropa muy semejante a la de las demás regiones, pero más adornada y más vistosa. Los majos y majas se distinguían no sólo por su vestimenta sino también por su actitud, seguros de sí mismos, descaradas las mujeres, desafiantes los hombres. Esta actitud levantó críticas pero, al mismo tiempo, se consideró muy seductora.

A finales del siglo XVIII, comenzó el fenómeno del majismo. A la nobleza española le gustaba vestirse como la gente de los barrios bajos.

En los cartones de Goya de los años 70, los majos y majas parecen de verdad gente del pueblo, pero, en los de la última época parecen nobles disfrazados. La popularidad que alcanzó Goya contribuyó mucho a la difusión del majismo que se extendió a lo largo de gran parte del siglo XIX.

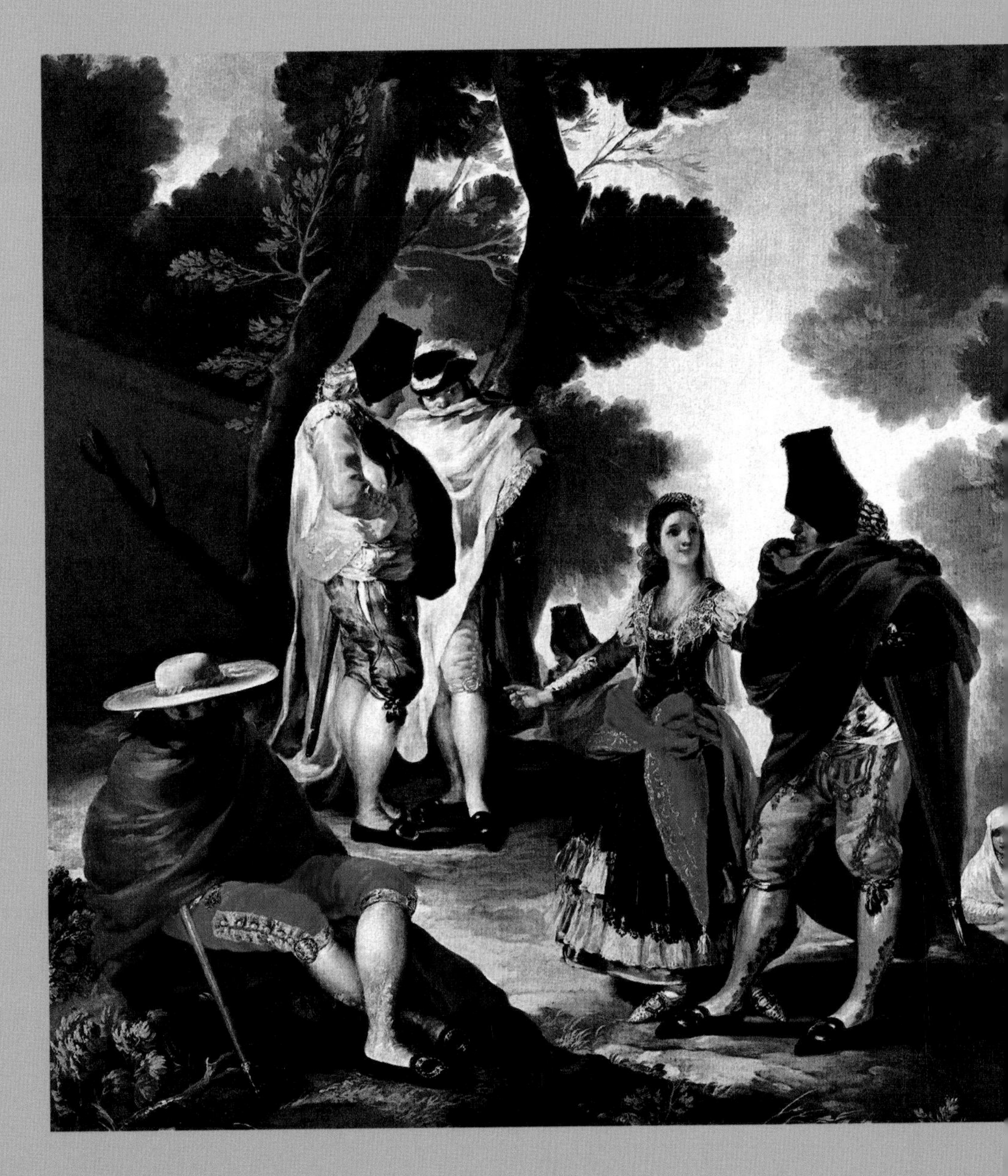

▶ Francisco DE GOYA, *La Maja y los embozados, o el paseo de Andalucía*, 1777. Óleo sobre lienzo, 275 × 190 cm. Museo del Prado, Madrid.

Cartón para tapiz con la representación de un encuentro entre una maja y unos hombres embozados, en el que el amor y los celos parecen ser el centro de la composición.

● ¿Existían ya las tribus en tiempos de Goya?

La metamorfosis

Quien no comprenda por qué Toby era feliz nunca sabrá lo que es ser feliz; quien no comprenda por qué fue desdichado tampoco sabrá lo que es ser desdichado[1].

Toby tenía el poder de transformarse en todo lo que le gustaba, ése era el secreto de su alegría.

5 Si le gustaban los bombones se transformaba en caramelo, tan pringoso[2] que nadie podía tocarlo; en casa de bombones con un escaparate reluciente[3].

Si le gustaban los caballos se transformaba en caballo blanco o negro según los días.

Si le gustaba ladrar se transformaba en varios perros de todas las razas.

10 Si le gustaba el nacimiento se transformaba en pesebre[4], en niño Jesús, en buey, en burro, en cordero.

Si le gustaba la velocidad se transformaba en bicicleta, en tobogán, hasta en tren expreso, en lancha, en laucha[5], en automóvil de carrera.

Si le gustaba la mecánica se transformaba en tuerca, en rosca, en polea, en caño 15 de escape[6].

Si le gustaba la electricidad se transformaba en contacto, en cortocircuito, en iluminación, en cable.

Si le gustaba el mar se transformaba en caballito de mar[7], en delfín, hasta en sirena cuando no era en bote de vela[8].

20 Una vez se transformó en luna, lo que afligió a su padre; otra vez en sol, lo que afligió aún más a su familia.

Cuando se enamoró se transformó en su enamorada. Entonces lloró por los bosques y las ciudades, buscándose a sí mismo porque tenía el pelo muy largo y los ojos castaños. Todo el mundo sabía que él no era así.

25 "¿Dónde está Toby?", preguntaba la gente. Los dedos lo señalaban:

–Es ése.

–No puede ser. Con el pelo tan limpio.

–Es.

Toby rompió todos los espejos para no verse y lloró. Entonces su novia le dijo:

30 –No llores. Dame tu retrato. Voy a disfrazarme[9] de Toby.

Miró el retrato durante tres días. Lo colgó[10] en la cabecera de la cama, se tiñó el pelo de rubio, y se oscureció aún más los ojos.

Cuando Toby oyó que su novia lo llamaba, se arrodilló[11] como para recibir la comunión y dejó que le tapara los ojos: cuando los abrió se creyó frente a un espejo.

35 Toby al verse, lloró de alegría y dijo a su novia:

–¿Será posible que me quieras más que a vos misma[12]?

–Es posible y estoy de acuerdo, dijo la novia.

Silvina OCAMPO (autora argentina), *Las repeticiones y otros cuentos inéditos*, 2006

1. infeliz
2. untuoso
3. *une vitrine resplendissante*
4. *la crêche*
5. ratón
6. *écrou, pas de vis, poulie, tuyau d'échappement*
7. *hippocampe*
8. *canot à voile*
9. *me déguiser*
10. colgar : *accrocher*
11. *il s'agenouilla*
12. *toi-même* ("vos" en Argentina = "tú")

Comprender el texto

① (L. 1-21) ¿Has entendido por qué Toby era feliz al principio?

② ¿Cómo sería su vida con tantas transformaciones?

③ (L. 22-37) Un día se sintió muy triste, ¿por qué?

④ ¿Qué solución encontró su novia para devolverle la felicidad?

Voluntarios de la asociación "Un techo para mi País"

Secuencia 5

Iniciativas solidarias

DÉCOUVRIR

- L'univers des ONG.
- Des exemples d'actions solidaires dans différents pays hispaniques.
- Des témoignages de jeunes volontaires.
- Un exemple de particularité linguistique : en Argentine.

COMMUNIQUER

- Réagir à un exemple d'action solidaire.
- Justifier le choix d'un visuel pour la campagne d'une ONG.
- Présenter une ONG dans le but de sensibiliser et de convaincre.

- Comprendre des articles de presse relatant des exemples d'engagement et de solidarité.

- Comprendre des témoignages de jeunes volontaires.

- Rédiger un court article pour rendre compte d'une initiative solidaire.
- Exprimer son intérêt pour une action ou un projet particulier.

UTILISER

- **Lexique**

- Solidarité et engagement
- Exclusion et marginalité
- Émotions
- Musique
- Situer dans l'espace

- **Grammaire**

- L'impératif
- *Ser / Estar*
- L'obligation personnelle et impersonnelle
- Les adverbes de temps et de lieu
- Exprimer la cause / le but
- Traduction de « peut-être »

- **Prononciation**

- Les sigles
- L'intonation des phrases interrogatives

- **Orthographe**

- Le pluriel des mots finissant par -z
- *Porque /por qué*

PROYECTO  p. 91

En un encuentro de voluntarios vas a representar a una ONG. En cinco minutos deberás convencer al público.

¿Un sueño hecho realidad?

Entrénate

① ¿Cuál es tu primera reacción al mirar la foto (documento 1)? ¿una exclamación? - ¿una pregunta? - ¿un comentario?

② Observa la fotografía y habla de:

los personajes	la casa	el lugar
similitudes	tipo de construcción → descripción objetiva	entorno → descripción objetiva
diferencias	opinión personal → descripción subjetiva (cómo la encuentras, qué sientes al verla...)	opinión personal → descripción subjetiva
actitudes		
posturas		

③ Fíjate ahora en el documento 2. Léelo para comprender mejor:
- quién es cada uno de los personajes de la foto,
- quiénes van a vivir en la casa,
- por quién fue construida.

④ Cronología. Con las informaciones que has recogido, imagina:
- lo que pasaría antes,
- a qué corresponde el instante de la foto,
- lo que va a pasar después.

⑤ **TU OPINIÓN** ¿Cuál es para ti el protagonista de esta fotografía? Justifica.

¿LO SABÍAS?

En Argentina, como en muchos países de América Latina, la lengua tiene particularidades regionales, no sólo a nivel del acento sino también de la ortografía.

Español de Argentina	Español de España
¿te sum**á**s?	¿te sum**a**s?
ven**í**	ven
anot**á**te	an**ó**tate

¿Qué imagen dar?

Practica

Imagina que debes elegir una de estas imágenes para la campaña de una ONG.

¿Cuál de ellas eliges y para qué tipo de ONG?

Me parece más adecuada...
Para mí, conviene más...
La imagen representa / simboliza / sugiere...

LENGUA

Vocabulario

la solidaridad

- hacerse voluntario: *devenir bénévole*
el voluntariado: *le volontariat*
- prestar ayuda ≠ solicitar ayuda, pedir ayuda
Esa ONG presta ayuda humanitaria de urgencia.
- implicarse ≠ pasar de *(fam.)*
Hay gente muy ocupada que pasa de ayudar.

la marginación

- marginar = excluir
marginado = excluido
el margen
Poco a poco se ha quedado al margen de la sociedad.

para situar

- en el primer plano, en el fondo, a la izquierda, a la derecha
- delante de ≠ detrás de
- alrededor de
- arriba de ≠ debajo de

Gramática

Exprimer la cause et le but

- Cause : *porque /ya que* + indicatif
Es necesario actuar ***porque / ya que*** *es urgente.*
- But : *para que* + subjonctif
Es importante informar ***para que*** *la gente sea más solidaria.*

▸ Gramática 33 p. 209

Pronunciación

Prononcer les sigles

PISTE 23 Écoute et entraîne-toi à prononcer les sigles suivants :

una ONG - la RENFE (red nacional de ferrocarriles españoles) - la ONU - ELE (español lengua extranjera)

▸ Gramática 1 y 2 p. 188

¿Un mensaje universal?

Juanes dice que su concierto en Cuba siembra "una semilla muy bonita"

Javier OTAZU, 22/09/09

El cantante colombiano Juanes dijo ayer sentirse "muy feliz" porque con su concierto Paz sin fronteras, que el domingo reunió a más de un millón de personas en La Habana, siente que "se ha sembrado una semilla* muy bonita".

Antes de abandonar La Habana con destino a Miami, Juanes dijo sentirse "totalmente agradecido al pueblo de Cuba y su cariño", y señaló que el megaconcierto "es para nosotros un antes y un después, un mensaje para toda la comunidad (cubana) y la región". Reconoció haberse sentido conmovido durante el concierto (se le vio con los ojos llenos de lágrimas): "Estaba muy emocionado, tuve que hacer ejercicios de respiración para poder cantar, de tanta emoción y alegría que sentía, después de todo lo que nos costó haber llegado aquí".

El artista siempre ha manifestado que concebía su concierto como un mensaje de reconciliación entre los cubanos de la isla y los del exilio, un mensaje que quiso ratificar ayer durante el concierto cuando gritó "Arriba Cuba, arriba La Habana, arriba Estados Unidos, Miami, Nueva York y Washington". Para Juanes, todas las semanas de polémica de carácter político tuvieron un final feliz: "Hemos ratificado que el arte y la música pueden ir por encima de la política y es para las personas".

Juanes trabaja ya en un nuevo concierto Paz sin Fronteras, previsto para 2010 en las ciudades fronterizas de Ciudad Juárez (México) y El Paso (Estados Unidos).

Efe

Espectadores del concierto Paz sin fronteras, La Habana, 2009

* sembrar una semilla : *semer une graine*

Entrénate

① **ANTES DE LEER** Tomando en cuenta las fotos, el tipo de texto y el título, ¿puedes anticipar el tema que se va a tratar?

② **El concierto**

Lee el texto y apunta todas las palabras y expresiones que se pueden relacionar con:

El cantante (nombre, origen...)	**El lugar**	**El público**	**El concierto** (nombre y finalidad)

③ **El cantante**

Para ti, ¿qué adjetivos califican mejor la personalidad de Juanes?

sensible | tenaz | valiente | generoso | oportunista | débil

Justifica, citando el texto.

④ **TU OPINIÓN** ¿El mensaje de este "megaconcierto" puede ser un "megamensaje" universal? ¿Cuál?

ESTRATEGIA

Lorsqu'il y a un mot que tu ne comprends pas, essaie d'en déduire le sens grâce au contexte. Par exemple ici, *conmovido*, *emocionado*, *ojos* peuvent te permettre de comprendre le sens de *lágrimas*.

Juanes, en el centro de la foto, al inicio del concierto

¿Una orquesta diferente?

Ana C. López, Madrid

Toda la orquesta en Panamá. Tras esta visita, la orquesta viajará a ciudades como Sevilla y Madrid.

La música puede llegar a destruir las fronteras, incluso los mayores conflictos. Eso lo saben muy bien los jóvenes compo- 5 nentes de la JOCCA[1], una orquesta fundada en 2008, que reúne a más de 200 músicos centroamericanos que utilizan su gran repertorio musical como herramienta para la 10 cooperación al desarrollo y como instrumento de acercamiento entre pueblos y culturas.

"La música para muchos de ellos, sobre todo los que provienen de 15 países como El Salvador, Honduras o Nicaragua es un clavo ardiendo[2] al que se agarran para no andar perdidos o caer en la delincuencia", cuenta su director artístico David 20 Gálvez, "Para ellos la música es un instrumento de esperanza".

La orquesta está formada por hombres y mujeres elegidos por profesores, procedentes de Honduras, 25 Nicaragua, Guatemala, El Salvador, Costa Rica y Panamá.

"Las pruebas de selección para los componentes de JOCCA no se realizan de una forma elitista, no hace- 30 mos distinción, sino que buscamos la integración, sin importar la religión ni el sexo", cuenta el Director de la Orquesta, "El único requisito es que sean músicos jóvenes, de entre 35 18 y 25 años, para poder trabajar con ellos desde la base".

www.elmundo.es, 20/11/2009

1. Joven Orquesta y Coro de Centro América – 2. agarrar un clavo ardiendo : *s'accrocher à une planche de salut*

Practica

① Apunta las frases que mejor relacionan el tema de este artículo con el de "Entrénate". ¿Esta orquesta fue creada únicamente para dar conciertos?

② ¿Te gustaría formar parte de una orquesta de este tipo? Explica por qué.

LENGUA

Vocabulario

la música

- un concierto, un recital
- una orquesta
- los músicos: *les musiciens*

• emocionar, conmover, provocar emoción
Me conmueve ver a tanta gente reunida para defender la paz.

• comprometerse: *s'engager*
comprometido
Es un artista comprometido.

Gramática

Traduction de « peut-être »

• *Quizás / tal vez* + indicatif ou subjonctif
*¡**Quizás es** Juanes!* (j'en suis presque sûr)
***Quizás sea** Juanes.* (mais je n'en suis pas certain)

• *A lo mejor* : toujours suivi de l'indicatif
***A lo mejor** la música **puede** ayudar a cambiar el mundo.*

Les adverbes de temps

***Ayer**, **antes** de salir de La Habana, dijo que se sentía feliz.*
***Durante** el concierto, tenía los ojos llenos de lágrimas.*
*Juanes trabaja **ya** en un nuevo proyecto.*
***Siempre** quise ayudar.*

▸ Gramática 35 p. 211

Ortografía

Pluriel des mots terminés par -z

Les mots terminés par **-z** au singulier forment leur pluriel en **-ces** :
*feliz → feli**ces***
*portavoz → portavo**ces***

¿Te convence lo que cuenta Javier?

Entrevista con un voluntario

Javier Sanz, voluntario de Cruz Roja Juventud

Entrénate

① **ANTES DE ESCUCHAR** Lee el título de la grabación y observa las ilustraciones: ¿de qué se va a hablar?

② ¿Qué preguntas te gustaría hacerle a un voluntario de la Cruz Roja?

③ **ESCUCHA** varias veces la grabación. Concéntrate en lo que reconoces y en lo que comprendes (voces, entonaciones, palabras, expresiones...).

Apunta lo que te permite decir:

- En qué consiste el trabajo/el compromiso como voluntario para Javier.
- Por qué eligió la Cruz Roja.

④ **TU OPINIÓN** ¿Crees que todos podemos ser solidarios? ¿Cómo? ¿Se te ocurren ideas?

ESTRATEGIA

Concentre-toi sur les voix, sur les mots et expressions que tu reconnais ; en les reliant, tu comprendras plus facilement le sens de l'enregistrement.

¿Ya te has planteado la posibilidad de entrar en una ONG?

PISTE 25

Una experiencia vivida

Hugo y Rocío nos cuentan sus experiencias.

Practica

① Presenta a los participantes de esta charla. ¿De qué están hablando?

② ¿Qué es "Visión Mundial"? ¿Cuál es su objetivo?

③ Explica lo que es una "Villa Miseria". ¿Qué proyecto se elaboró ahí?

PISTE 26

ESCUCHA EN CASA

Escucha y relaciona cada mensaje con una imagen.

a. 

b. 

c. 

LENGUA

Vocabulario

el voluntario
- dar de su tiempo
- dedicar tiempo a
- sentirse útil

la ONG
- alistar voluntarios
- informar / sensibilizar
- respaldar = apoyar
  - *una acción respaldada por varias ONGs.*

Gramática

Les adverbes de temps

*- ¿Has participado **ya** en alguna iniciativa solidaria?*
*- **Aún** no. = **Todavía** no.*
*- No, pero **siempre** me ha interesado el tema.*
*- **Nunca** he podido.*

▸ Gramática 35 p. 211

L'obligation personnelle et impersonnelle

*Los voluntarios **tienen que** creer en lo que hacen.*
*¡**Hay que** hacer algo!*

▸ Gramática 41 p. 214

Ortografía

L'intonation des phrases interrogatives

PISTE 27 **Écoute et entraîne-toi à prononcer les phrases suivantes :**
¿Desde cuándo existe esa organización?
¿Cuáles son sus principales proyectos?
¿Por qué decidió hacerse voluntario?
¿Crees que será capaz de vivir lejos de su país?

▸ Gramática 4 p. 189

EXPRESIÓN ESCRITA

¿Cómo relatar una iniciativa solidaria?

Jóvenes con ganas de hacer algo por los demás

Unos 200 voluntarios pasaron sus vacaciones con chicos y abuelos que están internados. Leyeron libros, hicieron teatro de títeres y arrancaron aplausos.

Voluntarios ocupándose de niños durante su tiempo libre

Cuando muchos jóvenes disfrutaron[1] de sus vacaciones en Brasil o la costa argentina, hay otros que se quedaron en Buenos Aires para ayudar al prójimo. Es el principal objetivo del programa Vacaciones Solidarias, que termina a mediados de marzo. **Así, jóvenes voluntarios** entretienen[2] a los niños internados en hospitales **y también** acompañan a los abuelos de los hogares[3] de la ciudad. **A partir de** esta propuesta, organizada por la Dirección de Juventud del Gobierno de la Ciudad, casi 200 voluntarios comenzaron a realizar actividades como lectura de cuentos, teatro de títeres y números artísticos. **Son jóvenes con ganas de** hacer algo por los demás, como resume Daniela Tedesco, de 21 años. "**Siempre** quise ayudar en los hospitales y en especial a los más chiquitos, pero no sabía dónde presentarme. **Por suerte**[4] el año pasado, a través de la información publicada en los diarios, me presenté para esta iniciativa. **Este año** me llamaron y enseguida me enganché[5]. **Es una experiencia** que me llena el alma"[6]. La primera actividad del programa fue el 4 de febrero en el Hospital Garraham. Allí, en el hall de entrada de la Escuela de Verano, una pareja de voluntarios bailó tango ante ojos bien atentos y amplias sonrisas. **Fue un éxito total**: los espectadores no dejaron de aplaudir. [...]

www.clarin.com, 28/02/2000

1. disfrutar : *profiter*
2. entretener : *divertir*
3. hogar : *foyer*
4. la suerte : *la chance*
5. engancharse : *devenir « accro »*
6. llenar el alma : *combler*

Entrénate

① **ANTES DE ESCRIBIR** Para ver si has comprendido el texto, completa la tabla siguiente:

¿De quién se habla? (Los protagonistas son...)	**¿Qué cuenta el texto?** (La historia de...)	**¿Cuándo?** (Durante...)	**¿Dónde?** (país, ciudad, lugares)	**¿Por qué lo hicieron?** (¿Cuáles eran sus motivaciones?)

② **ESCRIBE** un artículo similar presentando otra iniciativa que podría formar parte del programa "Vacaciones Solidarias".

a) Escoge uno de los temas siguientes u otro que te interese más.

medioambiente | comercio justo | defensa y protección de animales | atención a enfermos | defensa de los derechos humanos | educación

b) Utiliza las expresiones en **negrilla** para redactar un artículo de unas diez líneas.

Cuando muchos jóvenes...

ESTRATEGIA

Relie les paragraphes par des mots qui servent à situer dans **le temps** *(primero, luego, después, a partir de, al final...)* et dans **l'espace** *(allí, en ese lugar...)*.

¿Cuál sería tu iniciativa?

...uda escolar

Voluntarios de la Cruz Roja preparando víveres

Voluntarios recogiendo basura en una playa de Costa Rica

Comercio solidario

Una joven voluntaria enseña a un anciano el uso de un programa informático

Evacuación durante las inundaciones en la provincia de Buenos Aires

Practica

① Estas seis fotos ilustran ejemplos de acciones solidarias. Elige la que corresponde mejor a tus preocupaciones.

② En unas diez líneas:
- presenta la acción que te parece más útil y más urgente,
- explica por qué la has elegido y por qué te gustaría participar en ella.

Utiliza:
- la primera persona para expresar tu punto de vista,
- nexos para que el texto sea claro:
  ante todo, por un lado, por otro lado, además, por fin...

LENGUA

Vocabulario

- preocupar, molestar, costar, dar pena
  Me da pena / me cuesta aceptar la injusticia.
- dar satisfacción
  Me da mucha satisfacción participar en acciones solidarias porque así me siento útil.
- la gana = el deseo
  dar ganas = motivar, producir el deseo de...
  Cuando veo tanta injusticia, me da ganas de hacer algo.
  tener ganas de: sentir el deseo de...
  En las próximas vacaciones, tengo ganas de hacer algo útil en alguna ONG.

Gramática

Ser / Estar

- Devant un nombre : *SER*
  ***Son** miles los voluntarios que...*
- Devant un infinitif : *SER*
  *Lo importante **es** concienciar.*

▸ **Gramática 31 p. 207**

Les adverbes de lieu

*Hasta **allí** llegan los voluntarios.*
***Dentro** del camión almacenan los alimentos.*
*Hay mucha gente que duerme **fuera** de sus casas.*

▸ **Gramática 35 p. 211**

Le superlatif

- Le superlatif absolu
  *Esta idea es **buenísima**.*
- Le superlatif relatif
  *Las personas **más afectadas** por la pobreza son los niños.*

▸ **Gramática 37 p. 212**
▸ Ejercicio p. 213

Ortografía

Por qué / porque

- *Por qué* introduit une phrase interrogative (directe ou indirecte).
  ¿Por qué lo has dicho?
  No sé por qué lo has dicho.
- *Porque* n'a pas d'accent et sert à introduire la cause. Il peut être remplacé par *ya que* et *puesto que*.
  Lo hago porque me gusta.

▶ Para navegar, pp. 236-237

CIBERINVESTIGACIÓN

Presenta una ONG a tus compañeros

1. Busca estas informaciones:

La ONG	
Nombre	
Fecha de creación	
Nacionalidad	
Objetivos	
Acciones y proyectos	
Presencia en el mundo	
Independencia (¿está relacionada con algún grupo económico, político o religioso?)	
Cómo participar	

Página Web de interés:
http://www.ayudaenaccion.org

2. Utiliza los datos obtenidos para presentar la ONG.

B2i **Adopter une attitude responsable**

 Je sais faire preuve d'esprit critique face à l'information et à son traitement.

HAZ TU PROYECTO CON LAS TIC

Crea un diaporama

Para presentar e ilustrar el proyecto de la p. 91, puedes crear un diaporama de unas cinco diapositivas con *OpenOffice Impress*.

Pistas para encontrar sitios Web de ONGs:

Derechos del niño	▶ Unicef
Medio ambiente	▶ Acción natura
Comercio justo	▶ Coordinadora Estatal de Comercio justo
Educación	▶ Campaña mundial por la educación en España
Pobreza infantil	▶ Paremos la pobreza infantil
Ayuda médica	▶ Médicos sin fronteras

Sugerencias

- No escribas mucho en las diapositivas para evitar que los oyentes lean en vez de escucharte.
- Es importante que las ilustraciones (dibujos, fotos) llamen la atención.
- Ayuda y consejos en *nuevas-voces.com*

Voluntarios en acción. En un encuentro de jóvenes, representa a la ONG que has elegido para trabajar como voluntario.
En cinco minutos, convence al público para hacer más socios.

1. TIPO DE TRABAJO

Individual o colectivo.

2. PREPARACIÓN

Elige un área de intervención que te resulte atractiva y un tipo de organización:

3. REALIZACIÓN

(Si trabajáis en equipo, cada alumno se encargará de una parte.)

a) Presenta las **actividades de la organización** que has elegido.

b) Explica cuáles son tus **motivaciones** y tus **objetivos**.

c) Indica qué **cualidades son necesarias** para integrar esa ONG.

¡Convéncete y convence!

Consejos útiles

- ¡No te olvides de dar ejemplos concretos, tu exposición resultará más atractiva!
- Recuerda: vas a expresarte oralmente, no se trata de leer un texto escrito previamente. No leas tus apuntes, consúltalos únicamente si los necesitas.
- Muestra diapositivas, fotos, etc.

▸ Nuevas tecnologías, p. 90

EVALUARse

CD CLASSE

COMPRENSIÓN ORAL Un día solidario

① El programa se ha hecho con motivo de:
a. el día internacional del voluntariado b. el día nacional del voluntariado c. el día internacional de la mujer.

② Se oyen estos nombres: Iñaki, Levi, Carmen, Patricia. Identifica la palabra que indica lo que tienen en común.

③ Indica si es un hombre o una mujer quien:
- anuncia el nombre del programa,
- lo conduce,
- es entrevistado.

④ Iñaki López habla de su compromiso.
Apunta lo que has comprendido (palabras clave) :

Misión de la ONG	Labor de los voluntarios	Profesión de Iñaki	Motivación para hacerse voluntario

IMPLÍCATE. TE NECESITAN.

Mon bilan

○ Je peux suivre une émission de radio sur un sujet familier, présenté en langue standard, même si je ne comprends pas tous les détails.
➜ par exemple, reconnaître les thèmes abordés et le type d'informations transmises.

○ Je peux comprendre une information factuelle en reconnaissant les messages généraux et les points de détail.
➜ par exemple, si le locuteur expose un fait important ou l'illustre par des détails.

B1

COMPRENSIÓN LECTORA Comida gratis en Navidad

① Identifica los hechos que corresponden a estas fechas:

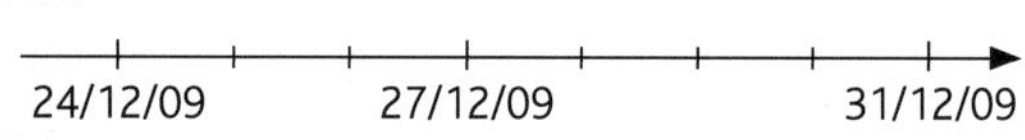

② Apunta elementos del texto que indican:

La profesión de Patrocinio	Cómo ayuda	Desde cuándo	Por qué lo hace

③ Patrocinio Mora es:
a. fatalista b. realista c. utopista
Justifica citando el texto.

El empresario hostelero Patrocinio Mora abrirá su restaurante y dará de comer de forma gratuita en Nochevieja a los inmigrantes que viven en campamentos en Lepe (Huelva). Mora repartió, el pasado 24 de diciembre, 300 bolsas de comida gratis entre los inmigrantes.
Mora, dueño del restaurante O'Barco de La Antilla, lleva varios años organizando esta actividad, tras vivir parte de su infancia en un orfanato "y pasar unas necesidades" que no quiere que "nadie pase, sobre todo en Navidad". [...]
"Sabemos que la sociedad es como es, y que no vamos a arreglar nada con esto, pero al menos hay que intentar hacer algo por esta gente", comenta Mora.

Efe, 27/12/2009

Mon bilan

○ Je peux comprendre le sens général d'écrits factuels simples sur un sujet que j'ai étudié en classe.

○ Je peux aussi comprendre des éléments plus implicites.
➜ par exemple, brosser le portrait moral d'une personne.

EXPRESIÓN ORAL Tu opinión sobre esta campaña

① ¿A qué Big Bang se refiere este cartel?

② ¿Para qué podrá servir este tambor?

③ ¿Te parece que es un cartel eficaz?

BIG BANG!!
24 HORAS PAR HACER OIR EL COMERCIO JUSTO
UNA OPORTUNIDAD PARA LUCHAR CONTRA LA POBREZA. LA CRISIS FINANCIERA Y EL CAMBIO CLIMATICO
UNA GRAN OPORTUNIDAD PARA CAMBIAR EL MUNDO
COGE UN TAMBOR POR EL PLANETA
DÍA MUNDIAL DEL COMERCIO JUSTO

¿LO SABÍAS?

La teoría del Big Bang o teoría de la gran explosión es un modelo científico que trata de explicar el origen del universo y su desarrollo posterior.

✓ Mon bilan

○ Je peux utiliser une série de phrases pour décrire en termes simples une affiche qui illustre un sujet que je connais.  A2

○ Je peux parler simplement et sans préparation d'un thème que j'ai étudié en classe.  B1

EXPRESIÓN ESCRITA ¿Espectáculo o iniciativa solidaria?

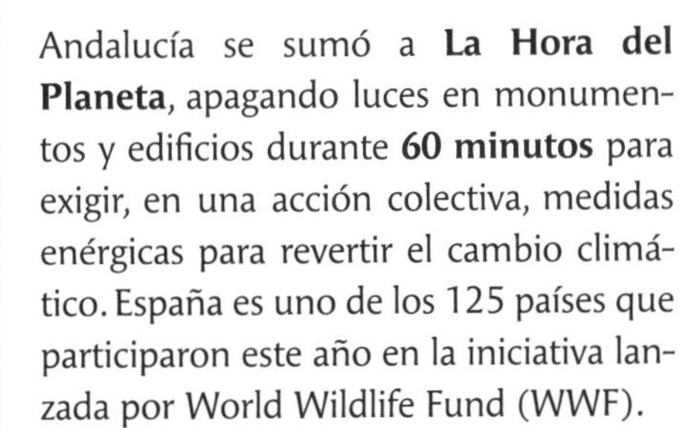

Andalucía se sumó a **La Hora del Planeta**, apagando luces en monumentos y edificios durante **60 minutos** para exigir, en una acción colectiva, medidas enérgicas para revertir el cambio climático. España es uno de los 125 países que participaron este año en la iniciativa lanzada por World Wildlife Fund (WWF).

WWF

La Torre del Oro, Sevilla, 27/03/2010

① Explica en una frase lo que es "la hora del planeta".

② ¿Qué te parece esta iniciativa?

✓ Mon bilan

○ Je peux faire une description brève et élémentaire d'un événement.  A2

○ Je peux exprimer mes sentiments et mes réactions dans un texte simple et articulé.
→ par exemple, dire si une réaction me semble utile ou pas.  B1

La tortuga gigante

Había una vez un hombre que vivía en Buenos Aires, y estaba muy contento porque era un hombre sano y trabajador. Pero un día se enfermó[1], y los médicos le dijeron que solamente yéndose al campo podría curarse. Él no quería ir, porque tenía hermanos chicos a quienes daba de comer; y se enfermaba cada día más. Hasta que 5 un amigo suyo, que era director del Zoológico, le dijo un día:

–Usted es amigo mío, y es un hombre bueno y trabajador. Por eso quiero que se vaya a vivir al monte, a hacer mucho ejercicio al aire libre para curarse. Y como usted tiene mucha puntería[2] con la escopeta, cace[3] bichos[4] del monte para traerme los cueros, y yo le daré plata[5] adelantada para que sus hermanitos puedan comer bien.

10 El hombre enfermo aceptó, y se fue a vivir al monte, lejos, más lejos que Misiones todavía. Hacía allá mucho calor, y eso le hacía bien. Vivía solo en el bosque [...]. Comía pájaros y bichos del monte, que cazaba con la escopeta, y después comía frutas [...].

El hombre tenía otra vez buen color, estaba fuerte y tenía apetito. Precisamente un día que tenía mucha hambre, porque hacía dos días que no cazaba nada, vio a la orilla de 15 una gran laguna un tigre enorme que quería comer una tortuga. [...] Al ver al hombre el tigre lanzó un rugido espantoso y se lanzó de un salto sobre él. Pero el cazador, que tenía una gran puntería, le apuntó[6] entre los dos ojos, y le rompió la cabeza. [...]

–Ahora –se dijo el hombre–, voy a comer tortuga, que es una carne muy rica.

Pero cuando se acercó a la tortuga, vio que estaba ya herida[7], y tenía la cabeza casi 20 separada del cuello. [...]

A pesar del hambre que sentía, el hombre tuvo lástima[8] de la pobre tortuga, y la llevó arrastrando con una soga[9] hasta su ramada y le vendó[10] la cabeza. [...]

La tortuga quedó arrimada a un rincón, y allí pasó días y días sin moverse.

El hombre la curaba todos los días, y después le daba golpecitos con la mano sobre 25 el lomo[11].

La tortuga sanó por fin. Pero entonces fue el hombre quien se enfermó. Tuvo fiebre, y le dolía todo el cuerpo. Después no pudo levantarse más. [...]

–Voy a morir –dijo el hombre–. Estoy solo, ya no puedo levantarme más, y no tengo quien me dé agua, siquiera. Voy a morir aquí de hambre y de sed.

30 Y al poco rato la fiebre subió más aún, y perdió el conocimiento.

Pero la tortuga lo había oído, y entendió lo que el cazador decía. Y ella pensó entonces:
–El hombre no me comió la otra vez, aunque tenía mucha hambre, y me curó. Yo le voy a curar a él ahora.

[...] Todas las mañanas, la tortuga recorría el monte buscando raíces[12] cada vez más
35 ricas para darle al hombre, y sentía no poder subirse a los árboles para llevarle frutas.

El cazador comió así días y días sin saber quién le daba la comida, y un día recobró el conocimiento. Miró a todos lados, y vio que estaba solo, pues allí no había más que él y la tortuga, que era un animal. Y dijo otra vez en voz alta:

–Estoy solo en el bosque, la fiebre va a volver de nuevo, y voy a morir aquí, porque
40 solamente en Buenos Aires hay remedios para curarme. Pero nunca podré ir, y voy a morir aquí.

Pero también esta vez la tortuga lo había oído, y se dijo:

–Si se queda aquí en el monte se va a morir, porque no hay remedios, y tengo que llevarlo a Buenos Aires. Dicho esto, cortó enredaderas finas y fuertes [...], acostó con mucho cuidado al hombre encima de su lomo, y lo sujetó bien con las enredaderas
45 [...], y emprendió entonces el viaje.

La tortuga, cargada así, caminó, caminó y caminó de día y de noche. Después de ocho o diez horas de caminar, se detenía [...], y acostaba al hombre con mucho cuidado. [...]

Iba entonces a buscar agua y raíces tiernas, y le daba al hombre enfermo. Ella comía también, aunque estaba tan cansada que prefería dormir. Así anduvo días y
50 días, semana tras semana. Cada vez estaban más cerca de Buenos Aires, pero también cada día la tortuga tenía menos fuerza, aunque ella no se quejaba[13].

Pero llegó un día, un atardecer, en que la pobre tortuga no pudo más. [...] No tenía más fuerza para nada.

Cuando cayó del todo la noche, vio una luz lejana en el horizonte, un resplandor[14]
55 que iluminaba el cielo, y no supo qué era. Se sentía cada vez más débil, y cerró entonces los ojos para morir junto con el cazador.

Y sin embargo, estaba ya en Buenos Aires. [...] Aquella luz que veía en el cielo era el resplandor de la ciudad. [...] La tortuga se sintió con una fuerza inmensa, porque aún tenía tiempo de salvar al cazador, y emprendió la marcha. Y cuando era de madrugada[15]
60 todavía, el director del Jardín Zoológico vio llegar a una tortuga que traía acostado en su lomo [...] a un hombre que se estaba muriendo. El director reconoció a su amigo, y él mismo fue corriendo a buscar remedios, con los que el cazador se curó enseguida.

Cuando el cazador supo cómo lo había salvado la tortuga, [...] no quiso separarse más de ella. Y como él no podía tenerla en su casa, que era muy chica,
65 el director del Zoológico se comprometió a tenerla en el Jardín, y a cuidarla como si fuera su propia hija.

El cazador la va a ver todas las tardes y ella conoce desde lejos a su amigo, por los pasos. Pasan un par de horas juntos, y ella no quiere nunca que él se vaya sin que le dé una palmadita[16] de cariño en el lomo.

Horacio QUIROGA (autor uruguayo) *Cuentos de la selva*[17], 1918

1. enfermarse ≠ curarse, sanar
2. tener mucha puntería : *bien viser*
3. *v.* cazar
4. animales
5. *arg.*, dinero
6. *(ici)* apuntar : *viser*
7. herir : *blesser*
8. tener lástima : *s'apitoyer*
9. *une corde*
10. vendar : *faire un bandage*
11. *le dos*
12. *des racines*
13. quejarse : *se plaindre*
14. *(ici) une lueur*
15. la madrugada : *le lever du jour*
16. *une petite tape amicale*
17. la selva = el bosque : el monte

Comprender el texto

① **(l. 1-12)** ¿Crees que el dueño del zoológico le da un buen consejo a su amigo?

② **(l. 13-25)** ¿Qué piensas de la reacción y de la actitud del cazador?

③ **(l. 26-40)** ¿Era un hombre pesimista?

④ **(l. 41-56)** ¿Qué sentiría la tortuga?

⑤ **(l. 57-69)** ¿Qué principios morales se desprenden de este cuento?

Joan Miró, *Pintura*, 1933. Óleo sobre tela, 130 × 162 cm, Fundació Miró, Barcelona.

Secuencia 6

¿Es posible vivir juntos?

DÉCOUVRIR

- La diversité du monde hispanique, passé et présent.
- L'Espagne à l'époque de *Al Ándalus*.
- L'héritage culturel de *Al Ándalus* : architecture, langue, sciences, etc.

COMMUNIQUER

- Parler de la diversité culturelle.
- Exprimer ses idées à partir d'une affiche.
- Expliquer ses choix.

- Comprendre des informations relatives à l'espace (lieux différents) et au temps (passé/présent).
- Comprendre le point de vue de l'auteur dans une chronique.

- Comprendre le sujet principal d'une émission de radio sur le thème de *Al Ándalus*.
- Comprendre des indications temporelles (époque, dates).

- Rédiger une légende pour une photo ou une affiche.
- Rédiger un article pour présenter un événement.

UTILISER

- **Lexique**
  - Quartier multiculturel
  - Héritage
  - Monarchie
  - Religion
- **Grammaire**
  - Les ordinaux et les cardinaux
  - Exprimer la date (jour et mois) et l'heure
  - Diminutifs et augmentatifs
  - Absence de préposition *de*
  - *Para* et *por*
  - Traduction de « ce que »/ « celui qui »
  - L'ordre et la défense
  - *Soler* + infinitif
  - Le passé simple
- **Prononciation**
  - Le "d" final
- **Orthographe**
  - "v" ou "b"

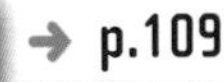
p.109

Fabrica un cartel para la exposición "21 de mayo. Día de la diversidad cultural".

EXPRESIÓN ORAL

¿Qué están festejando?

despertar(se) ≠ dormir(se)

Entrénate

① Observa atentamente el cartel y encuentra la relación que existe entre los diferentes elementos: dibujo, eslogan y fecha.

② ¿Qué palabras se ajustan más al objetivo de este cartel?

vender | promocionar | promover | fomentar | concienciar | informar

③ Un cartel sirve para comunicar. ¿A quién se dirige éste? ¿Quién será el autor del mensaje?

④ Volvamos al eslogan: "Córdoba ¡despierta, mira: somos diversos/as!" ¿Qué significado tendrá aquí el verbo "despertar"?

⑤ **TU OPINIÓN** Comunicar sobre el tema de la diversidad cultural te parece algo:

oportuno | necesario | inútil | ineficaz

ESTRATEGIA

Pour parler d'une affiche, utilise tous les éléments : image, texte, dates, slogan, logos...

Variaciones sobre el mismo tema

0,43 €
Valores cívicos
Diversidad cultural
Correos España

el sello : *le timbre poste*
el dedo : *le doigt*

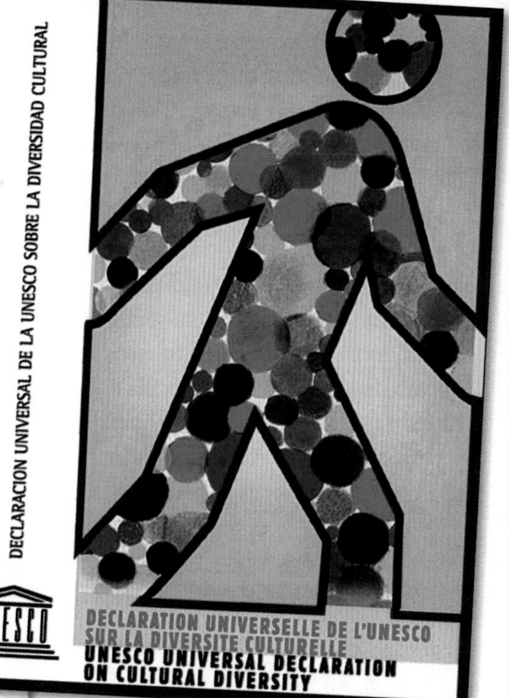

DIVERSIA
ncuentro de la Diversidad Cultural

WWW.DIVERSIACULTURAL.COM

Practica

① ¿Cómo está representado gráficamente el tema de la diversidad cultural en cada uno de estos documentos?

símbolos | colores | ilustración | fotografía

② ¿Cuál de ellos te parece más apropiado y más eficaz para comunicar el mensaje?

LENGUA

Vocabulario

- despertar(se) ≠ dormir(se)
reaccionar, tomar conciencia
- convivir = vivir con los demás
Hay que saber convivir a pesar de las diferencias.

Gramática

Absence de préposition *de*

es útil Ø informar
es posible Ø dialogar
es fácil Ø compartir
es necesario Ø convivir

▸ Gramática 34 p. 209

L'ordre et la défense

L'ordre → impératif
despierta, mira, comparte
La défense → *no* + subj.
no te duermas, no te olvides, no huyas

▸ Gramática 30 p. 206 y 28 p. 205
▸ Ejercicio p. 207

Pronunciación

Prononciation du *-d* final

Le *d* final est prononcé /z/ dans certaines zones d'Espagne.

PISTE 29 **Écoute la façon dont il est prononcé dans la phrase suivante :**
*El primer encuentro sobre la **diversidad** cultural tuvo lugar en el Círculo de Bellas Artes de la **ciudad** de **Madrid**.*

¿Un barrio solidario?

Ven a mi barrio

El barrio multicultural de Lavapiés celebra el primer festival de cultura india de la capital.

Ahora, permíteme que te hable de mi barrio[1]. En él hay un caserón que en su día fue un colegio. Los que fueron los parques donde los alumnos pasaban los recreos han quedado para uso público. En el Caserón Grande se organiza todo tipo de actividades: grupos de autoayuda para mujeres, atención a la tercera edad, cursos de ajedrez[2], cursos de español para inmigrantes, teatro para niños, seminarios de habilidades sociales y educación para adultos, clases de artesanía, talleres de ocio y tiempo libre,...

En La Casita, que es, como su propio nombre indica, una pequeña casa anexa al caserón, se programan actividades para niños: el "cuarto de estar", dirigido a niños de tres a seis años, la ludoetnia[3] y la ludoteca. [...]

En una esquina de lo que fueron los jardines del colegio han instalado un pequeño parque para niños, con dos toboganes y un balancín. Por las tardes llevo a mi niña y a mi perro a jugar allí. Mi hija suele ser la única niña rubia. Los demás niños casi siempre son morenos. Los hay chinos, pakistaníes, marroquíes, de Bangla Desh, ecuatorianos, colombianos, senegaleses, nigerianos... Hay madres marroquíes y egipcias con velo y yilaba, ecuatorianas con vaqueros ceñidísimos[4], senegalesas con túnicas estampadas, y alguna española –las menos– vestida con vaqueros de su talla. Eso de llevar pantalones dos tallas por debajo de la propia sólo se estila entre las sudamericanas, porque las españolas jamás lucirían con orgullo unos michelines y unas caderas amplias[5] que para unas son sexys y, para otras, motivo de vergüenza. [...]

Y como ya conoces el parque y La Casita, déjame que te lleve de la mano hasta allí.

Lucía Etxebarría (autora española), *Cosmofobia*, 2008

1. Se trata de Lavapiés, un barrio popular del centro de Madrid
2. el ajedrez : *les échecs (jeu)*
3. ludoetnia : juegos folklóricos
4. vaqueros ceñidísimos : *des jeans très moulants*
5. michelines y caderas amplias : *des bourrelets et des hanches larges*

Entrénate

① **LEE EL TEXTO** e identifica los lugares mencionados.

② ¿Qué se sabe de la narradora? (familia, edad aproximativa)

③ A través de lo que cuenta, dirías que observa su barrio con:
ternura | distanciamiento | implicación | interés | desprecio | curiosidad | ...
Justifica con elementos del texto.

④ Fíjate en las actividades que proponen en el Caserón y la Casita; elige los adjetivos que mejor convienen para calificarlas y di por qué:
intelectuales | sociales | lúdicas | infantiles | artísticas | educativas | familiares | administrativas
¿Por qué esas actividades serán tan diversas?

⑤ **TU OPINIÓN** ¿Cómo será la vida en ese centro social del barrio?

ESTRATEGIA
Ne te limite pas à l'explicite : cherche aussi ce qui est sous-entendu.

La Alhambra de Granada

¿De dónde proviene tanto esplendor?

La herencia

Los llamados *moros* eran españoles de cultura islámica, que en España habían vivido durante cinco siglos, treinta y dos generaciones, y allí habían brillado como en ninguna otra parte.
Muchos españoles ignoran, todavía, los resplandores que han dejado aquellas luces. La herencia* musulmana incluye entre otras cosas: 5
- la tolerancia religiosa, que sucumbió en manos de los reyes católicos;
- los molinos de viento, los jardines y acequias que todavía dan de beber a varias ciudades y riegan sus campos;
- el vinagre, la mostaza, el azafrán, la canela, el comino, el azúcar de caña, los churros, las albóndigas, los frutos secos; 10
- el ajedrez;
- la cifra cero y los números que usamos;
- el álgebra y la trigonometría;
- las obras clásicas de Anaxágoras, Ptolomeo, Platón, Aristóteles, Euclides, Arquímedes, Hipócrates, Galeno y otros autores, que gracias a las versiones 15 árabes se difundieron en España, y en Europa;
- las cuatro mil palabras árabes que integran la lengua castellana;
- y varias ciudades de prodigiosa belleza, como Granada, que una copla anónima cantara así:

Dale limosna, mujer 20
que no hay en la vida nada
como la pena de ser
ciego en Granada.

Eduardo Galeano, *Espejos*, 2008

* herencia : *héritage*

Practica

① LEE EL TEXTO ¿Quién dejó esta herencia? ¿Quién heredó?

② Clasifica esta gran herencia por categorías: la administración - la arquitectura - la filosofía y los pensadores - el juego - la lengua - las matemáticas - la alimentación - la agricultura - las creencias.

③ Según el autor: ¿los actuales herederos de ese legado aprecian lo suficiente su valor?

④ MIRA EL VÍDEO propuesto en *Otros enfoques* (p. 112) y cita ejemplos del legado andalusí.

LENGUA

Vocabulario

un barrio multicultural

la diversidad: de colores, de vestimentas (trajes típicos), de sonidos (risas y gritos de niños, diferentes idiomas)

la herencia

heredar de: *hériter de*
un heredero: *un héritier*
un legado: *un legs, un héritage*

Gramática

Les diminutifs et augmentatifs

- *"ito"/"ita"* = diminutif
  una casita = una casa pequeña
- *"ón/ona"* = augmentatif
  un caserón = casa grande

▸ Gramática 12 p. 192

***Soler* + infinitif**

Pour exprimer l'habitude ou parler d'un élément récurrent
*Mi hija **suele ser** la única niña rubia.*

▸ Gramática 41 p. 214

Les ordinaux et les cardinaux

la cifra cero
la invasión árabe del año 711
el siglo VIII (ocho)
el primer sultán
el tercer reinado

▸ Gramática 5 y 6 p. 191
▸ Ejercicio p. 190

Ocho siglos después...

PISTE 30

La expulsión de los moriscos

Moriscos en Granada, detalle de un grabado de F. Hogenberg, 1572.

Moro: Se dice del musulmán que habitó en España desde el siglo VIII hasta el XV.
Morisco: Se dice del moro bautizado* que, terminada la Reconquista, se quedó en España.
(Diccionario de la RAE)

* *baptisé (dans la religion catholique)*

Entrénate

① ANTES DE ESCUCHAR A partir de lo que has estudiado y de los documentos de la página, di lo que sabes de la presencia de los árabes en España.

② ESCUCHA Fíjate bien en las diferentes voces, el tono, la música... para determinar de qué tipo de documento audio se trata (un reportaje, una entrevista, una radionovela, etc.).

③ **a)** Apunta todas las indicaciones temporales que oyes (fechas y períodos).

b) Indica a qué evento corresponde cada una:
- el principio de la ocupación de España por los musulmanes,
- el final de la ocupación de España por los musulmanes,
- la estancia de los musulmanes en España,
- la expulsión definitiva de los moriscos.

④ Escucha atentamente y apunta los elementos (palabras, calificativos) que revelan que la expulsión de los moriscos fue un drama.

⑤ TU OPINIÓN ¿Qué consecuencias pudo tener esa expulsión masiva de una parte de la población?

Población de la Península Ibérica

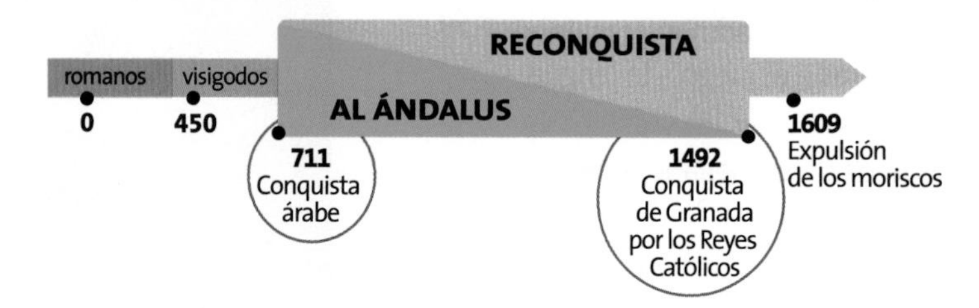

¿LO SABÍAS?

Al Ándalus
Durante ocho siglos se rezó a Alá y se habló árabe en la Península Ibérica. Dos fechas marcan este período: el año 711, en que las tropas de Tarik, general berebere, cruzan el estrecho de Gibraltar y derrotan al rey visigodo Don Rodrigo y 1492, año en que los Reyes Católicos toman Granada, completando así la Reconquista.

¿Literatura o historia?

Entre dos religiones y dos amores

M. BERTUCHI NIETO, *La Terraza*, s. XX.

Practica

① ¿Qué presenta la periodista en esta edición del programa "Un idioma sin fronteras"?

② Apunta todo lo que has entendido sobre la obra citada: su autor, la época y la región en que se sitúa la historia, el personaje principal.

③ Escucha detalladamente e intenta comprender el argumento *(la trame narrative)* de esta obra.

④ ¿Por qué este tipo de novelas tendrá tanto éxito?

PISTE 32

ESCUCHA EN CASA

Escucha varias veces y completa estas informaciones:

1. ¿Cuándo apareció la palabra "morisco"?
2. Se hablaba de "morisco" o también de...
3. Los musulmanes de la época tenían que elegir entre... o...
4. ¿Habían abandonado realmente su religión?

LENGUA

Vocabulario

la monarquía

- el rey, la reina → v. reinar
- el reino *(le royaume)*
- el reinado *(le règne)*
- promulgar un bando = publicar un edicto del rey

la religión

- profesar una religión = practicarla
- la fe cristiana, la fe islámica
- los cristianos, los musulmanes
- un bautismo *(un baptême)*
- v. bautizar (ser bautizado)

Gramática

Traduction de « ce que »/ « celui qui »

"Lo que su majestad manda." =
Ce que sa majesté ordonne.

"El que no lo cumpliere..." =
Celui qui ne s'y conformerait pas...

▸ **Gramática 20 p. 200**
▸ Ejercicio p. 201

Para* et *por

- La finalité → *para*
  *Debían embarcarse en los navíos **para** cruzar el estrecho.*
- Traduction de « par » → *por*
  *Se convirtió al cristianismo **por** amor.*

▸ **Gramática 34 p. 209**

Pronunciación

Les sons /ɾ/ et /r/

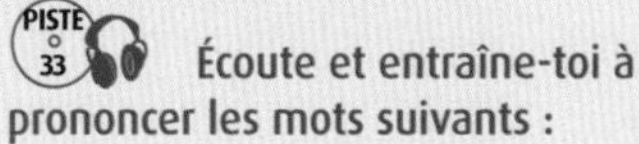
PISTE 33 **Écoute et entraîne-toi à prononcer les mots suivants :**

/ɾ/	/r/
la aparición los moriscos ibérica poder la entrega Granada	transcurrir arrebatar los reyes

EXPRESIÓN ESCRITA

Promover un evento

Día Mundial de la Diversidad Cultural en la plaza de Cabestreros de Madrid

Los vecinos del barrio de Lavapiés y la asociación de vecinos La Corrala celebraron este Día con un evento participativo que convirtió la plaza en una fiesta intercultural en la que se encontraban personas de todas las edades, culturas y procedencias. La velada comenzó con la proyección del documental *En la corrala* sobre la pared de la plaza y continuó a partir de las ocho de la tarde en un ambiente de cine de verano improvisado, con sillas traídas por los vecinos.

Entrénate

① **ANTES DE ESCRIBIR** Observa el cartel de arriba y lee el artículo.

Identifica los elementos siguientes:

a) En el cartel:

- título: ...
- evento promocionado: ...
- informaciones útiles: ...

b) En el artículo:

- título: ...
- tipo de evento, lugar y fecha: ...
- organizadores: ...
- público: ...
- más detalles sobre el evento: ambiente, programa...

② **ESCRIBE** Ahora, redacta tú un artículo similar:

a) Observa el cartel sobre el cine de verano (p. 107) e imagina que has participado en este evento.

b) Escribe el artículo correspondiente inventando las informaciones (lugar, fecha, etc.).
Organízalas imitando el plan del artículo.

Lo que expresa una imagen

Practica

Redacta la leyenda de tu foto preferida para ilustrar un artículo sobre el cine de verano.

LENGUA

Vocabulario

un evento

- una velada: una fiesta cultural o deportiva que se celebra por la noche.
- tener lugar, desarrollarse
- tener éxito: *avoir du succès*
- concurrido: donde hay mucha gente
- ameno, divertido

el público

- entretenerse, divertirse, disfrutar
aplaudir
compartir

Gramática

Exprimer la date (jour et mois) et l'heure

El 21 de mayo a las ocho de la tarde.

▸ Gramática 7 y 8 p. 191
▸ Ejercicio pp. 191 y 192

Le passé simple
Formes régulières et irrégulières

Celebraron, se convirtió, comenzó, continuó...

▸ Gramática 24 p. 203
▸ Ejercicio p. 203

Ortografía

"v" ou "b"

La plupart des mots qui s'écrivent avec "*b*" ou "*v*" ne suivent aucune règle. Il faut donc consulter le dictionnaire. Cependant, dans beaucoup de cas, les familles de mots permettent de savoir si un mot s'écrit avec "*b*" ou "*v*" :

habitar → habitación, cohabitar, deshabitar
nuevo → novato, novedad, novedoso, innovar, renovar

NUEVAS TECNOLOGÍAS

▸ Para navegar, pp. 236-237

CIBERINVESTIGACIÓN

¿Sabías que estas palabras son de origen árabe?

cifra, noria, acequia, alcázar, azúcar, aceite, algoritmo, alcachofa, almíbar, elixir, jarabe, azafrán, alquimia, aceituna, arsenal, azufre, arroz, álgebra, almirante, alcohol, alférez, aduana, alcalde, almanaque, alcoba, alambique, albañil, alquitrán, azulejo, adoquín, alcantarilla, azotea, alarife, jaqueca, algodón

Páginas Web de interés:
http://legadoandalusi.es
http://www.rae.es
(Diccionario de la Real Academia Española)

1. Busca el significado de estas palabras.
2. Clasifica las palabras según el área.

Agricultura y alimentación	Construcción y artesanía	Medicina y ciencias	Vida militar y administración

3. Comenta esta clasificación. ¿Algunas de estas palabras han sido adoptadas por otras lenguas?

 ¿LO SABÍAS?

La lengua española posee alrededor de **cuatro mil palabras de origen árabe**.
Muchas de estas palabras empiezan por "a" o "al" porque el español incorpora al nombre el artículo "al", que es el artículo de la lengua árabe. En cambio, en otros idiomas, no se ha conservado este artículo.

Por ejemplo:	*En cambio:*
azúcar (castellano)	**sucre** (catalán, francés)
azucre (gallego)	**sugar** (inglés)
açúcar (portugués)	**zucchero** (italiano)

B2i **S'informer, se documenter**  Je sais interroger les bases documentaires à ma disposition (dictionnaire en ligne).

HAZ TU PROYECTO CON LAS TIC

Crea un documento multimedia

El cartel para el proyecto puede ser realizado en formato digital. Utiliza *OpenOffice Writer*, un procesador de texto en el que podrás incluir:
- enlaces hipertexto
- fotos
- sonidos: añade un eslogan, un comentario y música.

Sugerencia

• Recuerda que debes guardar todos los ficheros (texto, fotos, sonido) en el mismo archivo antes de enviar tu trabajo.

Grafista en acción. Fabrica un cartel para la exposición "21 de mayo: Día de la diversidad cultural".

Etapas

1. TIPO DE TRABAJO

Colectivo. En cada equipo se realizará un cartel original para ilustrar el tema de la diversidad cultural a través de uno de estos aspectos:

2. PREPARACIÓN

Escoge el aspecto que te interesa más; así se constituyen varios equipos.

3. REALIZACIÓN

a) Trabajo individual: cada alumno redacta un título para el cartel, un eslogan y el texto informativo.

b) Puesta en común: composición del cartel con los mejores elementos aportados.

c) Define y adopta con tus compañeros de equipo la presentación gráfica que más os guste: ilustración (dibujos, fotos, imágenes...), tipo de letras, gama de colores, etc.

¡Da rienda suelta a tu imaginación!

Consejos útiles

- Recuerda que el objetivo del cartel es **comunicar**: el eslogan y la ilustración tienen que tener impacto.
- En lugar de un cartel puedes realizar une presentación multimedia.

▶ Nuevas tecnologías, p. 108

EVALUARse

CD CLASSE

COMPRENSIÓN ORAL El barrio de Lavapiés

① En la introducción del programa, además de la música se oye:
a. una voz masculina, ¿qué dice?
b. una serie de palabras, ¿cuáles logras identificar?

② Identifica y anota todo lo que se refiere al barrio de Lavapiés:

Situación geográfica	Cualidad que destaca	Población

③ Ese barrio ha inspirado a Juan Valbuena. ¿Qué ha hecho? ¿Qué repercusión tuvo?

④ ¿Qué característica del barrio ilustrará en su trabajo?

Mon bilan

○ Je peux comprendre le sujet principal d'une émission de radio sur un sujet familier, présenté en langue standard.  A2
→ par exemple, identifier quel type d'événement est annoncé.

○ Je peux relier des informations factuelles à une thématique d'ensemble.  B1
→ par exemple, comprendre en quoi un événement annoncé se rattache à une thématique étudiée.

COMPRENSIÓN LECTORA Recuerdos

① Se trata de:
a. una anécdota b. un relato autobiográfico
c. una descripción
Justifica citando el texto.

② Identifica la época y el lugar.

③ Cita elementos del texto que dan indicaciones sobre la familia del narrador:

Miembros de la familia evocados	Nombre (si está indicado)	Rango dentro del reino	Tempera-mento

④ ¿Cómo evoluciona la situación política del reino de Granada entre la primera época evocada y el momento de la narración?
a. paz → inestabilidad b. inestabilidad → paz
c. ningún cambio
¿Qué elementos del texto permiten afirmarlo o suponerlo?

[El narrador es Boabdil, último sultán de Granada.]

Durante algunos años, en los que el sultán fue mi abuelo, Said Ciriza, con el nombre de Mohamed XI, la paz reinó en Granada. Había pactado con los reyes cristianos un acuerdo mediante el cual los granadinos debían pagar un tributo anual a cambio de una tregua que fue provechosa para ambos. El temperamento de mi abuelo era bastante más tranquilo que el de mi padre.

Contaba mi padre que, siendo él todavía niño, había asistido en una ocasión al pago del tributo que venían a cobrar los enviados de los reyes cristianos, y que la ceremonia [...] le pareció tan humillante, que no había logrado olvidarla nunca.

De mi infancia, también guardo un grato recuerdo de mis juegos por los jardines de la Alhambra, de sus fuentes y del agua que corría de sus fuentes y acequias, produciendo un murmullo y unos sonidos tan especiales que a veces hoy me parece oírlas.

Josefina Careaga Ribelles, ***Boabdil y el final del reino de Granada***, 2009

Mon bilan

○ Je peux identifier la nature d'un texte.  A2
→ par exemple, identifier si le narrateur rapporte des événements ou parle de faits vécus.

○ Je peux comprendre l'essentiel d'un texte narratif.  B1
→ par exemple, m'appuyer sur des éléments factuels pour faire des prédictions.

EXPRESIÓN ORAL 21 de marzo

① Presenta este cartel aclarando las informaciones siguientes:

a) sus promotores,

b) su composición (el lema, el dibujo, el texto, la fecha...),

c) su objetivo,

d) los destinatarios.

② 21 de marzo, ¿día especial?
Di por qué y para qué.

③ Explica cómo comprendes el lema *"Igualdad para vivir y diversidad para convivir"*.

④ Di si este cartel transmite un mensaje convincente.

✓ Mon bilan

○ Je peux utiliser une série de phrases pour décrire en termes simples une affiche qui illustre un sujet que je connais. 

○ Je peux parler simplement et sans préparation d'un thème que j'ai étudié en classe. 

EXPRESIÓN ESCRITA ¡El 21 de mayo en tu instituto!

El 21 de mayo es el "Día mundial de la diversidad cultural para el diálogo y el desarrollo". Escribe unas diez líneas para explicar cómo celebrarías este evento en tu instituto.

Para mí, la mejor manera de celebrarlo sería...

✓ Mon bilan

○ Je peux faire une description brève et élémentaire d'un projet.
➜ par exemple, en proposant une série d'idées d'activités pour célébrer un événement. 

○ Je peux écrire un texte simple et cohérent pour présenter un projet.
➜ par exemple, organiser une fête. 

A. *Romances de la Edad Media*

PISTE 34

La bella en misa

(romance novelesco)

En Sevilla está una ermita
cual dicen de San Simón
Adonde todas las damas
iban a hacer oración.
Allá va la mi señora,
sobre todas la mejor.
Saya[1] lleva sobre saya,
mantillo[2] de un tornasol[3].
En la su boca muy linda
lleva un poco de dulzor.
En la su cara muy blanca
lleva un poco de color.
Y en sus ojuelos garzos[4]
lleva un poco de alcohol[5].
A la entrada de la ermita,
relumbrando como el sol,
El abad que dice la misa
no la puede decir, non.
Monacillos[6] que le ayudan
no aciertan responder, non.
Para decir "amén, amén"
decían "amor, amor".

Anónimo

1. *jupe* – **2.** *foulard* – **3.** *tissu brillant* – **4.** azulados – **5.** *(ici) khôl* – **6.** monacillos = monaguillos : niños que ayudan a la misa

① La dama entra en la iglesia y se trastorna la misa. ¿Has entendido por qué?

② Escucha el poema y apréndelo (localizar bien las rimas te ayudará a memorizarlo).

Portada del *Libro de los cincuenta romances*, hacia 1525

Libro enel qual
se contienen cincuenta romances cõ
sus vilancicos y de fechas. Entre los
quales ay muchos dellos nueuamen
te añadidos: que nunca en estas tier
ras se han oydo.

Desde la época de la Edad Media, en muchos países de Europa, se cantaron baladas narrativas que se transmitían de generación en generación. Como en toda poesía oral, se terminaba olvidando el nombre del autor que las había compuesto, por eso hoy son anónimas. Cada vez que alguien las memorizaba, cambiaba un poco la letra o la música de esas canciones, por lo cual existen a menudo varias versiones de la misma historia.

En la tradición hispánica se les dio el nombre de *romances*. Un romance es un poema octosílabo, con rima asonante en los versos pares. ¿Por qué la gente cantaba romances? Para dar a conocer hechos verídicos o historias ejemplares, entretenerse en las largas veladas de invierno y celebrar momentos importantes (nacimiento, boda, festividades paganas y religiosas).

B. *Andalucía, recorrido por la historia y el arte*

→ p. 103

La Giralda de Sevilla

Un jarrón de la Alhambra

El reino nazarí de Granada (1238-1492), último poder musulmán en la Península Ibérica, desarrolla una brillante vida cortesana. El palacio de la Alhambra de Granada nos la recuerda. Entre las piezas más espectaculares producidas por los talleres nazaríes figuran una serie de jarrones monumentales con decoración dorada, en ocasiones realzada con cobalto, conocidos actualmente bajo el nombre de "jarrones de la Alhambra". Tan sólo se han conservado intactos ocho ejemplares.

Al Ándalus –como denominaron los musulmanes a España– fue un oasis para sus habitantes. "*¡Oh gentes de Al Ándalus* –exclama el poeta valenciano Ibn Jafayya, *De Dios benditos sois con vuestra agua, sombra, ríos y árboles. No existe jardín del Paraíso sino en vuestras moradas!*".

En las asas, se destaca el símbolo de la "mano de Fátima" (hija del Profeta) que, según la tradición, protege del "mal de ojo". En una de ellas está escrita la palabra: ***"prosperidad"***.

Una serie de círculos contiguos donde aparece la palabra ***"alegría"***.

En la franja del medio se puede leer repetida varias veces la palabra ***"salud"***, en oscuro sobre el fondo dorado.

▶ Jarrón de la Alhambra, Granada, s. XIV.
Cerámica, lustrado, decoración epigráfica, altura 117 cm.
Museo del Ermitage, San Petersburgo.

¿Te parece que en este jarrón se refleja bien la imagen de Al Ándalus?

Camino del destierro

Cuenta la historia que mandó llamar el Cid a sus amigos, parientes y vasallos y les comunicó que el rey le ordenaba salir del reino en el plazo de nueve días y les dijo:

–Amigos, quiero saber cuáles de vosotros queréis venir conmigo. Dios os lo pagará a los que vengáis, pero igualmente satisfecho quedaré con los que aquí permanezcáis.

5 Habló entonces Álvar Fáñez, su primo hermano:

–Con vos iremos todos, Cid, por las tierras deshabitadas y por las pobladas, y nunca os fallaremos[1] mientras estemos vivos y sanos; en vuestro servicio emplearemos nuestras mulas y caballos, el dinero y los vestidos; siempre os serviremos como leales[2] amigos y vasallos.

10 Todos aprobaron lo que dijo Álvar Fánez y el Cid les agradeció mucho lo que allí se había hablado.

Y en cuanto[3] el Cid hubo recogido[4] sus bienes, salió de Vivar con sus amigos y mandó ir camino de Burgos. Allí dejó su casa vacía y abandonada. Derramando abundantes lágrimas, volvía la cabeza y se quedaba mirándola. Vio las puertas abiertas 15 y los postigos sin candados[5], las perchas[6] vacías, sin pieles y sin mantos, sin halcones y sin azores[7] para la caza. Suspiró el Cid, con preocupación, y habló con gran serenidad:

–¡Gracias a ti, Señor, que estás en el cielo! ¡Esto han tramado contra mí mis malvados enemigos!

Se dispusieron a espolear[8] a los caballos, y les soltaron las riendas[9]. A la salida de 20 Vivar, vieron una corneja por la derecha y cuando entraron en Burgos la vieron por la izquierda[10]. Se encogió de hombros[11] el Cid y sacudió la cabeza:

–¡Alegrémonos[12], Álvar Fáñez, ya que nos destierran!

El Cid Rodrigo Díaz entró en Burgos, en compañía de setenta caballeros, cada uno con su pendón[13]. Salieron a verlo mujeres y varones, la ciudad entera se asomó por las 25 ventanas derramando abundantes lágrimas ¡tan fuerte era su dolor!, y diciendo por sus bocas una misma opinión:

–¡Dios, qué buen vasallo, si tuviese buen señor!

Lo convidarían con gusto a su casa, pero ninguno se arriesgaba, pues el rey don

Alfonso le tenía gran rabia al Cid. El día antes había mandado una carta a Burgos,
30 severamente custodiada y debidamente sellada[14], en la que ordenaba que al Cid Rodrigo Díaz nadie le diese posada[15] y que el que se la diese tuviese por cierto[16] que perdería sus bienes y también los ojos de la cara, e incluso la vida y el alma. Gran dolor tenían aquellas gentes cristianas; se escondían del Cid, pues no se atrevían a decirle nada.

35 El Campeador se dirigió a su posada, y al llegar a la puerta, la encontró bien cerrada: por miedo al rey Alfonso así la tenían atrancada[17], y, a no ser que la forzasen, no la abriría nadie. Los que iban con el Cid con grandes voces llamaron, los de dentro no respondieron una sola palabra. El Cid se acercó a la puerta, sacó el pie del estribo[18] y le dio una patada[19], pero no se abrió la puerta pues estaba bien cerrada.

40 Entonces una niña de nueve años apareció ante sus ojos:

–Oh, Campeador, que en buena hora ceñisteis la espada[20]!

El rey lo ha prohibido[21], anoche llegó carta severamente custodiada y debidamente sellada. No nos atreveremos a acogeros por nada del mundo; si no, perderíamos los bienes y las casas, e incluso los ojos de la cara. Cid, con nuestro mal, vos no ganáis
45 nada. ¡Que el Creador os ayude con todas sus mercedes santas!

Eso dijo la niña y se volvió para su casa. Bien vio el Cid que no contaba con el favor del rey. Se alejó de la puerta, atravesó Burgos, llegó a Santa María, y allí descabalgó; se hincó de rodillas y rezó[22] de corazón [...]:

–¡A ti, Dios, que cielo y tierra guías, te lo agradezco; tus virtudes me protejan,
50 gloriosa Santa María! Me voy de Castilla, pues el rey me destierra; no sé si volveré a ella en lo que me queda de vida. ¡Vuestra virtud me ampare, Gloriosa, en mi salida, y me ayude y me socorra de noche y de día!

Cantar de Mio Cid, Cantar primero: Camino del destierro.
Anónimo, siglo XII (versión adaptada)

1. *(ici)* decepcionar
2. que tienen lealtad, que son fieles (la fidelidad)
3. *dès que*
4. recoger : *ramasser*
5. *les volets sans cadenas*
6. *les cintres*
7. halcones y azores : *des faucons*
8. *éperonner*
9. *lâchèrent les rênes*
10. *Au Moyen Âge, la corneille était utilisée pour prédire l'avenir : si elle volait de droite à gauche, c'était bon signe, de gauche à droite le contraire.*
11. *haussa les épaules*
12. *réjouissons-nous*
13. *étendard*
14. *surveillée et cachetée*
15. la posada : *la demeure*
16. estar seguro
17. cerrada
18. *l'étrier*
19. *un coup de pied*
20. en buena hora ceñisteis la espada : que fue armado caballero en un buen momento
21. prohibir ≠ permitir
22. *s'agenouilla et pria*

¿LO SABÍAS?

El *Cantar del Mio Cid* es un poema épico o cantar de gesta que relata la historia de un héroe. Está inspirado de un personaje real: Rodrigo Díaz de Vivar (1040-1099). El Mio Cid (mi señor) o el *Campeador* ("el que se distingue en la guerra") es un buen cristiano, buen vasallo, generoso, educado y listo. Es acusado injustamente de traición al rey por lo que se ve obligado al destierro. Poco a poco, sus hazañas llegarán a oídos del rey que le perdonará.

Comprender el texto

① **(L. 1-11)** ¿Cómo definirías las relaciones del Cid con:
a) el Rey don Alfonso? b) sus parientes y servidores?

② **(L. 12-22)** ¿Cuál es el estado de ánimo del Cid al salir de su pueblo? ¿Entiendes por qué?

③ **(L. 23-34)** ¿Qué problema encuentra el Cid en Burgos?

④ **(L. 35-52)** ¿Por qué es una niña quien habla con el Cid y no un adulto?

⑤ Muestra cómo este cantar escenifica al buen cristiano de la leyenda.

Teciquauhtitla [1521], 1892. Litografía sacada de *Homenaje a Cristóbal Colón*.

Secuencia 7

Encuentro de dos mundos

DÉCOUVRIR

- Les liens historiques qui unissent l'Ancien Monde (l'Europe) et le Nouveau Monde (l'Amérique).
- Des aspects de la découverte et de la conquête du Nouveau Monde.
- Les apports (culture, langue, richesses, faune, flore, etc.) de chaque monde.
- Les liens entre l'Amérique hispanique et l'Espagne d'aujourd'hui.

COMMUNIQUER

- Exprimer un point de vue suite au commentaire d'un tableau historique.
- Parler d'un personnage et d'un événement historique.

- Comprendre l'information principale d'un extrait de roman.
- Comprendre les sentiments et le point de vue d'un personnage dans un texte narratif.

- Comprendre l'essentiel d'une discussion sur un thème familier.
- Comprendre des informations nouvelles sur un sujet étudié en classe.

- Relater un événement historique à partir de photos ou d'images.
- Écriture d'invention : rédiger une chronique subjective du Nouveau Monde.

UTILISER

- **Lexique**
  - Découverte et Conquête
  - Impressions
- **Grammaire**
  - Les temps du passé
  - La phrase négative
  - Les adverbes de manière
  - Les démonstratifs
  - La date
- **Prononciation**
  - Les sons /an/, /en/, /in/, /on/
  - /ia/ et /ía/
- **Orthographe**
  - L'accent écrit
  - Les noms en *-za*

PROYECTO → p. 127

Crea el juego de cartas: "Descubrimiento y Conquista".

EXPRESIÓN ORAL

¿En igualdad de condiciones?

Diego Rivera (pintor mexicano), detalle del fresco *Historia de Cuernavaca y del Estado de Morelos, conquista y revolución*, 1930-1931. Palacio de Cortés, Cuernavaca, México.

Combate entre un conquistador español y un azteca

Entrénate

① Observa los diferentes elementos de este fresco y clasifícalos según con quién se relacionan.

personaje a caballo	personaje de pie

el yelmo · la armadura · la espada · el escudo · la máscara · las plumas · los palos

¿Puedes explicar ahora la escena?

② ¿Qué motivaba a los combatientes?

conquistar · defender · tomar posesión · proteger · oponer resistencia · descubrir · explorar

③ **TU OPINIÓN** ¿Conviene más hablar de guerra, de conflicto o de invasión? ¿Por qué?

ESTRATEGIA

Observe attentivement tous les éléments de l'illustration pour recueillir des informations et les comparer. Lance-toi en faisant des hypothèses sur ce que tu vois.

¿Desprecio o ignorancia?

Grabado sobre madera que ilustra *De Insulis Inuentis Epistola Cristoferi Colom*, 1493, carta escrita por Cristóbal Colón a los reyes.

Como no entendía lo que esos nativos decían, Colón creyó que no sabían hablar; y como andaban desnudos, eran mansos* y daban todo a cambio de nada, creyó que no eran gentes de razón...

Eduardo GALEANO, *Espejos*, 2008

* mansos : inofensivos

Practica

¿Por qué le resultaría difícil a Colón comprender lo que veía?

LENGUA

Vocabulario

descubrimiento y conquista

- desembarcar, el desembarco
- conquistar, la conquista, los conquistadores
- descubrir, el descubrimiento, los descubridores
- encontrar, el encuentro
- los aborígenes, los indígenas, los nativos
- los prejuicios

Gramática

Évoquer une action passée

- Imparfait de l'indicatif : pour évoquer une action qui a duré :
  *Los españoles **buscaban** una ruta para las Indias.*
- Passé simple : pour évoquer une action ponctuelle et achevée
  *Colón **descubrió** América el 12 de octubre de 1492.*

▸ Gramática 23 p. 202 y 24 p. 203
▸ Ejercicios p. 203

La date

1521 = mil quinientos veintiuno

▸ Gramática 8 p. 191
▸ Ejercicio p. 192

Pronunciación

Les sons /an/, /en/, /in/, /on/

Attention, en espagnol, à ne pas nasaliser ces sons comme on le fait en français. Dans les mots suivants, on doit bien entendre le "n" après le "a", le "e", le "i" et le "o" : ***an**tes, **en**to**n**ces, **in**te**n**ción.*

PISTE 35 Écoute et entraîne-toi à prononcer les phrases suivantes :

Estamos estudiando el Descubrimiento y la Conquista de América.
La intención de Colón no era encontrar un nuevo mundo.
Antes habían llegado otros navegantes.

▸ Gramática 2 p. 188

¿Y antes de Colón?

¿Qué llevó Colón a América?

Nos lo cuentan María del Mar, de Paraguay, y Juan, de Colombia.

Guaraníes en Paraguay

Entrénate

① ANTES DE ESCUCHAR Sitúa Colombia y Paraguay en el mapa de América Latina.

② ESCUCHA ¿Qué temas se abordan en esta charla?

③ ¿Te parece que estos dos jóvenes saben del tema?

④ ¿Qué nos enseñan? Apunta elementos sobre:
a) lo que llevó Colón a América,
b) la vida en ese continente antes de Colón,
c) las poblaciones indígenas de Colombia / de Paraguay.

⑤ TU OPINIÓN ¿Te parece que a María del Mar y a Juan les gusta hablar de su país?

ESTRATEGIA

Dès la première écoute, repère les mots « transparents » que tu entends : par exemple, les noms propres (personnages, pays, continent...).

¿Por qué se llaman así?

PISTE 37

El nombre de mi país

Terra incognita. Este mapa de América del Sur del año 1558 representa lo que es hoy Argentina.

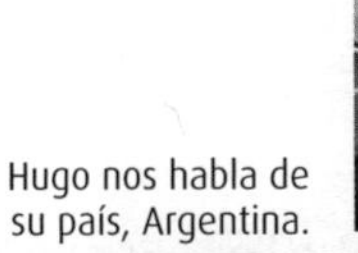

Hugo nos habla de su país, Argentina.

Practica

① Antes de escuchar, ubica Argentina en el mapa de América Latina, su capital y sus fronteras.

② Escucha. ¿Cómo se llaman los habitantes de Buenos Aires? ¿Por qué?

③ ¿Cuál es el origen del nombre "Argentina"?

④ Explica por qué el nombre del país es finalmente un "error".

ESCUCHA EN CASA

PISTE 38

Escucha varias veces la grabación:

- Di de qué se habla;
¿qué palabras te permiten afirmarlo?
- El producto tenía varias funciones:
¿cuáles eran?

El xocoatl

LENGUA

Vocabulario

- llevar = *emporter*
De España los conquistadores llevaron caballos y vacas.
- traer = *apporter*
Cuando llegaron vimos que traían unos animales extraños.

Gramática

Les adverbes de manière

Ils se construisent en mettant l'adjectif ou le participe passé au féminin et en y ajoutant *-mente* :
*pacífico → pacífica → pacífica**mente***
*inútil → inútil**mente***
*amable → amable**mente***

Pronunciación

Prononciation de /ia/ et /ía/

- Dans *Colombia*, les voyelles ***i*** et ***a*** forment une diphtongue et se prononcent dans la même syllabe : *Co-lom-bia*.
- Dans *economía*, l'accent écrit indique qu'il faut prononcer les voyelles ***i*** et ***a*** dans des syllabes distinctes : *e-co-no-mí-a*.

PISTE 39 Entraîne-toi à prononcer les mots suivants :
sabia / sabía - varias / varías

EXPRESIÓN ESCRITA

Redactar un informe histórico

▸ **1.** Carabelas de C. Colón. Museo de la Torre del Oro, Sevilla, s. XIX.

▾ **3.** Conquista española de México (1520). Batalla de Otumba en la que las tropas de Hernán Cortés vencieron al ejército azteca. Palacio Real, Madrid, s. XVII.

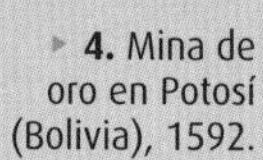

▸ **4.** Mina de oro en Potosí (Bolivia), 1592.

Entrénate

Estas imágenes ilustran episodios del Descubrimiento y la Conquista de América.

① Comenta cada una de ellas expresando lo que sabes al respecto (afirmaciones o negaciones) y lo que te gustaría saber.

Emplea tiempos del pasado y formula preguntas.

	Lo que sé	Lo que me gustaría saber
Foto 1	*Las tres carabelas de Cristóbal Colón **llegaron** a América el 12 de octubre de 1492. El almirante Colón **no sabía** que **había descubierto** América.*	*¿**Cuánto** tardó la travesía del Atlántico?*

② Inspirándote en las 5 ilustraciones, escribe un texto de unas 10 líneas, titulado "Descubrimiento y Conquista". Para organizar el relato utiliza nexos temporales como por ejemplo: (Hace más de) (En aquella época) (Al principio) (Años después) (Mucho tiempo antes)

▲ **2.** J. Santiago Garnelo y Alda, *Primer homenaje a Cristóbal Colón,* 1892, Museo Naval de Madrid.
Cristóbal Colón llega el 5 de diciembre de 1492 a la isla de la Hispaniola (actualmente Santo Domingo y Haití), primer lugar del Nuevo Mundo donde los españoles formaron una colonia.

◄ **5.** Una misión construida por los españoles en México

Cristóbal Colón: la conquista del paraíso

Fotograma de la película *1492*

Practica

Con lo que has aprendido sobre el Descubrimiento de América y la Conquista, ponte en el lugar de uno de los "cronistas" que acompañaban a Hernán Cortés en 1521 y redacta tus primeras impresiones.

Cuenta en unas diez líneas lo que viste, lo que te sorprendió y quizás también te impresionó o asustó.

Lo que más me llamó la atención...

Vocabulario

- invadir, los invasores
vencer, la victoria
someter, la sumisión
- evangelizar, el evangelio
- buscar, la búsqueda
  Salieron de España en búsqueda de una ruta más corta para llegar a las Indias.
- asustar(se), el susto (llevarse un susto)
  Cuando vieron a esos seres barbudos, se asustaron / se llevaron un gran susto.

Gramática

Les démonstratifs

aquellos, ***aquellas*** (passé)
__Aquellos__ hombres que llegaban en carabelas, eran quizás los mensajeros de Quetzalcoatl.
estos, ***estas*** (présent)
En __estos__ momentos se inaugura el monumento a Simón Bolívar.
▸ **Gramática 15 p. 195**
▸ Ejercicio p. 196

Le passé simple de certains verbes irréguliers

(absence d'accent écrit à la 1re et 3e personne du sing.)

__Fueron__ los primeros en divisar la tierra firme.
¿Cómo __pudieron__ sobrevivir?
▸ **Gramática 43 pp. 216-218**

Ortografía

Noms en ***-za***

rico > la riqueza
grande > la grandeza
triste > la tristeza

Para navegar, pp. 236-237

ICARITO

CIBERINVESTIGACIÓN

¿Sabes de dónde provienen estos animales y alimentos tan conocidos?

1. **Busca en la red informaciones sobre ellos.**
2. **Utiliza los datos para clasificarlos en dos categorías:**

a) Los que no existían en la América precolombina.

b) Los que no existían en Europa antes del descubrimiento de América.

Página Web de interés:
http://www.icarito.cl

Los indios no conocían...	Los europeos no conocían...

B2i **S'informer, se documenter**

 Je sais utiliser les fonctions avancées des outils de recherche sur Internet.

HAZ TU PROYECTO CON LAS TIC

Crea un cuestionario electrónico

También puedes hacer una versión electrónica del juego de preguntas y respuestas con el programa *OpenOffice Calc*.

Conéctate al sitio del alumno y baja el operador de "quiz". Escoge uno de los tres temas del proyecto (p. 127). Redacta cinco preguntas, y tres respuestas posibles por pregunta (de las cuales una sola es correcta).

Sugerencias

- Encontrarás gran cantidad de recursos en: *http://www.icarito.cl/*
- Ayudas y consejos en *nuevas-voces.com*

PROYECTO

Historiadores en acción. Crea tu propio juego de preguntas y respuestas, realizando tarjetas sobre el Descubrimiento y la Conquista de América.

Etapas

1. TIPO DE TRABAJO

En equipos de cuatro alumnos. Cada equipo realiza un juego completo de 15 tarjetas.
Al final, se seleccionarán las mejores tarjetas de cada juego para crear la versión de la clase.

2. PREPARACIÓN

Elige uno de los tres temas siguientes y apúntate en el equipo correspondiente:

Tema 1 ▶ Las civilizaciones precolombinas

Tema 2 ▶ Cristóbal Colón

Tema 3 ▶ La conquista del Nuevo Mundo

3. REALIZACIÓN

a) Redacta cinco preguntas y cinco respuestas acerca del tema que has elegido.
Puedes basarte en los documentos de la secuencia.

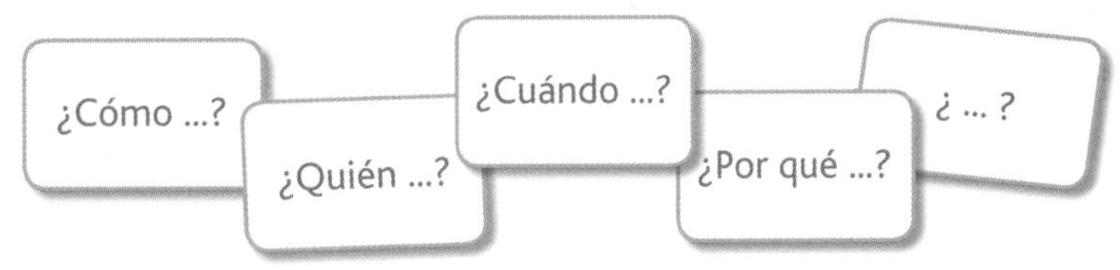

b) En cada tarjeta, escribe la pregunta en la cara y la respuesta en el dorso.
Ilústralas con fotos o dibujos.

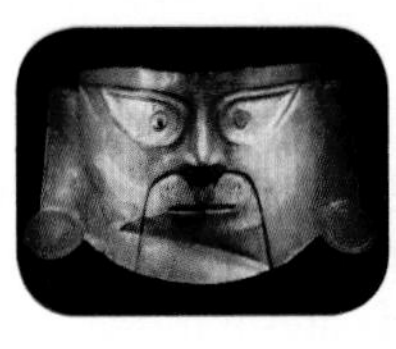

c) Cuando todo esté listo, busca un nombre original para que el juego sea más atractivo.

¡Estimula tu cerebro jugando a ...!

Consejos útiles

- **Define con tus compañeros las reglas del juego antes de empezar.**
- **Si quieres hacer une versión electrónica del juego:**

▸ Nuevas tecnologías, p. 126

EVALUARse

CD CLASSE

COMPRENSIÓN ORAL Vídeo cartas

① Apunta todo lo que caracteriza este proyecto:

Tipo (deportivo, económico, cultural)	Finalidad	Participantes	Actividad desarrollada	Resultado de la iniciativa

② ¿Qué palabras de esta tabla se relacionan directamente con el tema "Encuentro de dos mundos"?

③ ¿Cuál es la originalidad del proyecto inicial?

Mon bilan

○ Je peux saisir l'essentiel d'un court message radiophonique quand le locuteur utilise des phrases assez courtes et simples.  A2

○ Je peux aussi percevoir la nouveauté ou l'originalité des informations fournies par rapport à ce que je connais du sujet.  B1

COMPRENSIÓN LECTORA Aztecas y españoles

① Identifica la época y el lugar de los hechos apuntando elementos del texto.

② Indica lo que representaban el oro y el maíz, para:

	Los españoles	Los aztecas
El oro		
El maíz		

③ Elige la palabra que mejor refleja los sentimientos de Malinalli y justifícala con elementos del texto:

tristeza – desaprobación – miedo

El interés que los españoles y Cortés en particular mostraban por el oro no [le[1]] parecía correcto. Si en verdad fuesen dioses, se preocuparían por la tierra, por la siembra, por asegurar el alimento de los hombres, y no era así. [...]
¿Cómo era posible que la primera palabra que Cortés se interesó en aprender en náhuatl fuese precisamente la del oro en vez de la del maíz?
El oro, el teocuitl, era considerado como el excremento de los dioses, un desecho[2], sólo eso, así que no entendía el afán[3] de atesorarlo[4].

Laura Esquivel, *Malinche*, 2005

1. a Malinalli
2. un residuo, una basura
3. *l'ardeur, le désir*
4. guardar cosas de valor

Mon bilan

○ Je peux suivre la construction d'un récit court ou d'une description brève de faits.  A2
→ par exemple, reconnaître à quel personnage le narrateur attribue tel point de vue.

○ Je peux interpréter des informations et en tirer des conclusions.  B1
→ par exemple, comprendre l'importance accordée à un même objet par des cultures différentes.

EXPRESIÓN ORAL Mi personaje preferido

① Habla del personaje histórico de esta secuencia que te ha interesado más:

- Cristóbal Colón
- Hernán Cortés
- Malinalli

② Explica por qué.

Cristóbal Colón

Hernán Cortés

Malinalli

✓ Mon bilan

○ Je peux utiliser une série de phrases ou d'expressions pour évoquer en termes simples un thème sur lequel j'ai travaillé.

○ Je peux expliquer et justifier brièvement un choix.
→ par exemple, en utilisant tout ce que j'ai appris sur un personnage historique.

EXPRESIÓN ESCRITA Un encuentro

Imagina el encuentro entre uno de los conquistadores y un ser del Nuevo Mundo (humano o animal).

En unas 8 líneas di lo que pasó y cómo reaccionó cada uno de ellos.

Fotograma de la película *1492*

✓ Mon bilan

○ Je peux écrire un texte très court et simple pour relater des faits réels ou imaginaires.

○ Je peux aussi mettre en relief la succession et la cohérence des événements et des comportements.

OTROS ENFOQUES

Celebrando la cultura iberoamericana

Del 7 al 11 de octubre, Madrid acogió, por tercer año consecutivo, el festival VivAmérica que simultáneamente se celebró en Cádiz, Bogotá y Santo Domingo.

Estas ciudades se unieron a la gran cita de la cultura iberoamericana que viene celebrándose desde el año 2007. Fueron cinco días de intensa actividad que tuvieron como eje común la vitalidad del pensamiento y la creación en Latinoamérica.

Casa de América y otras instituciones colaboradoras congregaron en Madrid a decenas de expertos en diferentes disciplinas. Los temas: entornos digitales[1], deportes, juventud e inmigración fueron sólo algunas de las áreas sobre las que se dieron diferentes puntos de vista para hacer de este Festival de Ideas una experiencia única y enriquecedora, una excelente oportunidad para conocer importantes puntos de actualidad y algunos retos[2] emergentes que se están produciendo en las sociedades latinoamericanas. Casa de América se convirtió en un centro creativo e innovador que unió, por unos días, las dos orillas[3].

La tradicional marcha del 11 de octubre llenó las calles de Madrid con un impresionante despliegue[4] de cultura, música, baile y tradición latinoamericana. Una "fiesta en movimiento" que puso el punto final a este Festival VivAmérica 2009.

1. *environnements numériques*
2. *défis*
3. *rives*
4. *déploiement*

① La marcha del 11 de octubre fue una fiesta. ¿Qué evento se celebró?

② ¿Qué simbolizan estas manos que se estrechan?

③ Di en qué este encuentro de 2009 es diferente del encuentro de 1492.

¿LO SABÍAS?

El 12 de octubre, **"día de la Hispanidad"**, es fiesta en España y en todos los países hispanoamericanos ya que se celebra el "Descubrimiento de América".

La máscara turquesa

"Cuando todo era tinieblas[1] y no resplandecía el sol y el alba aún no se había alzado, los dioses se reúnen en consejo en Teotihuacán. Y se dijeron unos a otros: Venid aquí, oh dioses. ¿Quién asumirá el cargo? ¿Quién aceptará ser el sol y llevar la luz?"

Así es como Bernardino de Sahagún, fraile franciscano[2], empieza a contar en su *Historia general de las cosas de Nueva España* (1570-1582) el mito azteca de la creación del sol. Uno de los dioses debía sacrificarse saltando dentro del fuego. Entonces un dios viejo y pobre, con el cuerpo cubierto de verrugas como en esta máscara, el más valiente de todos, se sacrificó. Del fuego salió convertido en Tonathiuh.

El mundo existía ya, al igual que los dioses y los hombres; el Sol, que había nacido gracias a un sacrificio, para seguir moviéndose, necesitaría nuevos sacrificios...

1. *ténèbres*
2. *moine franciscain*

Probable representación del dios Tonathiuh. Madera, turquesa y conchas marinas, hacia 1400-1521, 16,5×15,2 cm. British Museum, Londres.

A tu parecer: ¿qué poder debían ejercer los dioses sobre los aztecas? ¿Esta máscara logra producir el mismo efecto?

UN MADRID DE CUENTO

Narración oral

XV FESTIVAL INTERNACIONAL DE NARRACIÓN ORAL

un Madrid de Cuento

DEL 16 AL 29 DE NOVIEMBRE DE 2009

La Suma de Todos

Comunidad de Madrid

www.madrid.org

© ilustración www.soniahidalgo.com

Érase una vez...

Secuencia 8

Y tú, ¿qué me cuentas?

DÉCOUVRIR

- Des textes de la littérature hispanophone : récits classiques ou fantastiques, contes traditionnels, "*microcuentos*".
- Le festival de tradition orale "*Un Madrid de cuento*".
- Le film *El Laberinto del Fauno*.

COMMUNIQUER

- Raconter : un rêve, une anecdote, un conte que l'on connaît.
- Donner son avis sur un récit, lu ou entendu.

- Comprendre des textes narratifs : identifier les lieux, les temps du récit, les personnages ; comprendre leurs réactions et l'évolution de l'histoire.

- Comprendre un conte de la tradition orale.
- Comprendre un témoignage personnel sur les contes de notre enfance.

- Imaginer et rédiger un récit cohérent à partir d'une série d'images.
- Écrire des "*microcuentos*" en s'inspirant d'un modèle.
- Écrire un récit court, en veillant à la cohérence et à l'intérêt pour le lecteur.

UTILISER

- **Lexique**

- Rêve
- Bande dessinée
- Indicateurs temporels
- Conte
- Récit

- **Grammaire**

- Les adjectifs démonstratifs
- Les indicateurs de fréquence
- *Al* + infinitif
- L'imparfait de l'indicatif
- Les temps du passé

- **Prononciation**

- Le son /ll/
- Les virelangues

- **Orthographe**

- L'enclise du pronom au gérondif

PROYECTO → p. 145

Escribe un breve relato y participa en un concurso de "Aprendices de escritor".

EXPRESIÓN ORAL

¿Sueño o realidad?

MAITENA, *Todas las superadas*, 2008

Entrénate

ESTRATEGIA

Lorsque tu ne connais pas un mot dans une bulle de BD, deux choses peuvent te mettre sur la voie : le dessin et le reste du texte.
Ici, par exemple, le mot *"sueño"* que tu connais sûrement et la situation illustrée, t'aideront à comprendre le sens du mot *"pesadilla"*.

① Según la expresión del personaje: ¿qué será una pesadilla?

despertarse... sobresaltado(a) / de golpe / en un instante

mirar con cara de espanto | estar asustado(a) | estar aterrorizado(a) por...

② ¿Qué habrá visto en ese sueño? ¿Por qué sería tan terrible?

③ **TU OPINIÓN** Y a ti, ¿te gustaría que se cumplieran todos tus sueños y deseos?

"¡Me pasó algo increíble!"

Practica

Todos contamos historias en nuestras conversaciones cotidianas. Contamos lo que nos ha sucedido, lo que hemos visto y nos ha impresionado, lo que nos han contado, lo que soñamos y lo que imaginamos.

Algo increíble te ha sucedido esta mañana. ¡Cuéntanoslo!

> *"Llego tarde, porque me acaba de pasar algo increíble.*
> *De camino al instituto encontré/vi..."* (elige uno de los seis dibujos).

LENGUA

Vocabulario

sueños

soñar con algo bonito ≠ tener una pesadilla
soñar con los angelitos: *faire de beaux rêves*
Los sueños se hacen realidad, los deseos se cumplen.

cómics

una historieta, un tebeo: *une BD*
una tira cómica: *une série de vignettes*
una viñeta
un globo, un "bocadillo": *une bulle*

Gramática

Les adjectifs démonstratifs

- *Este / ese / aquel*
  Esta /esa/ aquella
  *Y colorín colorado... **este** cuento se ha terminado.*
  *¡**Ese** cuento ya me lo conozco de memoria!*
  *¿Te acuerdas de **aquel** cuento tan largo que contaba la abuela?*
- Neutre : *esto / eso / aquello*
  *No entiendo **eso**.*
  *¿Qué quieres? ¿**Esto**?*
  *A **eso** de la tres...*: vers trois heures

▸ Gramática 15 p. 195
▸ Ejercicio p. 196

Pronunciación

Le son /ll/

*pesadi**ll**a, Casti**ll**a, pasti**ll**a,*
Ce son se prononce comme dans le mot français ***lion***, mais la plupart des hispanophones prononcent actuellement de la même façon ***ll*** et ***y*** (comme dans le français « fille ») : *cayó / calló - haya / halla - rayar / rallar*

▸ Gramática 2 p. 188

COMPRENSIÓN LECTORA

¿Se puede confiar en los sentidos?

Me di cuenta con espanto de que era verdad

No sé en qué momento de la jornada me di cuenta de que, aunque para los demás[1] era miércoles, para mí era jueves, pero me había ocurrido otras veces y no le concedí importancia alguna[2]. Hay semanas que uno quiere acortar[3] y lo soluciona suprimiéndoles un día. El problema surgió el sábado. Los sábados, mi mujer y yo solemos ir al cine y a cenar. A veces llamamos a un matrimonio amigo y vamos juntos. Por la mañana sugerí a mi esposa que telefoneara a los Gutiérrez, para salir esa tarde. Ella me contestó que era viernes. No dije nada, pero me quedé desconcertado. Trabajo en casa, hago programas informáticos y tengo poca relación con el mundo exterior, por lo que tiendo a desconfiar[4] de mis percepciones. De modo que antes de que mi mujer se fuera a su trabajo (es jefa del departamento de divisas de un banco) bajé a comprar el periódico y comprobé[5] en su cabecera[6] que era sábado.

–Mira el periódico– dije abandonándolo sobre la mesa de la cocina, donde ella estaba desayunando.

–¿Qué tengo que mirar?

–El día que es.

–Viernes quince de octubre.

Me acerqué, miré la fecha por encima de su hombro y vi que tenía razón. Pero cuando se marchó, al volver a mirarlo, vi que ponía sábado 16 de octubre. Comprendí que cuando el periódico lo leía ella era viernes y cuando lo leía yo era sábado. En otras palabras, por alguna razón inexplicable yo vivía con un día de adelanto[7] sobre el resto de la humanidad. Hice, naturalmente, unas cuantas comprobaciones más, pero todas arrojaron[8] el mismo resultado. Esa noche, durante la cena, se lo conté a mi mujer.

–¿Sabes que vivo con un día de adelanto sobre el resto de la gente?

Me miró con expresión interrogativa y se lo expliqué con todo detalle. Cuando terminé, se echó a reír y comprendí que se lo había tomado a broma[9]. No insistí. A mí mismo me parecía lo suficientemente increíble como para hacerme dudar de mis sentidos.

Durante los siguientes días, continué haciendo comprobaciones y me di cuenta con espanto de que era verdad. Yo conocía las noticias con un día de antelación, lo que, aunque en principio parecía una ventaja, era un horror.

Juan José Millás (autor español), *Los objetos nos llaman*, 2008

1. los demás : los otros
2. no... importancia alguna : ninguna importancia
3. acortar : *raccourcir*
4. desconfiar : *se méfier de*
5. comprobar : *vérifier*
6. la cabecera : *le chapeau*
7. de adelanto : de antelación : *d'avance*
8. arrojar : *(ici)* dar
9. tomárselo a broma : *le prendre pour une plaisanterie*

Entrénate

① **LEE** y apunta las indicaciones cronológicas (días y fechas) y todo lo que se refiere a cada uno de esos momentos.
¿Qué oración del texto resume mejor lo que le pasa al narrador?

② Identifica y anota las reacciones del narrador y su mujer.
¿Cómo evoluciona cada uno de ellos a lo largo de la historia?

③ *"Continué haciendo comprobaciones"*... ¿puedes imaginar cuáles?

④ **TU OPINIÓN** Vuelve a leer la última frase del texto (l. 28-29): ¿compartes el punto de vista del narrador?

ESTRATEGIA

Pour bien **comprendre** les étapes d'un récit, **repère** toutes les indications temporelles : connecteurs, date, jour, moment...

¿Repulsión o atracción?

Una cacería fría y mecánica

Estaba escondido entre dos contenedores de basura, en el rincón del patio del colegio que da a la cocina, esperando que terminara el recreo, cuando vi una mantis religiosa posada sobre mi pie derecho. Contuve[1] a duras penas el grito que me empujaba[2] en la garganta, y con el papel de aluminio del bocadillo, la empujé hasta dejarla en el suelo. Entonces, de la nada, aparecieron cuatro pequeñas hormigas rojas. Se arrojaron[3] sobre la mantis, diez o más veces más grande y fuerte que ellas, y le clavaron[4] sus mandíbulas por todo el cuerpo, frenéticas. La mantis capturó a una de ellas con sus garras[5] y la partió en dos, pero a las otras no pareció importarles, y siguieron mordiéndola hasta doblegarla[6]. Aún se movía cuando empezaron a trocearla[7], después cada una cargó con un pedazo de la mantis a cuesta[8] y se marcharon en fila. Quedé tan impresionado por esa demostración de valor, de furia fría, mecánica, que en mi mente seguía viendo la cacería[9] mientras una de las pandillas[10] del patio del colegio me encontró, me quitó lo que me quedaba del bocadillo, y me metió en uno de los contenedores de basura.

Manu Ramos Boría (autor español), *Antimae*, 2008

1. contener : reprimir - **2.** empujar : *pousser* - **3.** arrojarse : *se lancer* - **4.** clavar : *clouer* - **5.** *griffes* - **6.** doblegar : vencer - **7.** trocear : cortar en trozos, en pedazos - **8.** llevar, cargar a cuesta : *porter sur le dos* - **9.** una cacería : *une partie de chasse* - **10.** una pandilla : *une bande d'élèves*

Practica

① ¿Qué revelan del narrador las palabras "escondido", "rincón" y "esperando que terminara el recreo"?

② Explica por qué se puede decir que los insectos le daban asco y a su vez le fascinaban.

③ ¿Qué te parece el final de la historia?

Vocabulario

fechas y momentos

los sábados
a veces
por la mañana
esa noche
durante la cena
durante los días siguientes

el desfase

- estar desfasado: no coincidir con las personas o el ambiente del momento
  Entre París y México hay mucho desfase horario.
- estar desconcertado: estar desorientado, estar turbado, perturbado

el acoso

- acosar a alguien: *harceler quelqu'un*

la víctima
agredir, los agresores
el miedo

Gramática

***Al* + infinitif**

Cette construction est utilisée pour indiquer que deux actions sont simultanées :

Al mirarlo, vi que ponía sábado 16 de octubre = Cuando lo miré vi que...

▸ Gramática 41 p. 214

Ortografía

L'enclise du pronom au gérondif

*suprimiéndo**les**, abandonándo**lo**, siguieron mordiéndo**la***

▸ Gramática 18 p. 198

Un cuento mexicano

Los tres hermanos holgazanes

"Un Madrid de Cuento"
Del 16 al 29 de Noviembre se está celebrando en Madrid, en la capital de España, la decimoquinta edición del festival "Un Madrid de cuento" bajo el lema "Pido la palabra". Narradores de diferentes países y nacionalidades están contando en estos días historias a mayores y a pequeños, historias que quieren seducir a todos los públicos.

Armando Trejo nos cuenta *Los tres hermanos holgazanes.*

holgazanes : *paresseux* -
guayabas : *fruits du goyavier (arbre d'Amérique tropicale)*

Entrénate

① **ANTES DE ESCUCHAR** Fíjate en el título del cuento "Los tres hermanos holgazanes". ¿Qué contará el cuento?

② **ESCUCHA** ¿Por qué cambia de voz el cuentista?

③ ¿Qué sabes de los personajes de la historia?

④ ¿Qué tienen en común?

⑤ **TU OPINIÓN** ¿Ser holgazán es un defecto?

ESTRATEGIA

Repère bien les différentes intonations : elles t'aideront à identifier les personnages et leur caractère.

¿Te acuerdas de algún cuento?

Cuentos infantiles

El héroe de aventuras inolvidables

Alberto habla de su infancia.

Practica

① ¿Cómo se llama el cuento que prefería el chico cuando era niño? Apunta las palabras que entiendes acerca de la historia.

② Y TÚ, de niño, ¿cuál era tu cuento favorito? Explica por qué.

PISTE 42

ESCUCHA EN CASA

Escucha y memoriza el cuento *Los tres hermanos holgazanes*.

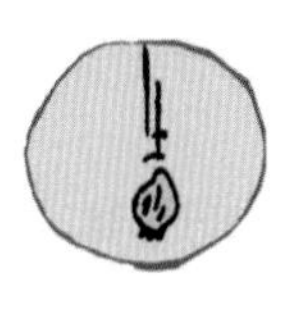

LENGUA

Vocabulario

contar

- la tradición oral: cuentos que se transmiten de una generación a otra
- los cuentos infantiles, para niños
  los cuentos de las abuelas,
  los cuentos tradicionales
- los cuentos fantásticos, maravillosos, de hadas, de terror, de intriga
  una historia apasionante, intrigante, espeluznante (que causa mucho miedo)
- un cuento gracioso: un chiste
  contar, decir, hacer un chiste: *raconter une blague*

Gramática

L'imparfait de l'indicatif

*Cuando **eras** niña, ¿**leías** cuentos?*
***Era** mi cuento favorito cuando **era** niño.*

▸ Gramática 23 p. 202
▸ Ejercicio p. 203

Les indicateurs de fréquence

*Leía cuentos **de vez en cuando**.*
*Mis padres **no** me leían **nunca** cuentos.*
*Mis padres me leían **a menudo** cuentos.*

▸ Gramática 35 p. 211

Pronunciación

Trabalenguas

PISTE 43 Écoute et entraîne-toi à prononcer ce virelangue :

Cuando cuentes cuentos, cuenta cuántos contaste, y cuándo los contaste; pues si cuentas cuentos que ya contaste, cuenta con que esos cuentos, no cuentan como nuevos cuentos.

EXPRESIÓN ESCRITA

Interpretar y relatar

Entrénate

① OBSERVA las 6 imágenes o mira el vídeo.

② ESCRIBE un breve relato basado en tu interpretación personal de estas imágenes.

Para situar en el tiempo:

- *Había una vez / Érase una vez: cuentos tradicionales*
  Hace muchos años / muchísimo tiempo...
  En el año 2000 / el verano pasado...
- *Hoy / esta mañana / ayer / hace unos minutos*
- *Cuando no haya nadie...*

Para situar en el espacio:

estar / encontrarse / situarse / quedar en / ...

Para organizar:

primero / al principio/ luego / después / desde entonces (depuis lors) */ antes / mientras* (pendant que) */ al final / por fin / ...*

Para introducir cambios:

de pronto / de golpe (soudain) */ pero / sin embargo /*
por el contrario / mientras que / es por eso que / así es (fue) como (c'est ainsi que) */ y así / y de esa manera* (et donc...)

Para describir:

ser *(era un lugar...),* ***parecer(se)*** *(se parecía a su papá...),* ***tener*** *(tenía unos ojos inmensos...), ...*

ESTRATEGIA

Note d'abord au brouillon tous les mots qui se rapportent à l'histoire que tu veux développer ; tu pourras ensuite les utiliser pour construire le conte.

③ Una vez redactado, vuelve a leer lo que has escrito para corregir errores, suprimir lo superfluo, verificar si la historia que has contado se entiende fácilmente.

④ Intercambia tu relato con el de un compañero. Él o ella podrán indicarte lo que tienes que mejorar y tú también podrás ayudarle.

⑤ Léelo varias veces, entrénate a pronunciar bien las palabras y a darle la entonación adecuada por si te toca leerlo en voz alta delante de toda la clase.

¡Sorpréndenos!

El dinosaurio

Cuando despertó, el dinosaurio todavía estaba allí.

Fecundidad

Hoy me siento bien, un Balzac, estoy terminando esta línea.

Augusto MONTERROSO, *Cuentos*, 1986

Practica

Inventa dos microcuentos inspirándote de Augusto Monterroso.
Imita la estructura de las oraciones para contar algo gracioso, sorprendente, extraño, dramático, fantástico... con muy pocas palabras.

① Lee los dos microcuentos.
¿Qué efecto producen?

② Identifica en cada uno de ellos:
- los marcadores temporales,
- los tiempos de los verbos,

para reproducir la misma estructura.

¿LO SABÍAS?

El Dinosaurio es considerado como **el cuento más corto de la literatura hispanoamericana**. Su autor, Augusto Monterroso, escritor guatemalteco (Tegucigalpa, 1921 – México D.F., 2003), es famoso por sus relatos breves en los que reina el humor, la ironía y la originalidad de su mirada.

Vocabulario

relatar

- un relato, una narración: una novela *(un roman)*, un cuento *(un conte ou une nouvelle)*
  Un novelista es un escritor que escribe novelas, un cuentista escribe cuentos.
- el argumento de la historia, la introducción, el desarrollo y el desenlace
- los protagonistas, los personajes principales y secundarios
- un capítulo, una escena, un fragmento, un pasaje, un párrafo
  Este fragmento está sacado de...
  En el primer párrafo...

Gramática

Les temps du passé : passé composé – imparfait – passé simple

*Esta mañana **me ha sucedido** algo increíble. **Estaba** esperando el autobús en la esquina de mi casa cuando de pronto **apareció**...*

- Passé composé : action passée mais reliée au présent de celui qui l'évoque.
- Imparfait : action envisagée dans sa durée.
- Passé simple : met l'accent sur l'aspect ponctuel et soudain de l'action passée.

▸ **Gramática** 22 23 24 **p. 202-203**
▸ Ejercicios pp. 202-203

Para navegar, pp. 236-237

CIBERINVESTIGACIÓN

¿Sabes cómo se llaman estos cuentos en español?

Blanche-Neige	Le Petit Chaperon Rouge	Barbe Bleue
Le Petit Poucet	Le Vilain Petit Canard	Cendrillon

1. Busca el nombre de cada cuento en español.

2. Lee estos fragmentos y di a qué cuento corresponde cada uno:

1. *–Yo, dijo la mayor, me pondré mi vestido de terciopelo rojo y mis adornos de Inglaterra.*
–Yo, dijo la menor, iré con mi falda sencilla; pero en cambio, me pondré mi abrigo con flores de oro...
2. *–¡Qué lindos niños tienes, muchacha! —dijo la vieja pata de la cinta roja—. Todos son muy hermosos, excepto uno, al que le noto algo raro...*
3. *¡Espejito, espejito de mi habitación! ¿Quién es la más hermosa de esta región?*
Entonces el espejo respondía: La Reina es la más hermosa de esta región.
4. *–Ana, hermana mía, te lo ruego, sube a lo alto de la torre, para ver si vienen mis hermanos, prometieron venir hoy a verme, y si los ves, hazles señas para que se den prisa.*
5. *–Abuelita, tienes las orejas muy grandes.*
–Así te oiré mejor, hija mía.
6. *Se levantó de madrugada y fue hasta la orilla de un riachuelo donde se llenó los bolsillos con guijarros blancos, y en seguida regresó a casa.*

Páginas Web de interés:
http://www.educar.org/ (infantiles/¿qué podemos leer?)
http://www.cuentocuentos.net/
http://cuentosparadormir.com/
http://www.rae.es (diccionario)

B2i | **S'informer, se documenter** |  Je sais interroger les bases documentaires à ma disposition.

HAZ TU PROYECTO CON LAS TIC

Crea un libro digital con los relatos de la clase

Utiliza *OpenOffice Writer*, el procesador de texto.

1. Determina con tus compañeros sus características:
- el nombre del libro y el título de los cuentos;
- la extensión de cada relato: se puede decidir, por ejemplo, que cada alumno dispondrá de una página y que el cuento no deberá exceder las 20 líneas;
- el tipo y el tamaño de la ilustración;
- el color y el tipo de letra, etc.

2. Redacta el cuento e ilústralo.

3. Todos los cuentos escritos podrán ser recopilados en el gran libro de cuentos de tu clase y publicados en la página Web del instituto.

Sugerencias

- Redacta un índice con el título y nombre del autor de cada cuento.
- Ayudas y consejos en *nuevas-voces.com*

PROYECTO

Aprendiz de escritor en acción. Escribe un relato corto y participa en el concurso literario "¿Y tú qué te cuentas?"

Etapas

1. TIPO DE TRABAJO

Individual.

2. PREPARACIÓN

Vas a escribir un cuento. Puedes elegir entre un cuento de un personaje (común o un héroe), un cuento de acción o un cuento libre.

3. REALIZACIÓN

Vas a contar hechos (narrar) y hablar de personajes, paisajes, lugares, etc. (describir).

a) Empieza por situarlos en el tiempo y en el espacio.

b) Describe los lugares y los personajes.

c) Organiza el relato empleando nexos temporales.

d) Introduce cambios en la narración indicando con estructuras adecuadas un hecho sorprendente o repentino *(soudain)*, anunciando lo que va a pasar después, etc.

e) Termina creando un desenlace inesperado, original, feliz, dramático, etc.

Forma parte del jurado que premiará el mejor relato de cada categoría. Publica en el blog de tu instituto los relatos premiados y los nombres de los finalistas.

Y ahora, ¡manos a la obra!

Consejos útiles

- Se trata de un relato corto. ¡No más de 200 palabras!
- A veces es mejor escribir primero el final.
- Escribe oraciones o frases cortas, así puedes "controlarlas" mejor.
- Realiza el libro digital de los relatos de la clase.

▸ Nuevas tecnologías, p. 144

EVALUARse

COMPRENSIÓN ORAL Festival eñe

Hoy comienza el festival eñe. ¿En qué consiste?
- Tema: ...
- Lugar: ...
- Duración: ...
- Edición nº: ...
- Participantes: ...
- Finalidad: ...

✓ Mon bilan

○ Je peux relever quelques informations simples mais précises concernant un événement annoncé à la radio. 

○ Je peux comprendre l'intégralité des informations factuelles transmises. 

COMPRENSIÓN LECTORA Unas redacciones curiosísimas

① ¿Qué évoca el narrador? (época, lugar, personajes...)

② ¿Son buenos o malos recuerdos? Justifica con elementos del texto.

③ Las redacciones que hacía en clase de literatura eran "curiosísimas" por:
a. la originalidad del tema.
b. el tratamiento del tema.

④ ¿Ese método de trabajo le enseñó algo?

Cuando me pregunto si tuve buenos educadores, los imagino a ellos, a mis educadores, preguntándose si tuvieron buenos alumnos. En general, creo que fuimos muy malos los unos para los otros, pero ya no tiene remedio. Entre los que recuerdo, hay un profesor de literatura que nos mandaba hacer* unas redacciones curiosísimas. Por ejemplo, si una película nos había gustado mucho, teníamos que decir lo contrario, pero argumentándolo de tal manera que ningún lector fuera capaz de descubrir si mentíamos o decíamos la verdad. Haciendo aquellas redacciones, me di cuenta de que muchas películas que creía que me habían gustado me parecían en realidad detestables. También aprendí que con un poco de talento y práctica se pueden defender las posturas más insostenibles.

Juan José MILLÁS, *Los objetos nos llaman*, 2008

* faisait faire

✓ Mon bilan

○ Je peux suivre le déroulement d'un récit. 
→ par exemple, repérer à quel lieu, à quelle époque et à quels personnages renvoie le narrateur.

○ Je peux aussi comprendre des informations plus implicites. 
→ par exemple, si un événement évoqué constitue pour le narrateur un bon ou un mauvais souvenir.

EXPRESIÓN ORAL ¡Vaya sueño!

Inventa y cuenta el sueño de Mafalda.

Joaquín S. Lavado (QUINO), *Mafalda, nº 4*, Editorial Lumen, 2001

1. menos mal: *heureusement* – da rabia: *m'énerve* – gastar: *(ici) user*

✓ Mon bilan

- ○ Je peux raconter une histoire en quelques phrases qui se suivent. 
- ○ Je peux raconter une histoire de façon cohérente et articulée, en faisant apparaître les réactions du personnage. 

EXPRESIÓN ESCRITA Y después, ¿qué pasó?

Éste es el comienzo de un cuento:

> "Cuando abrí la puerta, el hombre casi no me dio tiempo a reaccionar. Me enseñó un carnet y dijo que venía a inspeccionar la instalación de gas. Luego se metió* en mi casa."
>
> Carlos Sobrino Sánchez, *Polifemo*, 2003

* entró

Continúalo de una manera humorística o dramática (en unas 100-130 palabras).

✓ Mon bilan

- ○ Je peux raconter en termes simples ce qui m'est arrivé. 
  → par exemple, relater une aventure en faisant bien apparaître la succession des événements.
- ○ Je peux introduire dans mon récit des éléments comiques ou dramatiques et exprimer mes réactions. 

El Laberinto del Fauno

Cartel

① Di lo que te inspira este cartel: curiosidad, indiferencia, miedo... y justifica tu opinión.

② Fíjate en la ilustración: ¿qué te permite imaginar acerca de la historia?

③ ¿Te gustaría ver esta película? ¿Por qué? Si ya la conoces, di si te ha gustado o no.

El Laberinto del Fauno (2006) es una película de Guillermo del Toro (director) con Sergi López y Maribel Verdú (actores). Obtuvo varios premios entre los cuales 3 Óscar.

El Laberinto del Fauno: Ofelia y el fauno

Vídeo

① ¿Qué te parece la atmósfera de la escena? Busca dos adjetivos para calificarla y justifica tu punto de vista.

② ¿Cómo reacciona Ofelia al encontrarse con el fauno?

③ Según él, ¿quién es realmente Ofelia? Apunta todo lo que se revela de ella:
En la vida real, la niña se llama... y es hija de...
Según el fauno, se llama... y es hija de...

④ ¿Qué espera el fauno de la niña?

⑤ Imagina qué pruebas tendrá que cumplir Ofelia.

El mundo de los sueños

El surrealismo: El poeta francés André Breton, fundador del movimiento en 1924, descubrió en las obras del psicoanalista Sigmund Freud que la libertad desinhibida aparecía sólo en los sueños.

Salvador Dalí (Figueras, 1904-1989) se une al grupo surrealista en 1929, cuando acude a París para rodar la película *Un perro andaluz*, un cortometraje escrito con su amigo director de cine Luis Buñuel. Ese mismo año se enamora de Gala que será su mujer y marchante de sus obras, consiguiendo para el artista fama mundial y fortuna.

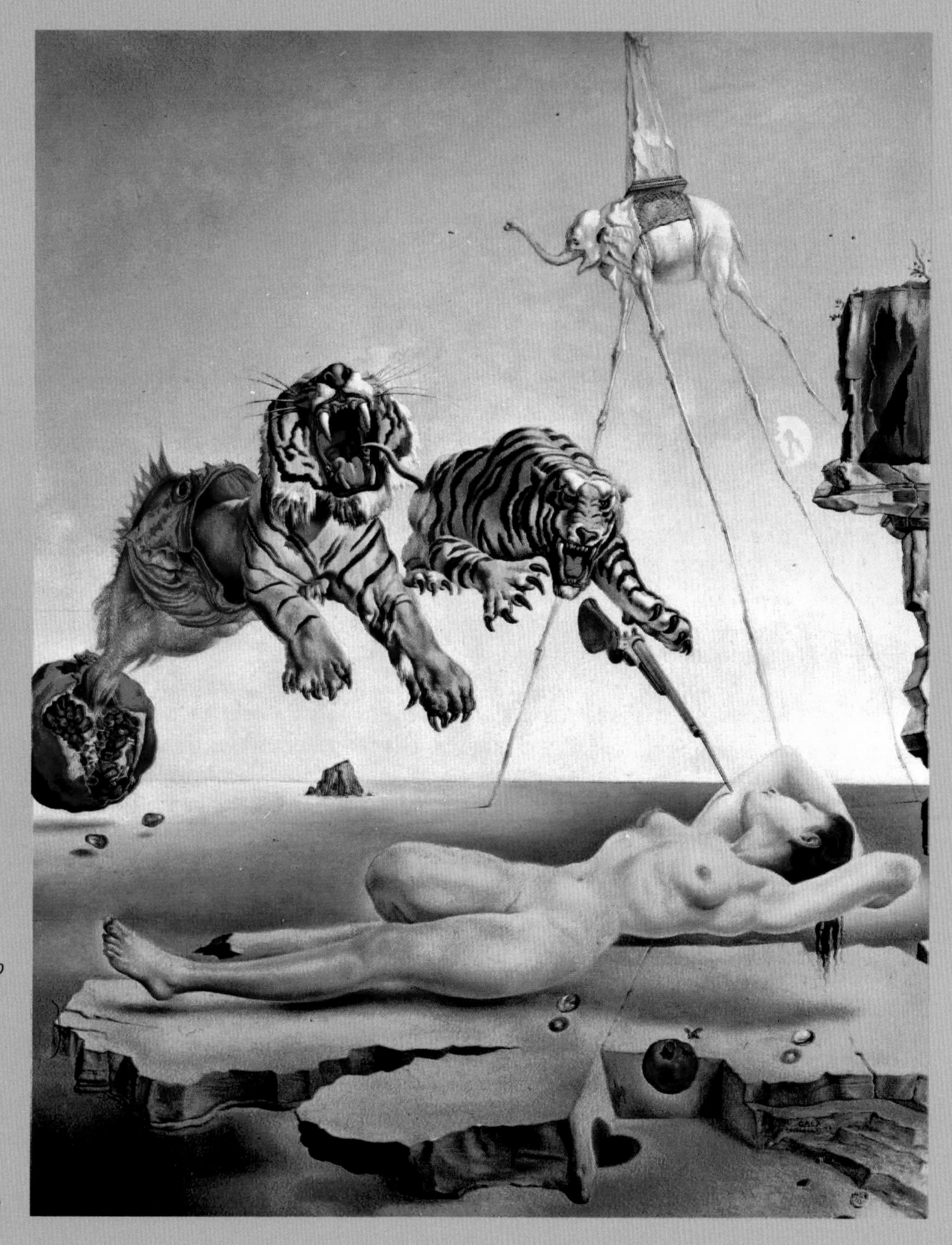

► Salvador Dalí, *Sueño causado por el vuelo de una abeja alrededor de una granada un segundo antes de despertar*, 1944. Óleo sobre lienzo, 51 × 41 cm. Colección Thyssen, Madrid.

¿Por qué esta representación es surrealista?

LECTURA EN CASA

Algo muy grave va a suceder en este pueblo

Imagínese usted un pueblo muy pequeño donde hay una señora vieja que tiene dos hijos, uno de 17 y una hija de 14. Está sirviéndoles el desayuno y tiene una expresión de preocupación. Los hijos le preguntan qué le pasa y ella les responde:

–No sé, pero he amanecido con el presentimiento de que algo muy grave va a sucederle a este pueblo.

Ellos se ríen de la madre. Dicen que esos son presentimientos de vieja, cosas que pasan. El hijo se va a jugar al billar, y en el momento en que va a tirar una carambola sencillísima, el otro jugador le dice:

–Te apuesto[1] un peso a que no la haces.

Todos se ríen. Él se ríe. Tira la carambola y no la hace. Paga su peso y todos le preguntan qué pasó, si era una carambola sencilla. Contesta:

–Es cierto, pero me ha quedado la preocupación de una cosa que me dijo mi madre esta mañana sobre algo grave que va a suceder a este pueblo.

Todos se ríen de él, y el que se ha ganado su peso regresa a su casa, donde está con su mamá o una nieta o en fin, cualquier pariente. Feliz con su peso, dice:

–Le gané este peso a Dámaso en la forma más sencilla porque es un tonto.

–¿Y por qué es un tonto?

–Hombre, porque no pudo hacer una carambola sencillísima estorbado[2] con la idea de que su mamá amaneció hoy con la idea de que algo muy grave va a suceder en este pueblo.

Entonces le dice su madre:

–No te burles de los presentimientos de los viejos porque a veces salen.

La pariente lo oye y va a comprar carne. Ella le dice al carnicero:

–Véndame una libra de carne –y en el momento que se la están cortando, agrega–: Mejor véndame dos, porque andan diciendo que algo grave va a pasar y lo mejor es estar preparado.

El carnicero despacha su carne y cuando llega otra señora a comprar una libra de carne, le dice:

–Lleve dos porque hasta aquí llega la gente diciendo que algo muy grave va a pasar, y se están preparando y comprando cosas.

Entonces la vieja responde:

–Tengo varios hijos, mire, mejor deme cuatro libras.

Se lleva las cuatro libras; y para no hacer largo el cuento, diré que el carnicero en media hora agota la carne, mata otra vaca, se vende toda y se va esparciendo el rumor[3]. Llega el momento en que todo el mundo, en el pueblo, está esperando que pase algo. Se paralizan las actividades y de pronto, a las dos de la tarde, hace calor como siempre. Alguien dice:

–¿Se ha dado cuenta del calor que está haciendo?

–¡Pero si en este pueblo siempre ha hecho calor!

(Tanto calor que es pueblo donde los músicos tenían instrumentos remendados con brea[4] y tocaban siempre a la sombra porque si tocaban al sol se les caían a pedazos.)

–Sin embargo –dice uno–, a esta hora nunca ha hecho tanto calor.

–Pero a las dos de la tarde es cuando hay más calor.

–Sí, pero no tanto calor como ahora.

Al pueblo desierto, a la plaza desierta, baja de pronto un pajarito y se corre la voz:

–Hay un pajarito en la plaza.

Y viene todo el mundo, espantado[5], a ver el pajarito.

–Pero señores, siempre ha habido pajaritos que bajan.

–Sí, pero nunca a esta hora.

Llega un momento de tal tensión para los habitantes del pueblo, que todos están desesperados por irse y no tienen el valor[6] de hacerlo.

–Yo sí soy muy macho –grita uno–. Yo me voy.

Agarra[7] sus muebles, sus hijos, sus animales, los mete en una carreta y atraviesa la calle central donde está el pobre pueblo viéndolo. Hasta el momento en que dicen:

–Si éste se atreve[8], pues nosotros también nos vamos.

Y empiezan a desmantelar literalmente el pueblo. Se llevan las cosas, los animales, todo.

Y uno de los últimos que abandona el pueblo, dice:

–Que no venga la desgracia[9] a caer sobre lo que queda de nuestra casa –y entonces la incendia y otros incendian también sus casas.

Huyen[10] en un tremendo y verdadero pánico, como en un éxodo de guerra, y en medio de ellos va la señora que tuvo el presagio, clamando:

–Yo dije que algo muy grave iba a pasar, y me dijeron que estaba loca.

Gabriel GARCÍA MÁRQUEZ (autor colombiano),
Algo muy grave va a suceder en este pueblo, 2003

1. *Je te parie*
2. estorbado = preocupado
3. *la rumeur se propage*
4. *réparés avec du goudron*
5. espantado = asustado = que tiene mucho miedo
6. *le courage*
7. *Il prend, il ramasse*
8. atreverse: *oser*
9. *le malheur*
10. *Ils fuient*

Comprender el texto

① **(l. 1-35)** ¿En qué consiste el presentimiento de la señora vieja ? ¿Tiene algún fundamento real?

② ¿Cómo se propaga el rumor? Identifica a los protagonistas:

una señora vieja → ( ) → ( ) → ( ) → ( ) → todo el pueblo

③ **(l. 35-47)** ¿Cuáles son sus primeros efectos?

④ **(l. 48 al final)** ¿La señora vieja tenía razón?

⑤ ¿Qué es un rumor? Inspírate en este relato para dar una definición.

Imagen para promocionar la "Fiesta Ciudadanía Joven" : actividades deportivas, talleres creativos, conciertos de grupos musicales.

¡Muévete por tu ciudad!

DÉCOUVRIR

- Quelques villes d'Espagne et d'Amérique latine ; des exemples d'initiatives pour les « réinventer » (transports, culture, rencontres entre citoyens, architecture...).
- Le phénomène des "*urbanizaciones*", à travers le film *La Zona*.
- L'œuvre de l'architecte Calatrava.

COMMUNIQUER

- Réagir au phénomène des ghettos, illustré dans le film *La Zona* ; imaginer et raconter la suite de l'extrait visionné.
- Réagir à des témoignages de citoyens, et donner sa propre vision de la ville.

- Concevoir et discuter d'un projet pour rénover un quartier de sa ville ; défendre ce projet devant la classe.

- Comprendre des textes relatant des initiatives citoyennes, pour changer la ville.

- Comprendre les témoignages de jeunes hispanophones sur leur ville.

- Rendre compte d'un événement qui a eu lieu dans sa ville.
- Rédiger des propositions pour améliorer les loisirs dans sa ville.

UTILISER

- **Lexique**

- Pauvreté / richesse
- Administration d'une ville
- Nécessités / possibilités
- Écologie
- Sécurité
- Culture
- Sports

- **Grammaire**

- L'opposition
- La proposition relative
- *Ser* / *Estar*
- *Ir* + *a* + verbe
- La concordance des temps
- Passé simple / passé composé
- Le conditionnel

- **Prononciation**

- Le son /ch/
- L'intonation

- **Orthographe**

- L'accent écrit

PROYECTO → p. 163

Imagina, crea y propón un proyecto atractivo para mejorar el entorno y la vida de tu ciudad.

EXPRESIÓN ORAL

¿Cuál de las dos será "la zona"?

Fotogramas de la película *La Zona* (2007) de Rodrigo Plá (director de cine uruguayo). La acción se desarrolla en México, capital.

Fotograma 1

Fotograma 2

Fotograma 3

Entrénate

① **a)** Lluvia de palabras: en la pizarra, asocia palabras y expresiones con las fotos 1 y 3. Por ejemplo:

Foto 1: *el césped cortado, el cielo azul*
Foto 3: *las fachadas grises, las casas amontonadas*

Ahora continúa tú.

b) Relaciona las expresiones que se oponen (limpio/ sucio). Utilízalas para hablar de cada barrio:

En el barrio de la foto 1, ...
En cambio, en el barrio de la foto 3 ...

② ¿Has visto el muro de la foto 2? ¿Por qué estará ahí? ¿Para qué servirá?

Estará ahí porque... / Servirá para...
A lo mejor... / Quizás...

la seguridad | la frontera | la barrera | el límite | protegerse | prohibir | impedir

③ ¿Quién lo mandaría construir?

los vecinos | el ayuntamiento | la policía | el gobierno

Considera estas diferentes posibilidades y explica cuál te parece más probable.

Lo más probable es que...

④ A los vecinos, de ambos lados, ese muro:

Les complica... - Les obliga a... - Les impide... - (No) les deja... - (No) les permite... - (No) les ayuda...

⑤ **TU OPINIÓN** ¿Crees que esto puede existir o es pura ficción?

¿Una película de suspense?

La Zona, escena de apertura

Practica

Mira el vídeo.

① Imagina: ¿Quién será este joven? ¿Qué estará haciendo en esas calles desiertas? ¿Qué pasará después?

② Inventa un final (feliz, dramático, trágico, sorprendente, fantástico).

LENGUA

Vocabulario

la pobreza

un barrio de chabolas: *un bidonville*
los necesitados: *les démunis*

la riqueza

una urbanización residencial: *un lotissement résidentiel*
la gente acomodada, adinerada: *les gens aisés*

Gramática

La concordance des temps

- Au présent :
  La gente adinerada no ***quiere que*** *los de afuera* ***entren*** *en la zona.*
- Au passé :
  Los habitantes de la zona no ***querían*** *que la policía* ***entrara*** *en su territorio.*

▸ **Gramática 32 p. 208**
▸ Ejercicio p. 208

Pronunciación

Le son /ch/

ch se prononce toujours [tch] : *rechazado - chabolas*

PISTE 44 **Écoute et entraîne-toi à prononcer ce virelangue :**

El dicho que a ti te han dicho
que has dicho que he dicho yo,
es mentira, no lo he dicho,
pero aunque lo hubiera dicho,
mi dicho está mejor dicho
que el dicho que a ti te han dicho.

¿Los niños de Medellín viven mejor que antes?

Libros contra las armas

La comuna Santo Domingo es una de las más pobres de la ciudad colombiana de Medellín, en la que el 80% de la población vive en el umbral[1] de la pobreza. El gobierno local dedica el 40% a la educación y alimentación de los niños.

Aurora Intxausti, 21/07/2009

El metrocable de Medellín, Colombia

Su mirada me impactó desde el primer segundo. Los ojos almendrados y negro azabache de un niño que desde hace diez años vive en la comuna Santo Domingo de Medellín (Colombia) me mostraron un barrio diferente, un lugar en el que después de decenas de muertos por el narcotráfico hoy no sólo es posible caminar por sus calles, sino incluso acercarse como turista y divisar[2] una panorámica espectacular.

Una intensa luz atraviesa los espacios abiertos de la biblioteca España hasta chocar directamente con la mesa en la que se encontraba sentado el pequeño. ¿Qué buscas? «El año en el que el hombre llegó a la Luna». Su búsqueda se centraba en las portadas[3] del periódico *El tiempo*. ¿No sería más rápido en Internet? "Me gusta el papel. ¿De dónde es usted?". Me preguntó mientras me escuchaba hablar. Cogí una bola del mundo que estaba sobre una de las mesas y le señalé el lugar en el que vivo, España. Sus ojos se abrieron aún más si cabe. "Eso está lejísimos". Todos los días el pequeño acude a la biblioteca a jugar con los libros, a descubrir cosas diferentes y hacer los deberes. ¿Está lejos tu escuela? "Ahora no, con el *metrocable* estoy en tres minutos. Hasta que nos lo pusieron tenía que levantarme a las cinco de la mañana, coger la bicicleta y realizar un recorrido de hora y media para poder llegar a clase a las siete de la mañana. Cuando llegaba estaba agotado. Lo malo no era llegar, sino volver". El 40% del presupuesto[4] municipal de Medellín se dedica a la educación y el objetivo del gobierno del alcalde Alonso Salazar es tratar de romper el ciclo de la pobreza a través de la cultura. El *metrocable* no sólo le ha cambiado la vida a ese niño sino también a miles de vecinos que habitan en esa comuna de ladrillo, cemento y tejados de uralita[5]. Donde la pobreza es más que visible y donde los años duros en los que los narcos tenían en esas laderas de la montaña el caldo de cultivo[6] empiezan a estar en el recuerdo.

www.elpais.com

1. en el umbral : *au seuil de* - **2.** divisar : *apercevoir* - **3.** las portadas : *les premières pages* - **4.** *budget* - **5.** ladrillo, cemento y tejados de uralita : *brique, ciment et toits en tôle ondulée* - **6.** tenían el caldo de cultivo : estaban muy implantados

Entrénate

① **ANTES DE LEER** Sitúa Colombia y la ciudad de Medellín en un mapa. ¿Sabes algo de este país?

② Fíjate en el título de este artículo publicado en un periódico español: ¿Qué temas abordará?

③ **LEE** el artículo y completa los datos del pequeño: edad (aprox.), comuna, ciudad, país, rasgos físicos.

④ Dirías que es un niño...

indiferente | curioso | tímido | especial | simpático | ...

Cita elementos que lo confirman.

⑤ La construcción del metrocable le cambió la vida al niño: *Antes tenía que... Hoy puede...*

⑥ ¿Qué problemas sociales graves afectan a la población de Medellín?

⑦ **TU OPINIÓN** ¿El periodista da una imagen optimista o pesimista de la situación de esta ciudad?

Biblioteca España en Santo Domingo de Medellín, Colombia

¿Modernizar es mejorar?

Juan Antonio vive en Espartinas, un pueblo andaluz donde se ha planeado derribar[1] un polideportivo[2].

Pueblo de la provincia de Sevilla.

Carta al alcade

Señor alcalde:

Llegué aquí hace sólo 3 años buscando un pueblo que me diera calidad de vida; me he integrado en él como uno más, converso con los ancianos, juego con los niños, me implico en los problemas de mi urbanización y cada día intento conocer más de su historia. Trabajo con chavales de un cole que reciben clases de deporte en el «poli» y por las tardes juegan con sus amigos. Todos sabemos lo que significa el "poli" para nuestro pueblo: un único pulmón de ocio público en el mismo centro del pueblo, que con el paso del tiempo, se desparrama[3] en urbanizaciones alejadas[4]; muchas con piscinas y zonas deportivas, servicios que el casco antiguo dejará de tener si se derriba el polideportivo. Espero que en su lugar no se levanten 150 pisos a 4 alturas y no sé cuántos aparcamientos y locales comerciales para quedarnos sin las piscinas municipales.

Juan Antonio Rodríguez Conde, www.20minutos.es, 30/09/2009

1. derribar : *démolir* - **2.** el polideportivo (el "poli") : *la salle omnisports* - **3.** desparramarse : *s'étendre* - **4.** alejado(a) : *éloigné(e)*

Practica

① ¿Por qué razón y con que objetivo se ha redactado esta carta?

② Los dibujos siguientes evocan la preocupación de Juan Antonio. Demuéstralo citando el texto.

③ ¿Te parece que Juan Antonio está preocupado porque es muy conservador y no le gustan los cambios? ¿Crees que tiene otras razones?

LENGUA

Vocabulario

administración de una ciudad

- El municipio, el ayuntamiento, la alcaldía = *la mairie*
  El alcalde = *le maire*
  El gobierno local o concejo municipal vota el presupuesto *(le budget).*
- Las grandes ciudades están divididas en distritos.
  En cada distrito hay diferentes barrios.
  Los barrios modernos se construyen alrededor del casco antiguo o centro histórico.

Gramática

L'opposition

mientras que / en cambio / al contrario

Antes tenía que ir al cole andando ***mientras que*** *ahora coge el metrocable.*

Ortografía

L'accent écrit

Il permet de distinguer certains mots :

solo (adj.): seul
sólo (adv.): seulement

¿Tu ciudad piensa en los jóvenes?

Nos contestan Andrea y Juanmi

Juanmi y Andrea

Centro de arte de La Lonja, Palma de Mallorca

Entrénate

① **ANTES DE ESCUCHAR** ¿Puedes anticipar los temas que se van a tratar?

transporte | cultura | 

② **ESCUCHA** Apunta las palabras que se refieren a las opiniones de cada persona:

ella	él

③ ¿Los entrevistados comparten la misma opinión? Apunta la frase que lo indica.

④ **TU OPINIÓN** ¿Tu ciudad te ofrece suficientes infraestructuras y oportunidades de ocio?

ESTRATEGIA

Pour comprendre le sens général du message, aide-toi par exemple des mots ou expressions qui sont répétés.

¿Preocupante?

Ciudades cada vez más inhumanas

Jacobo

El Subte (metro) de Buenos Aires

Practica

① Lee el título de este audio y di si se trata de un tema que te preocupa.
Relativamente poco ya que...
Sí, bastante porque...

② ¿Qué opina el chico que responde?

③ Identifica fragmentos de su discurso relacionados con:

el egoísmo | el ritmo de vida actual | la soledad | el individualismo

④ ¿Compartes su visión de la ciudad?
Estoy más bien de acuerdo con él porque...
Para nada, al contrario, ...

PISTE 47

ESCUCHA EN CASA

Escucha los tres diálogos. ¿Qué situación evoca cada uno?

LENGUA

Vocabulario

las necesidades

hacer falta, faltar, necesitar
Faltan espacios abiertos.
Hacen falta más infraestructuras.
Hay ayudas, sin embargo, la cultura sigue siendo cara.

la oferta

subvencionar, fomentar: *encourager*
diversificar las opciones, ofrecer posibilidades, brindar oportunidades

Gramática

Le conditionnel

la ciudad debería fomentar la cultura.

▸ Gramática 29 p. 206
▸ Ejercicio p. 206

***ir + a* + verbe**

***ir a** estudiar*

Ser / Estar

***soy de** Murcia / **está en** el sur de España*

▸ Gramática 31 p. 207
▸ Ejercicio p. 208

La proposition relative

*Faltan muchas cosas **que** los jóvenes necesitan.*
*Faltan espacios abiertos **donde** los jóvenes puedan desarrollar sus inquietudes.*
*Son unas horas **en las que** no hay transporte público.*
*...actividades **a las que** sólo pueden acceder pocos*

▸ Gramática 20 p. 200
▸ Ejercicio p. 201

Pronunciación

L'intonation

PISTE 48 Écoute et entraîne-toi à reproduire l'intonation des phrases suivantes :

¡Qué va! ¡En absoluto! La verdad es que faltan muchas cosas en las ciudades para los jóvenes.

EXPRESIÓN ESCRITA

¡Reportero en tu propia ciudad!

La calle ¿un lugar de encuentro?

Sara Velert - Valencia - 21/05/2009

Un encuentro abierto, distinto, para compartir un desayuno con amigos y desconocidos. **Es lo que propone** el colectivo *Desayuno con viandantes*[1], que **cada mes** escoge un lugar público de Valencia para romper la rutina doméstica e invitar a la conversación y al debate en torno a un café, unos bollos, fruta...

La iniciativa de los desayunos públicos nació en los años noventa en Viena y se ha extendido por otras ciudades, entre ellas Madrid y Logroño. A Valencia llegó el pasado noviembre de la mano de[2] un grupo de amigos relacionados con la arquitectura y el arte, que han puesto en práctica la idea de tomar durante unas horas un **espacio público** para convertirlo en un lugar diferente de convivencia y participación. "**No se trata de** un acto de reivindicación, **sino de** una celebración del espacio. Es una fiesta en la que nosotros aportamos una mesa y añadimos alguna actividad para animar al transeúnte a participar", explican desde el colectivo, que huye de la identificación personal porque "no importa quién lo hace, sino lo que se hace".

Los organizadores ponen la mesa, y el que se apunta trae la silla, el termo con la bebida y la comida. Nuevas amistades, temas de reflexión e intercambio de ideas fluyen libremente entre **los participantes**, cada vez más numerosos.

El País

1. los viandantes : los transeúntes : *les passants*
2. de la mano de : *à l'initiative de*

Entrénate

① **ANTES DE ESCRIBIR** ¿Has comprendido el texto?
Completa el cuadro con los datos sobre el evento del que se habla.

¿Dónde?	¿Cuándo?	¿Quién? (organizadores / participantes)	¿Qué evento?	¿Con qué finalidad?

② **ESCRIBE**, imitando el modelo, un artículo (6, 8 líneas) para el boletín municipal de tu ciudad.

a) Relata un acontecimiento sobre: una celebración, un encuentro, una manifestación, una exposición, un festival, un concierto o una competición... y relacionado con alguno de los ámbitos siguientes:

cultura · música · deportes · educación · arte · vida social

b) Utiliza:
- los elementos en **negrilla** del texto para estructurar tu relato;
- verbos en pretérito indefinido (*pasó*...) y pretérito perfecto (*se ha celebrado*...).

Desayuno en la calle, Valencia

¿Iniciativas útiles?

Alicante cerrará su franja litoral al coche los domingos

R. B. - Alicante - 11/12/2009

El ciclista Miguel Induráin hizo la sugerencia y el Ayuntamiento de Alicante recogió el guante*. Desde el 17 de enero se cortará el tráfico a motor en una zona de 4,5 kilómetros pegada al litoral para que los ciudadanos disfruten del ocio a pie, en bicicleta o en patinete.
La iniciativa se realizará todos los domingos entre las 9.30 y las 13.30. [...] El proyecto se completa con áreas recreativas para niños y mayores relacionadas con la práctica de una vida sana.

El País

* aceptó el desafío

Practica

Imagina que el ayuntamiento de tu ciudad quiere mejorar la oferta de ocio. ¿Qué actividades le propondrías tú al alcalde? Redacta cinco propuestas.

Propuesta 1: *Sería interesante / sugeriría / propondría* + verbe à l'infinitif

→ ***Sería interesante abrir las bibliotecas en horario nocturno.***

LENGUA

Vocabulario

ecología
- el desarrollo sostenible: *le développement durable*
- compartir coche: *faire du covoiturage*
- un carril bici: *une piste cyclable*

seguridad
- peligroso ≠ seguro
- vigilar: *surveiller*

cultura
- espacios culturales
- salas de concierto
- auditorios
- museos

deportes
- polideportivos
- gimnasios
- estadios

Gramática

Passé simple /passé composé : choix du temps

Esta mañana se ha inaugurado *la feria del libro de Zaragoza.*
Ayer culminó *el encuentro de skateboarding de Valencia.*

▸ **Gramática 22 p. 202 y 24 p. 203**
▸ Ejercicios pp. 202 y 203

Para navegar, pp. 236-237

CIBERINVESTIGACIÓN

Imagina que has ganado un viaje a España. ¿Qué ciudad te gustaría descubrir?

1. Busca estas informaciones en la red:

Nombre de la ciudad	
Población	
Situación (autonomía, provincia...)	
¿Qué visitar?	
¿Algún plato tipíco?	
Proyectos culturales	
Figuras famosas	
¿Alguna iniciativa ecológica?	
Eventos / Fiestas del año	

Páginas Web de interés:
www.zaragoza.es
www.sevilla.es
www.santander.es

2. Utiliza estos datos para presentar la ciudad a tus compañeros:
Me gustaría ir a... Se sitúa al norte de... cerca de...

B2i **S'informer, se documenter**

 Je sais utiliser les fonctions avancées des outils de recherche sur Internet.

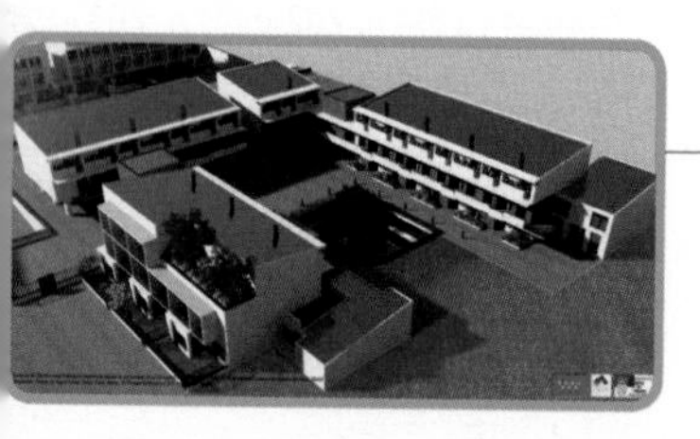

HAZ TU PROYECTO CON LAS TIC

Crea un plano interactivo

Para presentar e ilustrar el proyecto (p. 163), realiza el plano interactivo del barrio renovado.

1. Conéctate a *nuevas-voces.com* y baja la aplicación. Coloca los elementos de tu nuevo barrio como en un tablero de juego.

2. Respeta el área de intervención que habías adoptado (cultura / ecología / deportes...).

3. Cuando tu barrio esté listo, preséntalo a tus compañeros (videoproyección, publicación en el espacio Web del instituto...).

Sugerencias

- Ayudas y consejos en *nuevas-voces.com*

PROYECTO

Joven concejal en acción.

Un barrio de tu ciudad debe ser renovado. Eres miembro del Concejo municipal de la juventud y te reúnes con tus compañeros para proponer proyectos, examinarlos y adoptar los cinco mejores.

Etapas

1. TIPO DE TRABAJO

Colectivo. Cada equipo se dedica a un área de intervención.

2. PREPARACIÓN

Elige una comisión de reflexión:

cultura

solidaridad

deporte

ecología

seguridad

3. REALIZACIÓN

a) En cada comisión, los miembros se ponen de acuerdo y elaboran un proyecto para mejorar la vida del barrio. Para eso, se proponen varias acciones útiles, necesarias y originales, dentro de cada comisión (cultura, deporte, etc.)

b) Cada equipo prepara argumentos para defender sus propuestas.

c) El proyecto de cada grupo deberá ser presentado ante el Concejo municipal. Los miembros del equipo se turnarán para tomar la palabra.

d) La clase votará para elegir y premiar el proyecto más original en cada sector.

Consejos útiles

- Inscribe el proyecto en un verdadero plano de tu ciudad que encontrarás por ejemplo en la oficina de turismo o en el Ayuntamiento. Pega dibujos, fotografías o letreros en el plano y luego enseñáselo a la clase.
- También puedes realizar tu proyecto de renovación en un plano interactivo.

▸ Nuevas tecnologías, p. 162

¡Convéncete y convence!

EVALUARse

CD CLASSE

COMPRENSIÓN ORAL Zaragoza recuperará el tranvía

① Indica a qué corresponden los siguientes datos:

23/01/1976	12 kilómetros	25	5 minutos	Media hora

② ¿Cuál es el interés de esta iniciativa con respecto:
- al servicio público?
- al medio ambiente?

✓ Mon bilan

○ Je peux comprendre les points principaux d'un flash radiophonique sur un sujet concret et familier. 
➜ par exemple, des informations factuelles (dates, distances, durées...).

○ Je peux aussi comprendre les commentaires qui sont apportés. 
➜ par exemple, identifier des avantages ou des qualités évoqués par le journaliste.

COMPRENSIÓN LECTORA El tren de los pobres

① Identifica en el relato:
- el país,
- la ciudad,
- el tema,
- el narrador.

② ¿Qué imagen tiene la gente del MetroCable? ¿Cuáles son sus ventajas?

③ ¿Para el narrador fue un paseo instructivo?

④ Anota las informaciones que contrastan con la imagen inicial.

⑤ ¿Cuál es la tonalidad del diálogo final?

Desde que llego a Medellín, todo el mundo me recomienda dar un paseo por MetroCable, el último grito de la tecnología en transportes. [...] En vez de subterráneo, el sistema es aéreo, y desde sus ventanas se aprecian las estatuas de Botero[1], la confusión del centro, las iglesias antiguas y los verdes cerros[2] que rodean la ciudad. [...]
Sin embargo, en un momento dado, el vagón empieza a avanzar paralelo al río Medellín, y el espectáculo se transforma. [...]
Bajo mis pies se extiende una zona de inmuebles sin techo y buses atestados[3], de bolsones[4] de miseria con las mejores vistas de toda la ciudad. Le digo a mi acompañante:
–Así que el principal atractivo turístico de Medellín es mirar a los pobres.
–No, me responde. Esto es para que los pobres miren a los ricos en jaulas[5].

Santiago Roncagliolo, *Jet Lag*, 2007

1. *célèbre sculpteur colombien*
2. *collines*
3. autobuses llenos de gente
4. *grandes poches*
5. *en cage*

○ Je peux comprendre l'essentiel d'un court texte simple sur un sujet concret et familier. 

○ Je peux identifier le ton et l'intention d'un personnage. 
➜ par exemple, dans la partie dialoguée d'un récit.

EXPRESIÓN ORAL Muros que separan...

"Hay que derrumbar los muros que separan las urbanizaciones residenciales y los barrios pobres".

- Tienes que defender un punto de vista: a favor o en contra de esta declaración.

- Expón, explica y argumenta interactuando con un compañero.

Barrio Villa 31, Buenos Aires

Mon bilan

○ Au cours d'un échange sur un sujet familier, je peux exprimer mon accord ou mon désaccord, même si j'ai du mal à poursuivre la discussion. 

○ Je peux prendre part à la discussion en exprimant mon opinion et en expliquant pourquoi je suis en accord ou en désaccord avec un point de vue qui a été exprimé. 

EXPRESIÓN ESCRITA Lo que pienso de mi ciudad

A tu ciudad le interesa saber qué imagen tienen de ella los jóvenes. Da tu opinión en su página Web.

Fiesta de la bicicleta y del patín, Barcelona

○ Je peux rédiger un texte bref et très simple à propos de mon environnement quotidien. 
→ par exemple, pour évoquer deux ou trois aspects de ma ville.

○ Je peux aussi exprimer un point de vue personnel, un sentiment, une réaction. 

OTROS ENFOQUES

A. *El skateboarding*

El **skateboarding** es un deporte que se practica con un *skate* o monopatín, en cualquier parte de una calle donde se pueda rodar, o en una pista especialmente diseñada para ello *(skatepark)*. Se trata de buscar la belleza al probar la habilidad del exponente, conseguir realizar distintos trucos, deslizarse por largas barandillas (*grinds* o *grindar)*, bordillos u otros elementos urbanos, o trucos de estilo libre *(freestyle)*. Está relacionado con la cultura callejera, y bajo el nombre de este deporte hay diversas expresiones culturales.

B. *Los graffitis*

Barcelona 1000 graffitis

Graffiteros de todo el mundo se dan cita y hacen escala en Barcelona para expresamente dejar su firma/obra en las paredes o mobiliario urbano de la ciudad que hoy pasa por ser la más liberal y tolerante de Europa con este tema.

Julián Álvarez García, 2008

Graffiti en una calle de Barcelona

① **Documento A:** Para ti ¿el *skateboarding* es un deporte o un juego?

② **Documento B:** ¿Arte o vandalismo?

③ ¿Por qué se dice que estas dos prácticas forman parte de la "cultura callejera"?

Arquitectura contemporánea

Santiago Calatrava, *La Ciudad de las Artes y de las Ciencias de Valencia*; a la izquierda, el Museo de las Ciencias y a la derecha, el Hemisférico.

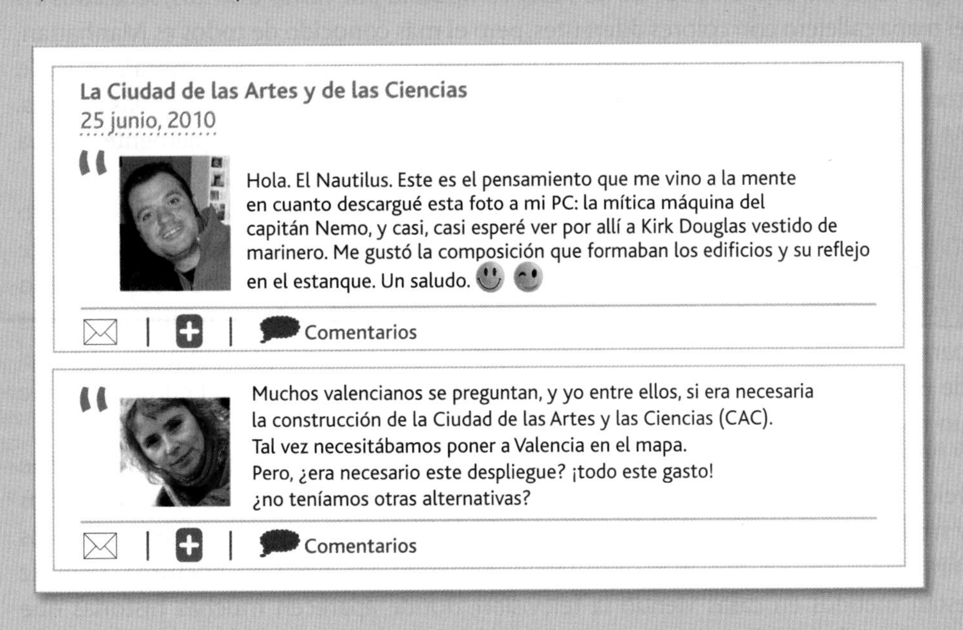

La Ciudad de las Artes y de las Ciencias
25 junio, 2010

"Hola. El Nautilus. Este es el pensamiento que me vino a la mente en cuanto descargué esta foto a mi PC: la mítica máquina del capitán Nemo, y casi, casi esperé ver por allí a Kirk Douglas vestido de marinero. Me gustó la composición que formaban los edificios y su reflejo en el estanque. Un saludo.

Comentarios

"Muchos valencianos se preguntan, y yo entre ellos, si era necesaria la construcción de la Ciudad de las Artes y las Ciencias (CAC). Tal vez necesitábamos poner a Valencia en el mapa. Pero, ¿era necesario este despliegue? ¡todo este gasto! ¿no teníamos otras alternativas?

Comentarios

1. ¿Qué evoca para ti esta aquitectura?
2. ¿Te gustaría ver algo similar en tu ciudad?

Secuencia 10

Inventando el futuro

DÉCOUVRIR

- Des projets innovants dans les domaines :
  - de l'éducation,
  - de la science,
  - des relations sociales,
  - de l'écologie.

COMMUNIQUER

- Débattre de la place des « nouvelles » technologies dans notre vie.
- Mener une enquête dans la classe sur les réseaux sociaux.
- Présenter un projet innovant dans le domaine de l'écologie.
- Comprendre des articles de presse sur des projets innovants (éducation, science, écologie).
- Comprendre des reportages audio et vidéo sur des projets innovants (éducation, technologie, écologie).
- Écrire un court article sur la concurrence *Facebook / Tuenti*.
- Rédiger un texte publicitaire pour promouvoir une invention.
- Rédiger le commentaire d'un sondage.

UTILISER

- **Lexique**
  - Éducation
  - Innovations et nouvelles technologies
  - Écologie
  - Chiffres, nombres, pourcentages
- **Grammaire**
  - Révision des principaux temps
  - Expression de la condition
  - Traduction de « même si » et « bien que »
  - Simultanéité (*al* + infinitif)
  - *Cuando* + subjonctif
  - Traduction de « dont »

MINI PROYECTOS

- *Debate: También es posible vivir sin ordenadores.* → p.173
- *Imagina "el invento" que cambiará nuestro futuro.* → p.175
- *Realiza una encuesta en tu clase.* → p.177
- *Presenta una "idea sostenible para un planeta verde".* → p.179

EXPRESIÓN ORAL

① ¿Sabes lo que son las redes sociales?
Intenta definirlas.

un colectivo | una comunidad | intercambiar | compartir | poner en común | vincular

② ¿Conoces alguna de estas redes?
Preséntala a tus compañeros.

Es una red... cuyo objetivo es... / que permite...

③ TU OPINIÓN ¿En las redes sociales, la gente comunica más que en la vida real?

EXPRESIÓN ESCRITA

Alfonso Casas Moreno, *El País*, 22/08/2008

ESCRIBE un breve artículo de prensa titulado: "Redes sociales: la guerra" inspirándote en esta ilustración.

Redacta el artículo basándote en las informaciones siguientes:

tuenti

- *Tuenti es una red social española*
  → *junio de 2008: 2.843.000 visitantes españoles.*

facebook

- *Facebook es una red social estadounidense*
  → *junio de 2008: 1.164.000 visitantes españoles.*
- *Redes sociales → mercado muy competitivo → batalla / enfrentamiento.*
- *En guerra para: conquistar / ser líder.*
- *Ofensiva de las redes americanas.*
  Reacción rápida de Tuenti.
- *Tuenti: una red autóctona.*
  Los adolescentes españoles prefieren Tuenti.

Realiza esta encuesta en tu clase y compara los resultados con los del colegio español.

Encuesta realizada en un colegio español

¿Usas Tuenti, Facebook u otras redes sociales?

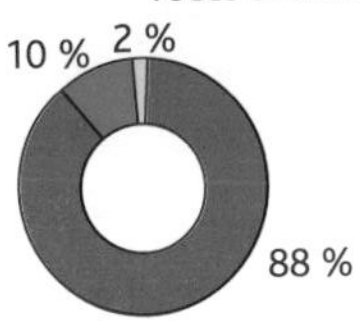

- sí
- no
- otras repuestas

¿Subes fotos que no te gustaría que tus padres viesen?

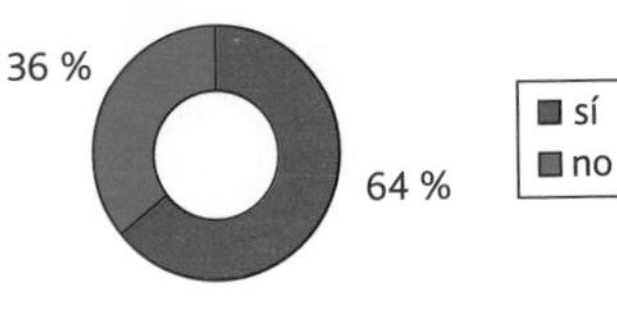

- sí
- no

¿Consideras que estás enganchado(a) a estas páginas?

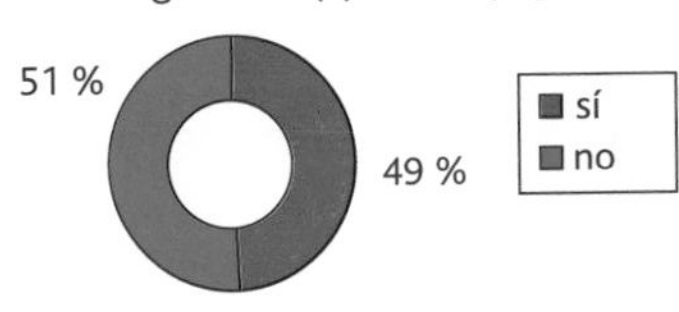

- sí
- no

¿Para qué utilizas estas webs?

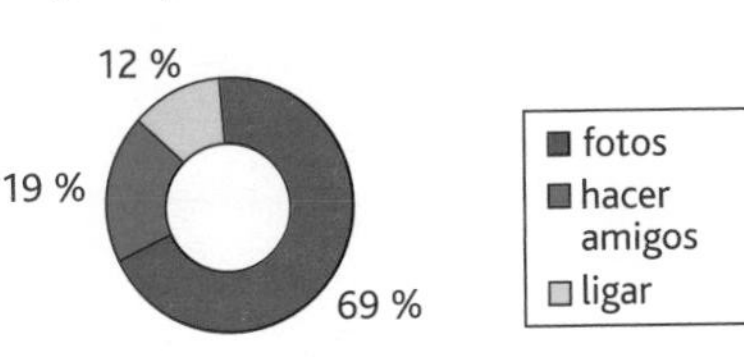

- fotos
- hacer amigos
- ligar

¿Quién puede acceder a tu página?

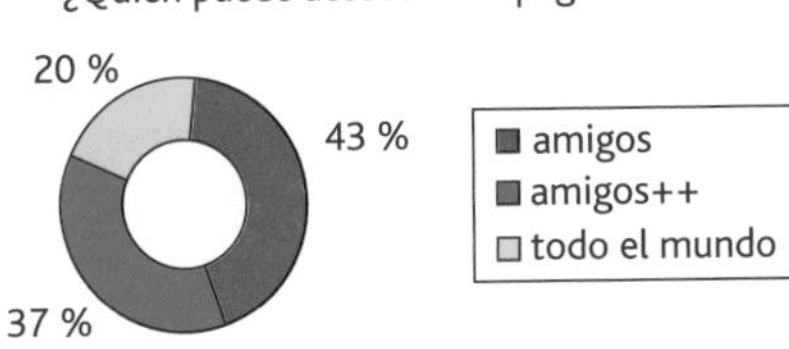

- amigos
- amigos++
- todo el mundo

➜ El 90% de los jóvenes pertenece a una red social

➜ La mitad de los adolescentes considera estar "enganchado" a estas páginas

Encuesta realizada a 90 alumnos de 1° y 2° de Bachillerato del Colegio Gamo Diana, Madrid

El País de los Estudiantes, 03/04/2009

① Realiza el sondeo en tu clase de español.

Número de alumnos encuestados: ... - Fecha: ... / ... / ...

Pregunta:	Respuesta "sí"		Respuesta "no"	
	total	%	total	%
¿Usas alguna red social?				
¿Subes fotos que sólo compartes con tus amigos?				
¿Consideras que eres adicto a esas páginas?				

	Fotos		Hacer amigos		Otras repuestas	
¿Para qué utilizas estas Webs?	total :	%	total :	%	total :	%

	Sólo mis amigos		También los amigos de mis amigos		Todo el mundo	
¿Quién puede acceder a tu página?	total :	%	total :	%	total :	%

② Analiza y añade un breve comentario de los resultados para dar una idea del "perfil" de tu clase en lo que se refiere a este tema.

LENGUA

Vocabulario

los porcentajes

10% = el/un diez por ciento

la mayoría = la mayor parte = > 50%

la minoría = la menor parte = < 50%

la mitad = 50 %

▸ Gramática 9 p. 192

Gramática

Traduction de « dont »

- del que / de la que / de los que / de las que
  Es el sistema interactivo ***del que*** *te hablé.*
  Es la red social ***de la que*** *todos hablan.*
- cuyo
  El sondeo ***cuyo resultado*** *ha sido comunicado hoy ha sorprendido mucho.*
  Es la red social ***cuyos usuarios*** *son en su mayoría adolescentes.*

▸ Gramática 20 p. 200
▸ Ejercicio p. 201

Inventando el futuro... DEL PLANETA

¡Descontamínate! Discotecas ecológicas

El *club 4 climate*, Londres, primera discoteca ecológica del mundo

El *Greenhouseclub*, discoteca de Nueva York

① **ANTES DE ESCUCHAR** observa las fotos e imagina qué tendrán de ecológico estas discotecas.

② **ESCUCHA** y apunta todo lo que te permite comprender:
- quién habla y con qué intención (escucha bien la voz y sus entonaciones),
- de qué habla (identifica palabras, expresiones y sonidos...),
- de qué tipo de programa se trata (escucha atentamente el principio y el final de la grabación).

③ La idea principal de Andrew Charalambous, propietario del "Club 4 climate", consiste en...
Se le ocurrieron tres ideas más, ¿cuáles?

④ En Nueva York, también hay una discoteca ecológica en la que
- la iluminación...
- el decorado (muebles, paredes, suelo)...
- los camareros...

⑤ **Y TÚ** ¿Qué propondrías para crear algún otro espacio ecológico? (colegio, biblioteca, gimnasio...)

COMPRENSIÓN LECTORA

Reuters – Helsinki – 30/11/2009

Informática verde

Los ordenadores de un centro de datos suministrarán calefacción a Helsinki.
El calor que generarán se canalizará por la red de agua caliente.

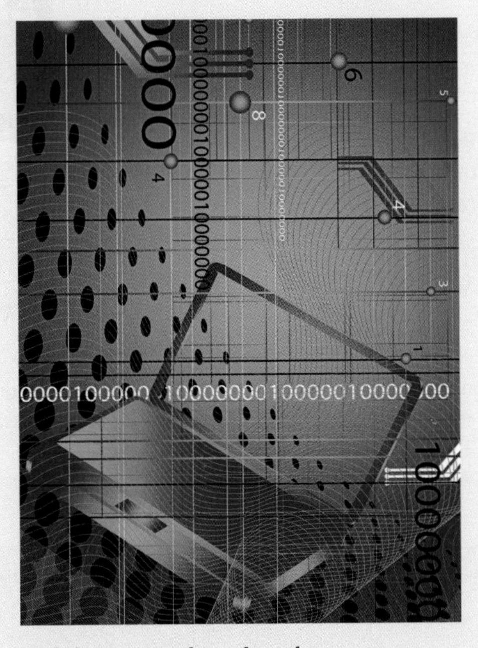

La llamada *informática verde* se impone. En enero se abrirá en Helsinki, la capital finlandesa, un centro de datos[1]. El calor que generarán los ordenadores de esta gran instalación será capturado y se canalizará para calentar el agua que suministra[2] calefacción[3] a parte de la ciudad. Es perfectamente posible que una considerable proporción de la calefacción que necesita la ciudad sea generada por la energía termal de cientos de ordenadores, ha comentado Juha Sipila, responsable de energía de la ciudad.
El nuevo centro de datos es un paso más en el camino de una informática verde.

elpais.com

1. *centre de traitement de données* – **2.** proporcionar : *fournir* – **3.** *chauffage*

① ¿Has entendido por qué este centro de datos es pionero en ecología?

② TU OPINIÓN De las dos iniciativas presentadas en estas páginas, ¿cuál te parece más interesante, útil e innovadora?

MINI PROYECTO

"Una idea sostenible para un planeta verde".

¿Has oído hablar de algún proyecto innovador en tu ciudad, tu región, o en otro lugar?

Preséntalo oralmente (imitando el programa de radio "¡Descontamínate!").

LENGUA

Vocabulario

la discoteca
- bailar, moverse
- la pista de baile
- los camareros
- las bebidas

la ecología
- • el clima, el cambio climático
- el desarrollo sostenible : *le développement durable*
- salvar el planeta
- • reciclar
- orgánico : *bio*

la energía
- producir energía
- gastar : *dépenser* / el gasto
- ahorrar : *économiser* / el ahorro
- aprovechar : *tirer profit de*
- el aprovechamiento
  El sistema permite un mejor aprovechamiento de la energía producida.
- derrochar : *gaspiller*
- el derroche

Gramática

Actions simultanées

Al + inf.
Al bailar / *Cuando la gente baila produce energía que se puede transformar.*

▸ Gramática 41 p. 214

***Cuando* + subjonctif**

Cuando se recicle *la energía de los ordenadores, se ahorrará electricidad.*

▸ Gramática 28 p. 205

EVALUARse

CD CLASSE

COMPRENSIÓN ORAL Leer punto es

① *Con la educación en radio 5* es un programa radiofónico:

a. cultural b. científico c. político

② "Leer.es" es:

una iniciativa de...	cuyo objetivo es...	a través de...

③ La periodista nombra tres organizaciones: la Real Academia, el Instituto Cervantes y las Comunidades Autónomas. ¿Qué papel desempeñan? Identifica la palabra que lo indica.

✓ Mon bilan

○ Je peux suivre un extrait d'une émission de radio sur un sujet qui m'est familier, même si je ne comprends pas tous les détails.
→ par exemple, reconnaître le thème abordé et le type d'informations transmises.

○ Je peux comprendre une information factuelle en reconnaissant les messages généraux et les points de détail.
→ par exemple, si la journaliste apporte des précisions à l'information principale.

B1

COMPRENSIÓN LECTORA Tiene tres años

① ¿Con qué motivo Hernán Casciari escribió este texto?

② Verifica si las afirmaciones siguientes corresponden a lo que dice:

a. su weblog es como los demás
b. es tan importante como una persona
c. es muy difícil navegar por él
d. existe gracias a la publicidad
e. es actualizado diariamente

③ ¿Este texto es únicamente descriptivo o expresa además algún punto de vista?

Mi weblog se llama Orsai. Puedo decir sobre él que no tiene iconos ni dibujos, que no tiene por costumbre incluir enlaces hacia otros blogs ni a páginas de mi interés, que no posee menú de navegación a izquierda o derecha, que no utiliza publicidad, que no ofrece un reloj que indique la hora en mi país de residencia, que no tiene entradas diarias, breves e informativas, ni vídeos de youtube, ni fotografías de paisajes, ni de mujeres desnudas o vestidas. Mi weblog es blanco con letras negras. Y hoy cumple tres años.

Hernán CASCIARI*, orsai.es, 27/02/2007

* Escritor y periodista argentino, ha escrito cuatro blogonovelas, pioneras en la literatura por Internet.

✓ Mon bilan

○ Je peux comprendre l'essentiel d'un texte court sur un sujet concret, courant et dont le lexique m'est en grande partie connu.
→ par exemple, les caractéristiques de ce qui est décrit.

○ Je peux identifier l'intention de l'auteur.
→ par exemple, comprendre s'il s'en tient aux faits ou s'il exprime un point de vue.

EXPRESIÓN ORAL Formación científica

① ¿Este programa de estudios de Biología y Geología de los alumnos españoles se parece al tuyo? ¿Qué temas te interesan más a ti?

② ¿Es importante que todos los alumnos tengan una buena formación científica? ¿Para qué puede ser útil?

BIOLOGÍA Y GEOLOGÍA 4° de ESO

Contenidos

1. El tiempo geológico
2. Historia de la Tierra
3. La dinámica terrestre
4. La tectónica de las placas
5. La célula, unidad de vida
6. La herencia genética
7. Genética humana
8. La ingeniería genética
9. Origen y evolución de los seres vivos
10. Dinámica de los ecosistemas
11. Dinámica de las comunidades
12. La Humanidad y el medio ambiente

✓ Mon bilan

○ Je peux comparer sommairement des contenus. 
→ par exemple, comparer mon programme d'étude et celui d'un élève espagnol dans une même discipline.

○ Je peux justifier ou expliquer brièvement une opinion. 
→ par exemple, pour expliquer en quoi une formation me semble utile ou pas.

EXPRESIÓN ESCRITA ¡Revolucionario!

twitter

flickr

De las diferentes innovaciones que hemos visto en esta secuencia:

① ¿Cuál te parece más interesante o más necesaria para el futuro?

② ¿Qué va a cambiar en la vida cotidiana de los usuarios?

En unas 6-8 líneas da tu opinión personal sobre el tema. Justifica.

✓ Mon bilan

○ Je peux écrire un texte bref pour résumer une information entendue ou lue. 
→ par exemple, pour rappeler les avantages d'une nouvelle technologie étudiée en classe.

○ Je peux résumer avec une certaine assurance des informations factuelles sur un sujet familier et donner mon opinion. 
→ par exemple, dire en quoi une invention est intéressante et susceptible de modifier un mode de vie.

El eternauta

Obra del guionista Hector German Oesterheld (1917 - secuestrado y "desaparecido" por la Dictadura Militar argentina en 1977), y del dibujante Francisco Solano López.

El Eternauta fue publicado por primera vez en la revista "Hora Cero" (Argentina), en el año 1957, y desde ese momento fue reeditada y leída por varias generaciones de lectores, que disfrutaron de esta aventura, la aventura que narra la invasión de Buenos Aires y la lucha por la resistencia.

Comprender el texto

① ¿Es una historieta histórica o de anticipación? Justifica tu respuesta.

② Haz un retrato físico y moral del Eternauta según lo que has leído. ¿Será humano o extraterrestre? Imagina y explica.

③ El Eternauta es un "navegante", "viajero", "peregrino". ¿Estará haciendo un viaje de placer o tendrá que cumplir alguna misión? Inventa cuál podría ser.

④ Para el Eternauta es "una casualidad" llegar precisamente a la casa de un guionista. ¿Crees que este comentario puede ser una pista para adivinar cómo continuará la historia?

⑤ Encuentra en el texto lo que permite explicar el significado de la palabra "Eternauta".

apacigua el ánimo: *calme l'esprit* – un crujido: *un crissement*

...LOS LIBROS, LAS FOTOS EN LA PARED.

ESTOY EN LA **TIERRA**, SUPONGO...

NO ATINÉ A CONTESTARLE.

TAN EXTRAÑA HABÍA SIDO SU APARICIÓN. PERO VOLVIÓ A MIRARME Y NO SÉ PORQUÉ, ME SENTÍ RARAMENTE RECONFORTADO.

ESTO ÚLTIMO LO DIJO MIRANDO LOS LIBROS SOBRE LA MESA. Y LAS REVISTAS: HABÍA UN MAGAZINE DE ACTUALIDAD CON LA FOTO DE **KRUSHCHEV.** EN LA TAPA.

GUIONISTA DE HISTORIETAS... ESTO SÍ QUE ES UNA CASUALIDAD... ENTRE TANTAS OTRAS CASAS, VENIR A DAR JUSTAMENTE CON ÉSTA...

fantasmas: *des fantômes* – No atiné a: *Je n'ai pas eu le réflexe de* – una casualidad: *une coïncidence* – venir a dar: *tomber sur*

huéspedes: *les invités* – el pavor: el pánico

SOMMAIRE

I. PRONONCIATION ET ACCENTUATION

II. NOMBRES ET CHIFFRES

III. LE NOM

IV. LE VERBE

V. LA PHRASE

VI. TABLEAUX DE CONJUGAISON

GRAMÁTICA

EJERCICIOS

Pour t'aider à comprendre et à mémoriser les règles :

De nombreux exemples d'emploi, traduits en français.

Des exercices d'application.

I. PRONONCIATION ET ACCENTUATION

1 L'alphabet

- **Il comporte 27 lettres. Elles sont ici suivies, entre parenthèses, de leur nom en espagnol.**

A *(la a)* H *(la hache)* Ñ *(la eñe)* U *(la u)*
B *(la be)* I *(la i)* O *(la o)* V *(la uve)*
C *(la ce)* J *(la jota)* P *(la pe)* W *(la uve doble)*
D *(la de)* K *(la ka)* Q *(la cu)* X *(la equis)*
E *(la e)* L *(la ele)* R *(la erre)* Y *(la ye)*
F *(la efe)* M *(la eme)* S *(la ese)* Z *(la zeta)*
G *(la ge)* N *(la ene)* T *(la te)*

- **L'espagnol possède une consonne qui lui est propre : *la ñ*.**
- **Les lettres sont du genre féminin :** ¿Se escribe con **una be** o con **una uve**?

2 La prononciation

- **Toutes les lettres se prononcent, à l'exception du *h*, toujours muet.**
  la h**a**rina, la **a**rena : *la syllabe initiale se prononce de façon identique.*
- **Le *b* et le *v* se prononcent de la même façon.**
  be**b**er, vol**v**er : *la syllabe finale se prononce de façon identique.*
- **Le *ch* se prononce « tch » :** **ch**atear, dere**ch**o.
- **Le *ll* se prononce comme le son « ll » dans le mot français « famille » :** ca**ll**e, **ll**over.
- **Le *ñ* se prononce « gn » comme dans le mot français « gagner » :** peque**ñ**o.
- **Le *y* se prononce « i » quand il est seul ou à la fin d'un mot : y**, **muy** [mui].

Devant une voyelle, il est proche du « j » français : **mayor** [major].
- **Le *g* devant *a*, *o*, *u*, *ue*, *ui* se prononce [ɣ] comme dans le mot français « gâteau » :** **g**ótico, **g**uerra.

Il se prononce du fond de la gorge [χ] devant ***e***, ***i*** : **g**ente, pá**g**ina.
- **Le *j* se prononce toujours du fond de la gorge [χ] :** **j**oven, **j**irafa
- **Le *s* et le *z* ne se prononcent jamais [z] comme dans le mot français « rose ».**

– Le ***s*** se prononce [s] comme dans « passer » : televi**s**ión, pre**s**entar.
– Le ***z*** (ou le ***c* devant *e*** ou ***i***) se prononce [θ] comme le « th » anglais : la rique**z**a, la fuer**z**a.
– Dans certaines régions d'Espagne (Îles Canaries, une partie de l'Andalousie) et en Amérique latine, on prononce */s/* dans tous les cas.
- **Les voyelles conservent toujours le même son** : dans le ***om*** et le ***en*** de *comprender* on doit entendre le ***m*** et le ***n*** derrière le ***o*** et le ***e*** et ne pas nasaliser comme on le fait en français pour le « om » et le « en » dans « comprendre ».
  apr**en**der, c**on**curso, **An**dalucía

EJERCICIO

Prononcer s et c/z
Entraîne-toi à prononcer les mots suivants.

[s] la **co**sa – la **cau**sa – desarro**llar** – desintere**sa**do – el di**se**ño
[θ] ha**cer** – **hi**zo – el cora**zón** – **cien**to – **fá**cil
la **paz** – la **cruz**
la ac**ción** – el dicc**io**nario

3 L'accent tonique

- **Il tombe sur l'avant-dernière syllabe** des mots terminés par une voyelle ou par une marque du pluriel (*-s* : pour un nom : **chi**cas, *-n* pour un verbe : **ha**cen).

La mu**cha**cha **ha**bla. Las mu**cha**chas **ha**blan.

- **Il tombe sur la dernière syllabe** des mots terminés par une consonne (y compris « *y* » qui est considéré une consonne en espagnol), sauf *-s* et *-n*.

ha**blar**, la ciu**dad**, es**toy**

- **Lorsqu'il ne tombe pas à sa place habituelle**, il est signalé par un accent **écrit**.

la **má**quina, los **jó**venes

– L'accent écrit sert aussi à distinguer certains mots :

el *le*	≠	**él** *il, lui*
solo *seul*		**sólo** *seulement*
se (se sienta) *se*		**sé** (saber) *je sais*
que (lo que dice) *que*		**qué** (¡qué dice!)

– Les mots interrogatifs et exclamatifs portent toujours un accent écrit. → voir 39

EJERCICIO

Accentuer la syllabe tonique
Entraîne-toi à lire à haute voix ce poème, en respectant bien le rythme.

El niño duerme sonriendo

El **ni**ño **qui**so ser **pez**
Y **fue** a la o**ri**lla del **mar**
Puso los **pies** en el **a**gua
Pero no **pu**do ser **pez**

El **ni**ño **qui**so ser **nu**be
y **fi**jo al **cie**lo mi**ró**
vo**la**ba el **ai**re en el **ai**re
pero el **ni**ño no vo**ló**

El **ni**ño **qui**so ser **hom**bre
Y **fuer**te com**pu**so su **voz**
Pero el **mun**do era tan **su**yo
que el **ni**ño, **ni**ño que**dó**

Fueron pa**san**do los **a**ños
Y el **hom**bre alcan**zó** su **voz**
Y an**du**vo por esos **mun**dos
Mez**clan**do **di**cha y **do**lor

Y el **hom**bre **qui**so ser **ni**ño,
quiso ser **nu**be y ser **pez**,
mas la **pla**ya era de an**gus**tia
y las **nu**bes el a**yer**.

Y el **hom**bre va por el **mun**do
Con ra**zón** o sin ra**zón**
Y **lle**va un **ni**ño frus**tra**do
Gi**mien**do en su cora**zón**.

Atahualpa Yupanqui

4 L'intonation de la phrase

- **En espagnol, le ton de la voix :**

– descend à la fin des phrases déclaratives :

Hablo español. ↘

– monte dans les phrases interrogatives auxquelles on peut répondre par oui ou par non :

¿Hablas español? ↗

– descend dans les phrases interrogatives qui commencent par **qué**, **quién**, **cuál**, **cómo**, **cuánto**, **cuándo**, **dónde** :

¿Cuántas lenguas hablas? ↘

II. NOMBRES ET CHIFFRES

5 Zéro, un, deux, trois… : les cardinaux

0 cero	1 uno	2 dos	3 tres	4 cuatro	5 cinco	6 seis	7 siete	8 ocho	9 nueve
10 diez	11 once	12 doce	13 trece	14 catorce	15 quince	16 dieciséis	17 diecisiete	18 dieciocho	19 diecinueve
20 veinte	21 veintiuno	22 veintidós	23 veintitrés	24 veinticuatro	25 veinticinco	26 veintiséis	27 veintisiete	28 veintiocho	29 veintinueve
30 treinta	31 treinta y uno	32 treinta y dos	33 treinta y tres	34 treinta y cuatro	35 treinta y cinco	36 treinta y seis	37 treinta y siete	38 treinta y ocho	39 treinta y nueve
40 cuarenta	41 cuarenta y uno	42 cuarenta y dos	43 cuarenta y tres	44 cuarenta y cuatro	45 cuarenta y cinco	46 cuarenta y seis	47 cuarenta y siete	48 cuarenta y ocho	49 cuarenta y nueve
50 cincuenta	…								
60 sesenta	…								
70 setenta	…								
80 ochenta	…								
90 noventa	…								
100 cien	101 ciento uno	102 ciento dos	…						

100 ciento (cien)	200 doscientos (as)	300 trescientos (as)	400 cuatrocientos (as)	500 quinientos (as)	600 seiscientos (as)	700 setecientos (as)	800 ochocientos (as)	900 novecientos (as)

1 000 mil	2 000 dos mil	3 000 tres mil	…

10 000 diez mil	100 000 cien mil	1 000 000 un millón	100 000 000 cien millones	1 000 000 000 mil millones *(un milliard)*

- On emploie *y* seulement entre les dizaines et les unités :
  cuarenta **y** dos *mais :* ciento **ø** dos
- ***Uno*** → ***un*** devant un nom masculin :
  Veinti**ún** euros
  Treinta y **un** años
- ***Un*** → ***una*** au féminin :
  Veinti**una** chicas
- ***Ciento*** → ***cien*** devant un nom et devant *mil* :
  Cien páginas
  Cien mil
- À partir de 200, les centaines s'accordent avec le nom qui suit :
  Doscient**as** páginas
  1492 : Mil cuatrocient**os** noventa y dos (años)

EJERCICIO

Exprime en toutes lettres les nombres contenus dans les phrases suivantes.

Ex : Hay 7 días en una semana. → siete días

Hay 12 meses en un año.

En un año hay 52 semanas.

El año tiene 365 días.

Estamos en el año 4707 del calendario chino.

6 Le premier, le deuxième, le troisième... : les ordinaux

Le 1er	**El primero**	Le 5e	**El quinto**	Le 9e	**El noveno**
Le 2e	**El segundo**	Le 6e	**El sexto**	Le 10e	**El décimo**
Le 3e	**El tercero**	Le 7e	**El séptimo**	Le 11e	**El undécimo**
Le 4e	**El cuarto**	Le 8e	**El octavo**	Le 12e	**El duodécimo**

- ***primero*** → ***primer*** ***tercero*** → ***tercer*** **devant un nom masculin singulier :**
  El **primer** año El **tercer** párrafo
- **À partir du 11e, on emploie de préférence les cardinaux :**
  El siglo **veinte** : *le vingtième siècle*
  El **veinticinco** aniversario : *le vingt-cinquième anniversaire*

7 L'heure

- ***La*** **ou** ***las*** **remplace le mot** ***hora*** **:**
  Il est une heure. Es **la una**.
  Il est quatre heures. Son **las cuatro**.
  Elle viendra à deux heures. Vendrá a **las dos**.

Ejemplos

Es la una.

Son las tres.

Son las dos y media.

Son las cuatro menos cinco.

Son las siete y diez.

Son las cinco y cuarto.

EJERCICIO

¿Qué hora es, por favor?

Donne l'heure correspondant à chacune des horloges ci-dessous.

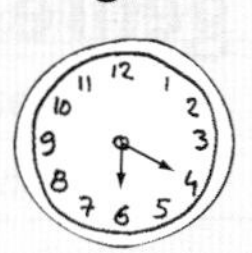

8 La date

Les jours de la semaine
lunes
martes
miércoles
jueves
viernes
sábado
domingo

Les mois de l'année	
enero	julio
febrero	agosto
marzo	septiembre
abril	octubre
mayo	noviembre
junio	diciembre

Hoy es miércoles, diez **de** marzo **de** dos mil diez. *Aujourd'hui, c'est le mercredi 10 mars 2010.*

Ejemplos

Hoy es martes 8 de enero. *Aujourd'hui, c'est le mardi 8 janvier.*
Estamos a martes 15 de abril. *Nous sommes le mardi 15 avril.*
Mañana estaremos a jueves 30 de marzo. *Demain, nous serons le jeudi 30 mars.*
Cristóbal Colón llegó a América el 12 de octubre de 1492. *Christophe Colomb est arrivé en Amérique le 12 octobre 1492.*

Ⓐ *El, la...* : articles définis

• **Expression de l'heure**

Son **las** diez. *Il est dix heures.*

• **Les jours de la semaine**

Antonio llega **el** jueves. *Antonio arrive jeudi.*

• **La périodicité**

On emploie le pluriel :

Los lunes tenemos clase. *Le lundi, nous avons cours.*

• **L'âge**

Se ha casado a **los** treinta años. *Il s'est marié à trente ans.*

• **« Celui de, ceux de, celle de, celles de » → el de, los de, la de, las de**

C'est sa jupe, c'est celle de Susana. Es su falda, es **la de** Susana.

• **« Celui que, ceux que, celle que , celles que» → el que, los que, la que, las que**

J'ai acheté celles que tu aimes. He comprado **las que** te gustan.

• **Omission de l'article défini**

– Devant **casa** dans le sens de « chez »

Voy a **Ø** casa de mi amigo. *Je vais chez mon ami.*

– Devant les noms de pays, regions ou villes non déterminés

Ø Chile es un país latinoamericano. *Le Chili est un pays d'Amérique latine.*

mais : **El** Madrid de mi niñez. *Le Madrid de mon enfance.*

Ⓑ *Un, una...* : articles indéfinis

• **Expression de l'approximation**

De Madrid a Toledo hay **unos** cien kilómetros. *De Madrid à Tolède il y a environ cent kilomètres.*

• **Omission de l'article indéfini**

– Au pluriel

He visitado **Ø** ciudades. *J'ai visité des villes.*

– Devant **otro**, **otra**

¿Me puedes dar **Ø** otro pastel? *Peux-tu me donner un autre gâteau ?*

Ⓒ *Lo* : article neutre

Ne s'emploie jamais devant un nom.

• **« Ce qui est... » → lo + adjectif ou participe passé**

Ce qui est difficile, c'est de gagner. **Lo difícil** es ganar.

• **« Ce qui, ce que... » → lo que**

As-tu entendu ce qu'il a dit ? ¿Has oído **lo que** ha dicho?

• **« Ce qui concerne... » → lo de**

J'ai mis ici ce qui concerne l'inscription. He puesto aquí **lo de** la inscripción.

Ejemplos

Me gusta ir **al** parque **del** barrio. *J'aime aller au parc du quartier.*

El águila y **la** abeja tienen **Ø** alas. *L'aigle et l'abeille ont des ailes.*

Ø Normandía es una región de Francia. *La Normandie est une région de France.*

¿Nos podemos ver **Ø** **otro** día? *Peut-on se voir un autre jour ?*

Los que has cogido son **los de** Javier. *Ceux que tu as pris sont ceux de Javier.*

Lo importante no es **lo de** tu enfado sino **lo que** vas a hacer ahora. *Ce qui importe, ce n'est pas que tu sois fâché mais ce que tu vas faire maintenant.*

Complète ce court échange téléphonique :
–Hola Miguel, soy Antonio. ¿Te gustaría ir ... cine ... sábado ?
–... sábado no puedo, lo siento. Por ... mañana tengo que ir a ... piscina con mi hermana, y por ... tarde tengo ... cita con ... dentista.
–¿Y ... domingo ?
–Tampoco puedo. Vamos a ... casa de mis abuelos.
–Bueno, quizás sea posible ... día. Nos llamamos. Hasta luego.

15 *Este, ese, aquel...* : les démonstratifs

A Adjectifs démonstratifs

	Singulier	Pluriel	Proximité dans l'espace / le temps / la phrase
masculin	**este**	**estos**	proche de celui qui parle (yo, aquí, ahora)
féminin	**esta**	**estas**	
masculin	**ese**	**esos**	proche de celui auquel on s'adresse (tú, ahí)
féminin	**esa**	**esas**	
masculin	**aquel**	**aquellos**	éloigné de celui qui parle (él, allí, entonces)
féminin	**aquella**	**aquellas**	

B Pronoms démonstratifs

- **Les pronoms démonstratifs ont la même forme que les adjectifs mais portent un accent écrit : éste (celui-ci), ése (celui-là), aquél (celui-là là-bas) ; sauf les trois pronoms neutres : esto, eso, aquello.**

¿Quieres **este** libro? (**este** = *adjectif : ce livre)*
No, quiero **éste**. (**éste** = *pronom : celui-ci)*

C Emploi

Le choix du démonstratif dépend de l'éloignement

- **dans l'espace :** Quisiera ver **ese** libro, por favor. ¿**Éste**? No, **aquél**, el de la tapa roja.
  Je voudrais voir ce livre, s'il vous plaît. Celui-ci ? Non, celui-là, avec la couverture rouge.
- **dans le temps :** **Estas** vacaciones no son como **aquéllas** en las que nos conocimos.
  Ces vacances-ci ne sont pas comme celles où nous nous sommes connus.
- **dans la phrase :** Pidió ayuda a Rodrigo y a Ernesto: **éste** (Ernesto) le ayudó, pero **aquél** (Rodrigo) se la negó.
  Il a demandé de l'aide à Rodrigo et à Ernesto : celui-ci l'a aidé mais celui-là a refusé.

Ejemplos

Estos vaqueros y **esas** camisas estaban de moda en **aquella** época. *Ces jeans-ci et ces chemises-là étaient à la mode à cette époque-là.*
Tenían cita con Elena y su hermana, **ésta** llegó tarde y **aquélla** no llegó nunca. *Ils avaient rendez-vous avec Elena et sa sœur, la première est arrivée en retard et la seconde n'est pas venue.*

EJERCICIO

Proche ou lointain ?
Complète avec le démonstratif qui convient.
- ¿Cuál es tu recuerdo preferido de ... época?
- Pedro: En ... fotografía parezco más mayor que en ... otra que tienes ahí.

Juan: ¿Y ... chica que se ve aquí en ... otra foto?
Pedro: ¿Cuál? ¿Ésta?
Juan: No, ... no, la que está sentada, no me acuerdo quién es.

16 *Mi, tu, su...* : les possessifs

A Adjectifs possessifs avant le nom

	Singulier	Pluriel
1res personnes	mi	mis
	nuestro / nuestra	nuestros / nuestras
2es personnes	tu	tus
	vuestro / vuestra	vuestros / vuestras
3es personnes	su	sus

- **Les adjectifs possessifs s'accordent en genre et en nombre avec le nom qu'ils introduisent :**
  mi abrigo *(mon manteau)*
  vuestras bufandas *(vos écharpes).*

B Adjectifs possessifs après le nom

	Singulier	Pluriel
1res personnes	mío / mía	míos / mías
	nuestro / nuestra	nuestros / nuestras
2es personnes	tuyo / tuya	tuyos / tuyas
	vuestro / vuestra	vuestros / vuestras
3es personnes	suyo / suya	suyos / suyas

- **Les adjectifs possessifs qui se placent après le nom s'accordent en genre et en nombre avec le nom qui les précède.**
  Es un amigo **mío**. *C'est un ami à moi.*

C Pronoms possessifs

- **Ce sont les mêmes formes que celles du tableau ci-dessus, précédées de l'article défini : el mío, la mía, los vuestros, las suyas...**
  ¿No has traído tu libro? Te presto **el mío**. *Tu n'as pas apporté ton livre ? Je te prête le mien.*

Attention Les possessifs sont beaucoup moins employés en espagnol qu'en français. On ne dira pas : Ponte tu abrigo mais : Ponte el abrigo (*Mets ton manteau*).

17 *Poco, mucho...* les indéfinis

Adjectifs	peu de	**poco, a, os, as**	**pocas** calorías: *peu de calories*
	beaucoup de	**mucho, a os, as**	**mucha** agua: *beaucoup d'eau*
	assez de	**bastante, es**	**bastante** dinero: *assez d'argent*
	trop de	**demasiado, a, os, as**	**demasiados** coches: *trop de voitures*
	tout, tous, toute, toutes	**todo, a, os, as**	**todo** el día: *toute la journée*
	plusieurs	**varios, as**	**varias** canciones : *plusieurs chansons*
	chaque	**cada**	**cada** lunes: *chaque lundi*
Adjectifs et pronoms	un, une, quelques-uns, quelques-unes	**alguno, a, os, as**	vinieron **algunos**: *quelques-uns sont venus*
	aucun, aucune	**ninguno, a**	**ninguna** amiga: *aucune amie*
	n'importe quel/quelle	**cualquiera**	**cualquiera** de ellos: *n'importe lequel d'entre eux*
	un autre, une autre, d'autres	**otro, a, os, as**	**otros** lugares: *d'autres lieux*
Pronoms	quelque chose	**algo**	hacer **algo**: *faire quelque chose*
	quelqu'un	**alguien**	¿ha llamado **alguien**? : *quelqu'un a appelé ?*
	rien	**nada**	no sabe **nada**: *il ne sait rien*
	personne	**nadie**	no hay **nadie**: *il n'y a personne*

Attention En espagnol, on n'emploie pas l'article indéfini devant **otro**.

Necesito Ø **otro** bolígrafo. *J'ai besoin d'un autre stylo.*

Attention Les formes **alguno**, **ninguno**, **cualquiera** perdent leur voyelle finale (apocope) devant un nom masculin singulier. → voir 13

No hay **ningún** error. *Il n'y a aucune erreur.*

Attention **Poco**, **mucho**, **bastante**, **demasiado**, **algo**, **nada** peuvent être aussi adverbes et donc invariables. → voir 35 D

El niño ha crecido **mucho**. *L'enfant a beaucoup grandi.*

Ejemplos

Mientras se gana **algo** no se pierde **nada**. *Miguel de Cervantes Saavedra (1547-1616), escritor español*

Cada poema es único. En **cada** obra late, con mayor o menor grado, **toda** la poesía. **Cada** lector busca **algo** en el poema. Y no es insólito que lo encuentre: Ya lo llevaba dentro. *Octavio Paz (1914-1998), poeta y ensayista mexicano*

A solas soy **alguien**. En la calle **nadie**. *Gabriel Celaya (1911-1991), poeta español*

Algún día en cualquier parte, en **cualquier** lugar indefectiblemente te encontrarás a ti mismo, y ésa, sólo ésa, puede ser la más feliz o la más amarga de tus horas. *Pablo Neruda (1904-1973), poeta chileno*

EJERCICIO

Emploi des indéfinis
Traduis les phrases suivantes :
J'ai acheté plusieurs livres.
Veux-tu boire quelque chose ?
Aujourd'hui, personne n'est venu.
Je vais au lycée tous les jours.

18 Les pronoms personnels

	Pronoms sujets	Pronoms réfléchis	Pronoms COD	Pronoms COI	Pronoms introduits par une préposition
1re pers. sing.	**yo**	**me**	**me**	**me**	**mí**
2e pers. sing.	**tú**	**te**	**te**	**te**	**ti**
3e pers. sing.	**él, ella, usted**	**se**	**lo, la (le)**	**le**	**él, ella, usted**
1re pers. pl.	**nosotros, as**	**nos**	**nos**	**nos**	**nosotros, as**
2e pers. pl.	**vosotros, as**	**os**	**os**	**os**	**vosotros, as**
3e pers. pl.	**ellos, ellas, ustedes**	**se**	**los, las**	**les**	**ellos, ellas, ustedes**

Attention Avec la préposition **con**, les pronoms ont une forme particulière au singulier : **conmigo, contigo, consigo.**

Quiero ir **contigo**. *Je veux y aller avec toi.*

A Pronoms personnels sujets

- **Ils sont moins utilisés en espagnol qu'en français puisqu'en espagnol la personne est déjà indiquée par la terminaison du verbe.**

¿**Ø** Eres Pablo?

- **On les emploie surtout pour insister sur la personne.**

No, Pablo es mi hermano. **Yo** soy Juan.

B Pronoms personnels compléments

- ***Le*** **et** ***les*** **ne peuvent pas être employés pour un objet.**

Lo comprendo (lo que me estás explicando). *Je comprends (ce que tu m'expliques).*
Le comprendo (a mi amigo). *Je le comprends (mon ami).*

C L'ordre des pronoms compléments

- **En espagnol, l'ordre est toujours : indirect + direct**

¿**Nos las** devuelves? *Tu nous les rends ?*
Te lo repito. *Je te le répète.*

- **Lorsque deux pronoms de la 3e personne se suivent (ex. : elle le lui donne), le premier → se**

Se lo ha dicho. *Elle le lui a dit.*

D Le vouvoiement

• Pour vouvoyer, l'espagnol utilise la 3e personne (3e personne du pluriel si l'on s'adresse à plusieurs personnes que l'on vouvoie).

Pase usted, Señor, y **siéntese**. *Entrez, Monsieur, et asseyez-vous.*
Son ustedes los que **deciden**. *C'est vous qui décidez.*

E L'enclise

• Les pronoms compléments employés sans préposition sont obligatoirement soudés après le verbe (enclise) aux trois formes suivantes :

– à l'infinitif : Va a llamar**la**. *Il va l'appeler.*
Va a comprár**selo**. *Il va le lui acheter.*

– au gérondif : Está llamándo**la**. *Il est en train de l'appeler.*
Está comprándo**selo**. *Il est en train de le lui acheter.*

– à l'impératif affirmatif : Llláma**la**. *Appelle-la.*
Cómpra**selo**. *Achète-le lui.*

F Construction des verbes du type *gustar*

• ***Gustar*** a le sens de « aimer » mais s'accorde comme « plaire » :

Me gust**a tu disco**. *J'aime ton disque.*
Me gust**an tus discos**. *J'aime tes disques.*

• Autres verbes courants ayant une construction inversée par rapport à leur équivalent français :

– ***apetecer*** (avoir envie) se construit comme « faire envie » :
Me apetece salir. *J'ai envie de sortir.*

– ***costar*** (avoir du mal à) se construit comme « coûter », « être difficile » :
Me cuesta creerlo. *J'ai du mal à le croire.*

– ***doler*** (avoir mal) se construit comme « faire mal » :
Me duele la cabeza. *J'ai mal à la tête.*

Ejemplos

¿**Te** acuerdas que **te lo** dije un día? *Tu te souviens que je te l'ai dit un jour ?*
¿Cómo **te** encuentras? *Comment vas-tu ?*
Explíca**selo**. *Explique-le lui.*
Yo también fui. *Moi aussi, j'y suis allé.*
¿Sabe **usted** a qué hora sale el Talgo? *Savez-vous à quelle heure part le Talgo ?*

EJERCICIO

Complète les phrases suivantes avec les pronoms personnels qui conviennent.

Marina y ... vamos al cine.
Láva... las manos, Miguel.
Todos ... reúnen a las cinco.
... divertimos mucho jugando al trivial.

19 Les équivalents de « on »

- **on = se + verbe à la 3e personne** (pour exprimer un fait général)
  Ici, on parle espagnol. Aquí **se habla** español.
- **on = 3e personne du pluriel** (lorsque le sujet est très indéterminé)
  On dit qu'il était très amoureux. **Dicen** que estaba muy enamorado.
- **on = uno, una** (lorsque le « je » est sous-entendu)
  On se sent trahi. **Uno** se siente traicionado.
- **on = 1re personne du pluriel**
  On prend le train ? ¿**Cogemos** el tren?

Ejemplos

Dicen que es mejor no dejarlo todo para el último momento, pero **uno** hace lo que puede...
On dit qu'il vaut mieux ne pas remettre à plus tard, mais on fait ce qu'on peut...

EJERCICIO

Forme des phrases avec un équivalent de « on » et les mots suivants :
Alquilar (louer) / casa frente al mar
Decir / ya no hay crisis
Prohibir / fumar
Tener que comprometerse con el planeta

20 Les pronoms relatifs

A *Que* : qui, que, quoi

- **C'est le pronom le plus fréquent. Il désigne une personne, un objet ou un fait dont on a parlé.**
  El cantante **que** prefieres. *Le chanteur que tu préfères.*
  El disco **que** me gusta. *Le disque que j'aime.*
- **Après une préposition, il est précédé de l'article : *el que*, *la que*, *los que*, *las que*.**
  El concierto **del que** te hablé. *Le concert dont je t'ai parlé.*
- **Pour évoquer une période de temps : *en que*.**
  El día **en que** te conocí. *Le jour où je t'ai connu.*
- **Pour traduire « ce que, ce qui » on peut employer *lo que*.**
  Lo que a mí me gusta es la música. *Ce que j'aime c'est la musique.*

B *Quien, quienes* : qui

- **Il désigne une personne dont on a parlé.**
  ¿Sois vosotros **quienes** elegís? *C'est vous qui choisissez ?*

C *Cuyo, a, os, as* : dont

- **Il introduit un rapport de possession. Il est toujours suivi du nom auquel il se rapporte et auquel il s'accorde en genre et en nombre.**
  El grupo **cuyas** actuaciones son siempre un éxito... *Le groupe dont les concerts sont toujours un succès...*

D *Donde* : où

- Il désigne un lieu dont on a parlé.

  Ésa es la sala **donde** ensayan. *C'est la salle où ils répètent.*

Ejemplos

Ésta es la chica **de la que** te hablé. *C'est la fille dont je t'ai parlé.*
Las personas **cuyos** pasaportes estén caducados no podrán viajar. *Les personnes dont les passeports sont périmés ne pourront pas voyager.*

EJERCICIO

Complète le texte avec des relatifs.

Los navegantes ... lo acompañaban, ... nombres pasarían a la posteridad, empezaban a desconfiar de ... el almirante les decía.
Era él ... debía mostrar el rumbo.
Ni siquiera sabían exactamente el nombre del lugar ... se encontraba lo que buscaban.

IV. LE VERBE

- **Comme en français, la forme verbale est composée d'un radical et d'une terminaison :** ***habl-o, com-es.***
- **En espagnol, il existe 3 groupes de conjugaison selon la terminaison de l'infinitif :**

  -AR : hablar ***-ER*** : comer ***-IR*** : vivir

21 Le présent de l'indicatif *(presente de indicativo)*

Formation → voir 42 43

- **Comme en français, il indique que l'action est en train de se réaliser.**

  Leo y **corrijo** el ejercicio. *Je lis et je corrige l'exercice.*

EJERCICIO

Voici les activités extra-scolaires de Pablo. Décris son emploi du temps.

→ El lunes Pablo...

lunes	martes	miércoles	jueves	viernes	sábado	domingo
piscina	partido de fútbol	clase de guitarra	baloncesto	con amigos	una exposición	–
(ir)	(ver)	(tener)	(jugar)	(salir)	(visitar)	(descansar)

22 Le passé composé *(pretérito perfecto)*

→ voir 42 43

• **Le passé composé se forme avec l'auxiliaire *haber* au présent de l'indicatif + participe passé invariable :** he crecido *(j'ai grandi)*.

• **Il exprime une action achevée mais dont les conséquences sur le présent sont encore perceptibles.**

Este año **he engordado** un poco. *Cette année, j'ai un peu grossi.*

Attention Le participe passé ne s'accorde jamais lorsqu'il est employé avec l'auxiliaire *haber*.

Las lecciones que hemos estudiad**o**. *Les leçons que nous avons étudiées.*

En revanche, il s'accorde quand il est adjectif.

La directora está enfadad**a**. *La directrice est fâchée.*

• **Principaux participes passés irréguliers :**

abrir → **abierto** *(ouvert)*
decir → **dicho** *(dit)*
escribir → **escrito** *(écrit)*
descubrir → **descubierto** *(découvert)*
freír → **frito** *(frit)*
hacer → **hecho** *(fait)*
imprimir → **impreso** *(imprimé)*
morir → **muerto** *(mort)*
poner → **puesto** *(mis)*
resolver → **resuelto** *(résolu)*
romper → **roto** *(cassé)*
ver → **visto** *(vu)*
volver → **vuelto** *(revenu)*

EJERCICIO

Tu fais le bilan de l'année, et tu es plutôt content ! Dis pourquoi.

✓ sacar buenas notas → He sacado...
✓ ir a clases de salsa
✓ aprender a esquiar
✓ descubrir el teatro
✓ reñir poco con mi hermano
✓ escribir un diario

23 L'imparfait de l'indicatif *(imperfecto de indicativo)*

Formation → voir 42 43

• **Comme en français, l'imparfait est le temps du récit. Il évoque :**

– une action qui a duré :

En esa época muchas cosas **se hacían** a mano. *À cette époque, on faisait beaucoup de choses manuellement.*

– une action habituelle :

Todos los días **escribíamos** la fecha en la pizarra. *Tous les jours nous écrivions la date au tableau.*

– une action qui se déroulait en même temps qu'une autre :

Cuando llegó mi madre **estábamos** estudiando. *Quand ma mère est arrivée, nous étions en train de travailler.*

Avances tecnológicos

Explique comment les choses ont changé.

Hoy la mayoría de la gente usa el móvil. → Antes...

Hoy	Antes
usar un móvil	usar un cabina telefónica
lavar con lavavajillas	lavar a mano
ver películas en casa	ver películas sólamente en el cine
ir a América en avión	ir a América únicamente en barco
escribir con tratamiento de texto	escribir a mano o con máquina de escribir

24 Le passé simple (*pretérito indefinido*)

Formation → voir 42 43

- **Le passé simple permet d'évoquer des actions ponctuelles et achevées.**
  Ayer **me caí** de la bici. *Hier, je suis tombé de vélo.*
- **Il est d'un emploi plus fréquent en espagnol qu'en français ; il correspond souvent au passé composé français.**
  Estuve de vacaciones en Bogotá. *Je suis allé en vacances à Bogotá.*

EJERCICIO

Tu reviens d'un long week-end à Madrid. Raconte ce que tu as vu, ce que tu as visité, ce que tu as fait.

¡Pasé un fin de semana estupendo en Madrid! :

El viernes...

viernes	sábado	domingo
– Museo del Prado (visitar) – Compras en Sol (hacer)	– Plaza Mayor (estar) – La fuente de Cibeles (ver) – Cine en la Gran Vía (ir)	– Parque del Retiro (pasearse) – Chocolate con churros (merendar)

25 Le futur (*futuro*)

Formation → voir 42 43

- **Le futur exprime une action ou un événement à venir.**
  El año que viene **correré** el maratón de París. *L'année prochaine, je courrai le marathon de Paris.*
- **Il peut aussi évoquer une incertitude ou une hypothèse.**
  Serán *las tres y media. Il doit être trois heures et demie.*

EJERCICIO

Tu as plein de projets ! Décris-les.

✓ ayudar a mi madre en casa → El año próximo...
✓ hacer los deberes todos los días
✓ ir a la piscina los sábados
✓ apuntarme a un taller de teatro
✓ ahorrar para comprarme unos rollers
✓ inscribirme en una asociación caritativa

26 Le plus-que-parfait (*pluscuamperfecto*)

→ voir 42 43

• **Le plus-que-parfait se forme avec l'auxiliaire *haber* à l'imparfait de l'indicatif + participe passé invariable :** ella **había salido** *(elle était sortie)*

• **Comme en français, il exprime une action antérieure à un événement passé.**
Cuando llegué, ya **te habías ido**. *Quand je suis arrivée, tu étais déjà partie.*

EJERCICIO

Un vol a eu lieu chez toi. Raconte les faits à un ami.
Cuando la policía llegó, los ladrones ya se habían ido.
Habían...

romper una ventana | robar los cuadros | abrir la caja fuerte | llevarse el dinero

27 Le gérondif (*gerundio*)

Formation → voir 42 43

• **Le gérondif est toujours invariable. Comme en français, il joue généralement le rôle d'un complément de manière.**
Voy al instituto **andando**. *Je vais au lycée à pied.*

• ***estar* + gérondif : « être en train de »**
Estamos preparando una ensalada. *Nous sommes en train de préparer une salade.*

• ***seguir* + gérondif : exprime la continuité**
Sigo pensando que es la mejor. *Je continue à penser que c'est la meilleure.*

• ***acabar* + gérondif : « finir par »**
Acabaré aprobando las matemáticas. *Je finirai bien par réussir en mathématiques.*

• ***ir* + gérondif : « peu à peu »**
El estadio **se va llenando**. *Le stade se remplit peu à peu.*

Ejemplos

Aún **estoy dudando** un poco, pero **sigo pensando** que **acabaré inscribiéndome** en ese gimnasio. *J'hésite encore un peu, mais je pense que je finirai par m'inscrire à ce club de gym.*

EJERCICIO

Tu es journaliste sportif. Tu décris en direct l'ambiance du stade juste avant le match.

¡Buenas tardes, en directo desde el Santiago Bernabéu!

La gente...

28 L'emploi du subjonctif (*subjuntivo*)

Formation → voir 42 43

Avec le subjonctif, on exprime une action éventuelle, subjective, ou non réalisée.

Ⓐ Espagnol = français

- But : ***para que***

  Te lo explico **para que lo entiendas**. *Je te l'explique pour que tu comprennes.*

- Volonté, désir, crainte : ***querer que, desear que, temer que...***

  Quiero que vengas conmigo. *Je veux que tu viennes avec moi.*

- Point de vue, sentiment : ***es necesario que, me gusta que, prefiero que...***

  ¿**Prefieres que nos veamos** mañana? *Préfères-tu que nous nous voyions demain ?*

- Doute : ***dudo que, no creo que...***

  No creo que sea una buena idea. *Je ne crois pas que ce soit une bonne idée.*

- Souhait : ***espero que, ojalá...***

  Ojalá apruebe el examen. *Pourvu que je réussisse l'examen.*

- Restriction : ***sin que***

  Ha salido **sin que lo sepa** su padre. *Il est sorti sans que son père le sache.*

Ⓑ Espagnol ≠ français

- Pour exprimer la défense : ***no*** + verbe au subjonctif

  No pases tanto tiempo chateando. *Ne passe pas si longtemps à chatter.*

- Après « dire de », « demander de », « prier de », « interdire de »... : ***pedir que, decir que, mandar que, aconsejar que...***

  Te pido que me obedezcas. *Je te demande de m'obéir.*

- Pour exprimer un événement futur dans une subordonnée de :

  – temps : introduite par ***cuando, mientras, en cuanto...***

  Te lo confirmo **cuando me llames** por teléfono. *Je te le confirmerai quand tu me téléphoneras.*

  – manière : introduite par ***como...***

  Haz **como prefieras**. *Fais comme tu préfères.*

  – lieu : introduite par ***donde, en que...***

  Quedemos **donde quieras**. *Retrouvons-nous où tu voudras.*

- Pour exprimer une condition : ***si*** + verbe au subjonctif

  Si tuviera dinero, me compraría este ordenador. *Si j'avais de l'argent, je m'achèterais cet ordinateur.*

  Si lo hubiera sabido, habría venido. *Si je l'avais su, je serais venu.*

- Pour exprimer une éventualité

– « peut-être » → ***quizás, tal vez, acaso...***

Quizás venga mañana. *Il viendra peut-être demain.*

– « même si » → ***aunque***

Aunque te enfades, no salgo. *Même si tu te fâches, je ne sortirai pas.*

Ejemplos

Me han aconsejado que **descargue** la batería. *On m'a conseillé de décharger la batterie.*
Vamos al centro cuando tú **quieras**. *Nous irons dans le centre-ville quand tu voudras.*
Quizás **me equivoque**, pero creo que si **viviera** en Tarifa, me dedicaría al surf. *Je peux me tromper, mais je pense que si j'habitais à Tarifa, je me consacrerais au surf.*

EJERCICIO

Dis ce que ton père te demande dans les situations suivantes.

yo / volver a casa	él / ir de compras	yo / no saber qué hacer	él / no tener tiempo
decir → estudiar	pedir → acompañarle	aconsejar → leer	pedir → ayudarle

Cuando vuelvo a casa me dice...

29 Le conditionnel (*condicional*)

Formation → voir 42 43

- **Comme en français, il exprime une éventualité, une supposition.**

Te **ayudaría** si me lo pidieras. *Je t'aiderais si tu me le demandais.*

- **Outre sa valeur de conditionnel, il peut aussi indiquer une incertitude dans le passé.**

Serían las nueve cuando pasó el cartero. *Il devait être 9h quand le facteur est passé.*

EJERCICIO

¿Que ferais-tu dans cette éventualité ?

✓ Si pudiera pedir tres deseos...
✓ Si me fuera a una isla desierta...
✓ Si descubriera un secreto...

30 L'impératif *(imperativo)*

Formation → voir 42 43

A L'impératif positif

- **Il exprime un ordre.**

Ven a buscarme a las diez. *Viens me chercher à 10h.*

Attention L'enclise du pronom est obligatoire avec l'impératif positif.

Dímelo todo. *Dis-moi tout.*

→ voir 18 E

B L'impératif négatif

- **Il exprime une défense, une interdiction : négation + présent du subjonctif.**
  No vengas esta noche. *Ne viens pas ce soir.*

Attention Jamais d'enclise du pronom avec l'impératif négatif.
No **me lo digas**. *Ne me le dis pas. (= Je ne veux pas le savoir.)*
→ voir 18 E

Ejemplos

Si no quieres derrochar agua **no te bañes, dúchate**. *Si tu ne veux pas gaspiller de l'eau, ne prends pas de bain, prends une douche.*

EJERCICIO

Crée des slogans pour la campagne d'une ONG.
Ex.: *¡Hazte voluntario!*

Hacerse	de qué eres capaz
Implicarse	pasar la ocasión
No dejar	indiferente
Mostrar	voluntario
No ser	en la vida asociativa

31 Ser et estar

Conjugaisons → voir 43

• Devant un nom, pronom, nombre, infinitif • Devant les tournures indiquant l'origine, l'appartenance, la matière	toujours ***SER***	Mi padre **es veterinario**. ¿Éste de la foto **eres tú**? Las carabelas **eran tres**. Lo difícil **es ganar**. La paella **es de Valencia**. ¿**Es tuyo** ese videojuego? Mis zapatos **son de piel**.
• Devant un complément de lieu ou de temps • Devant un gérondif	toujours ***ESTAR***	La Giralda **está en** Sevilla. **Estamos en** abril. **¿Están comiendo**?
• Devant un participe passé	***SER*** = passif ***ESTAR*** = résultat d'une action	La comida **es preparada por** el cocinero. La comida **está servida**.
• Devant un adjectif	***SER*** = caractéristique essentielle ***ESTAR*** = état, même durable, lié aux circonstances	Inés **es** encantadora. Mi habitación **está** desordenada.

- **Le sens d'un adjectif peut être modifié selon le verbe employé :**

Ser bueno. *Être bon, gentil.* ≠ Estar bueno. *Être en bonne santé.*
Ser malo. *Être méchant.* ≠ Estar malo. *Être malade.*
Ser listo. *Être intelligent.* ≠ Estar listo. *Être prêt.*
Ser rico. *Être riche.* ≠ Estar rico. *Être délicieux.*

EJERCICIO

Álvaro est ton nouveau camarade espagnol, présente-le.

→ Álvaro es..., está...

alto • alegre • en Francia desde hace tres meses • en 1er curso • rubio • contento de vivir en el extranjero • inteligente • aprendiendo francés

32 La concordance des temps

Temps de la proposition principale	Temps de la proposition subordonnée
Présent Futur présent Passé composé Impératif	→ Présent du subjonctif
Imparfait Passé simple Plus-que-parfait Conditionnel	→ Imparfait du subjonctif ou plus-que-parfait du subjonctif

Te **mandaré** un sms para que te **acuerdes**. *Je t'enverrai un sms pour que tu t'en souviennes.*
futur *prés. du subj.*

Te **dejé** un mensaje para que me **contestaras**. *Je t'ai laissé un message pour que tu me répondes.*
passé simple *imp. du subj.*

Ejemplos

Siéntate correctamente para que no **te duela** la espalda. *Assieds-toi correctement si tu ne veux pas avoir mal au dos.*

¿**Me regalarías** esa camiseta si **fuera** mi cumpleaños? *Tu m'offrirais ce T-shirt si c'était mon anniversaire ?*

Hubiéramos ido a la piscina si no **hubiera sido** tan tarde. *Nous serions allés à la piscine s'il n'avait pas été si tard.*

EJERCICIO

Transforme les phrases suivantes en respectant la concordance des temps.

Me gusta que me cuenten historias.

→ Cuando era niño, ...

Ayer me pidió que lo ayudara.

→ Esta mañana me ...

→ Mañana me ...

V. LA PHRASE

33 Les conjonctions

• **Les différents mots qui composent la phrase peuvent être reliés entre eux par des conjonctions de coordination ou de subordination.**

Conjonctions de coordination		
y	et	Hoy tengo clase de historia **y** de francés. *Aujourd'hui j'ai cours d'histoire et de français.*
ni	ni	No quiero queso **ni** postre. *Je ne veux pas de fromage ni de dessert.*
o	ou	¿Te espero **o** me voy? *Je t'attends ou je m'en vais ?*
pero	mais	El profesor es simpático **pero** exigente. *Le professeur est sympa mais exigeant.*
sino	mais	Alberto no es colombiano **sino** venezolano. *Alberto n'est pas colombien mais vénézuélien.*
Conjonctions de subordination		
porque	parce que	No salgo **porque** está lloviendo. *Je ne sors pas parce qu'il pleut.*
ya que	puisque, du moment que	Hoy no puedo ir a clase **ya que** estoy enfermo. *Aujourd'hui, je ne peux pas aller en cours puisque je suis malade.*
como	comme	**Como** llegué tarde, no me esperaron. *Comme je suis arrivé en retard, ils ne m'ont pas attendu.*
si	si	**Si** tú lo dices, será verdad. *Si tu le dis, ça doit être vrai.*
para que	pour que	Grita **para que** lo oigan. *Il crie pour qu'on l'entende.*
aunque + ind. + subj.	 bien que (+ subj.) même si (+ ind.)	 Te acompaño al parque **aunque** no me **apetece**. *Je t'accompagne au parc, bien que je n'en aie pas envie.* **Aunque** me lo **pida**, no lo haré. *Même s'il me le demande, je ne le ferai pas.*

Attention ***o*** → ***u*** devant un nom commençant par ***o-*** :
Elige uno **u** otro. *Choisis l'un ou l'autre.*

y → ***e*** devant un nom commençant par ***i-*** ou ***hi-*** :
Me pongo estas botas en otoño **e** invierno. *Je mets ces bottes en automne et en hiver.*

34 Les prépositions

Les différents mots qui composent la phrase peuvent être introduits par des prépositions.

A *a*

• **Indique la direction ou la situation dans l'espace :**
Voy **al** instituto. *Je vais au lycée.*
Está **a** la salida del metro **a** la izquierda. *Il se trouve à la sortie du métro à gauche.*

• **Indique le temps ou l'espace où un événement a lieu :**

Te espero **a** la salida del cine **a** las tres. *Je t'attends à la sortie du cinéma à trois heures.*

- **Indique la manière :**
  ¿Este objeto está hecho **a** mano o **a** máquina? *Cet objet a été fait à la main ou à la machine ?*
- **Introduit un COD de personne ou un COI :**
  Esta tarde veo **a** mi hermano. *Ce soir, je vois mon frère.*
  Le he comprado un regalo **a** mi abuela. *J'ai acheté un cadeau pour ma grand-mère.*

B *de*

- **Indique la propriété ou l'appartenance :**
  Ha venido en el coche **de** su padre. *Il est venu dans la voiture de son père.*
- **Indique l'origine :**
  Mi amiga **es** de Granada. *Mon amie est de Grenade.*
- **Indique la matière :**
  ¿Te gustan las cazadoras **de** cuero? *Est-ce que tu aimes les blousons en cuir ?*
- **Indique une caractéristique de quelque chose ou de quelqu'un :**
  Es un hombre **de** estatura media. *C'est un homme de taille moyenne.*

Attention On n'emploie pas la préposition ***de*** après certains adjectifs et certains verbes.
He intentado **Ø** aprender esta regla. *J'ai essayé d'apprendre cette règle.*
Es difícil **Ø** olvidarla. *C'est difficile de l'oublier.*
Es fácil **Ø** hablar español. *C'est facile de parler espagnol.*
Es imposible **Ø** decir lo contrario. *Il est impossible de dire le contraire.*

C *desde*

- **Indique le point de départ dans le temps ou dans l'espace :**
  No he visto a Carlos **desde** el mes pasado. *Je n'ai pas vu Carlos depuis le mois dernier.*
  Desde mi casa al instituto hay 200 metros. *Entre chez moi et le lycée il y a 200 mètres.*

D *en*

- **Indique la situation dans l'espace ou dans le temps :**
  En primavera hay flores **en** los jardines del instituto. *Au printemps, il y a des fleurs dans les jardins du lycée.*
- **Indique le moyen :**
  Voy a ir a Barcelona **en** avión. *J'irai à Barcelone en avion.*

E *hasta*

- **Indique la limite dans le temps ou dans l'espace :**
  Tengo clase **hasta** las cinco. *J'ai cours jusqu'à cinq heures.*

F *para*

- **Indique le but :**
  ¿**Para** qué lo necesitas? *Pourquoi en as-tu besoin ?*
- **Indique le point de vue :**
  Para mí lo importante es participar. *Pour moi, l'important c'est de participer.*
- **Indique le délai :**
  Estará preparado **para** el jueves. *Ce sera prêt pour jeudi.*
- **Indique le destinataire :**

He reservado una plaza **para** ti. *J'ai réservé une place pour toi.*

G *por*

- **Indique la cause :**
  No ha estudiado **por** pereza. *Il n'a pas étudié par paresse.*
- **Indique le lieu par où l'on passe :**
  El tren pasa **por** mi pueblo. *Le train passe par ma ville.*
- **Indique la manière, le moyen, l'instrument :**
  Están hablando **por** teléfono. *Ils sont en train de parler au téléphone.*
- **Indique l'échange :**
  Hemos comprado una televisión **por** 300 euros. *Nous avons acheté un téléviseur pour 300 euros.*
- **Introduit un complément d'agent :**
  Ha sido seleccionado **por** el Real Madrid. *Il a été sélectionné par le Real Madrid.*

H *con*

- **Indique l'accompagnement :**
  Voy **con** mi madre a hacer las compras. *Je vais faire les courses avec ma mère.*
- **Indique le moyen ou la manière de faire quelque chose :**
  En Japón comen **con** palillos. *Au Japon, on mange avec des baguettes.*

EJERCICIO

Complète ce récit avec les prépositions qui conviennent.

El verano pasado fui ... vacaciones ... México ... mis padres. Evidentemente, hicimos el viaje ... avión y estuvimos allí ... el 15 ... julio ... el 10 ... agosto. ... ir a Cancún hicimos escala en México DF. ... la vuelta pasamos ... Veracruz, donde conocí ... una chica ... Monterrey ... quien me entendí muy bien. La vida allí no está muy cara. ... que te hagas una idea: me compré estos pantalones ... 12 euros.

35 Les adverbes

Le sens de certains mots peut être modifié par l'ajout d'un adverbe.

A Adverbes de lieu

- **Aquí, acá : indiquent ce qui est proche de la personne qui parle :**
  Aquí vive mi amigo Luis. *Mon ami Luis habite ici.*
- **Ahí : indique ce qui est à moyenne distance de la personne qui parle :**
  Desde **ahí** veremos mejor. *Depuis là-bas, nous verrons mieux.*
- **Allí, allá : indiquent ce qui est loin de la personne qui parle :**
  Compraré las entradas y te esperaré **allí**. *J'achèterai les entrées et je t'attendrai là-bas.*

B Adverbes de temps

- **Ya**

– ***ya*** → adverbe de temps en français

Ya he visto esa película. *J'ai déjà vu ce film.* **Ya** veremos. *Nous verrons plus tard.*

– ***ya*** → bien (nuance de renforcement)

Ya lo sé. *Je le sais bien.*

- **Todavía, aún (encore)**
  ¿**Todavía** no has hecho los deberes? *Tu n'as pas encore fait tes devoirs ?*
  No, **aún** no he tenido tiempo. *Non, je n'ai pas encore eu le temps.*
- **Nunca (jamais)** → voir 38
  Nunca la he visto. *Je ne l'ai jamais vue.*
- **Siempre (toujours)**
  Siempre llega tarde. *Il arrive toujours en retard.*

Ⓒ Adverbes de manière

• **Adjectifs qualificatifs et participes passés au féminin + -mente**

limpio → limpia → limpiamente *abrir → abierto → abiertamente*

Attention Si l'adjectif est invariable en genre :
libre → libremente; fácil → fácilmente

Ⓓ Adverbes de quantité

• **Poco** (peu), **mucho** (beaucoup), **bastante** (assez), **demasiado** (trop).
Ils sont invariables.

Este año ha nevado **mucho**. *Cette année, il a beaucoup neigé.*

36 Les comparatifs

supériorité	+	**más ... que**	plus ... que	Los españoles están **más** acostumbrados al calor **que** los franceses. *Les Espagnols ont plus l'habitude de la chaleur que les Français.*
égalité	=	**tan ... como**	aussi ... que	Soy **tan** alta **como** mi madre. *Je suis aussi grande que ma mère.*
infériorité	–	**menos ... que**	moins ... que	La clase de hoy me ha parecido **menos** interesante **que** la de ayer. *Le cours d'aujourd'hui m'a semblé moins intéressant que celui d'hier.*

• **Comparatifs à forme propre :**

bueno *(bon)* → **mejor** *(meilleur)*
grande *(grand)* → **mayor** *(majeur, plus grand)*
malo *(mauvais)* → **peor** *(pire)*
pequeño *(petit)* → **menor** *(mineur, plus petit)*

En mi equipo hay **mejores** jugadores **que** en el tuyo. *Dans mon équipe il y a de meilleurs joueurs que dans la tienne.*

37 Les superlatifs

	Superlatifs relatifs			
supériorité	+	**el/la/los/las ... más**	le/la/les plus	Es **el** carburante **más** ecológico. *C'est le carburant le plus écologique.*
infériorité	–	**el/la/los/las ... menos**	le/la/les moins	Es **la** energía **menos** utilizada. *C'est l'énergie la moins utilisée.*

Attention contrairement au français, on ne répète pas l'article.

¿Es éste **el** móvil **Ø** más barato? *Est-ce que c'est le portable le moins cher ?*

Superlatifs absolus		
muy + adj.	très + adj.	El agua está **muy** limpia. *L'eau est très propre.*
adj. + -ísimo(a)	très + adj. / adj. + -issime	El agua está **limpísima**. *L'eau est très propre.*

EJERCICIO

Complète le tableau.

Es una chica muy guapa.	Es una chica guapísima.	Es la chica más guapa de la clase.
	Son unos vaqueros carísimos.	______________ de la tienda.
		Es la alumna más rica del colegio.
Es un compañero de clase muy pesado.		______________ que conozco.
	Es una película buenísima.	_________ que he visto este año.

38 La phrase négative

Dans une phrase négative en espagnol, un mot négatif doit toujours précéder le verbe.

- **No (non, ne... pas), ni (ni)**

  No conozco a su padre **ni** a su madre. *Je ne connais ni son père ni sa mère.*

- **Nada (rien), nadie (personne), ninguno (aucun), nunca (jamais), tampoco (non plus)**

Deux constructions possibles :

– ***No*** + verbe + mot négatif

¿**No** me ha llamado **nadie**? *Personne ne m'a appelé ?*

– Mot négatif + verbe

¿Nadie me ha llamado? *Personne ne m'a appelé ?*

39 La phrase interrogative

- **La phrase interrogative est encadrée à l'écrit par un point d'interrogation à l'envers au début et un autre à l'endroit à la fin :** ¿Cómo te llamas?

- **Elle est marquée à l'oral par l'intonation de la voix.** → voir 4

- **Les mots interrogatifs portent toujours un accent écrit pour les différencier des pronoms relatifs :**

qué (que), por qué/para qué (pourquoi), quién/quiénes (qui), dónde (où), cuándo (quand), cómo (comment), cuál/cuáles (quel/quelle/quels/quelles), cuánto, -a, os, -as (combien)

¿Dónde estuviste ayer**?** *Où étais-tu hier ?*

- **Dans les interrogatives indirectes, il n'y a pas de points d'interrogation mais le mot interrogatif conserve l'accent écrit :**

Le pregunta **dónde** vive. *Il lui demande où il habite.*

40 La phrase exclamative

- **La phrase exclamative est encadrée à l'écrit par un point d'exclamation à l'envers au début et un autre à l'endroit à la fin :** ¡Qué alegría verte! *Quel plaisir de te revoir !*

- **Elle est marquée à l'oral par l'intonation de la voix.**

- **Elle est introduite par des mots exclamatifs : qué (que/comme), cómo (comme), cuánto (combien), vaya (quel/quelle)...**

¡Vaya contaminación**!** *Quelle pollution !*

• Dans les exclamatives indirectes, il n'y a pas de points d'exclamation mais le mot exclamatif conserve l'accent écrit :

Me dijo **cuánto** me echa de menos. *Il m'a dit combien je lui manquais.*

41 Quelques constructions à retenir

A La traduction de « c'est... que / qui »

• **Ser + sujet + quien / quienes / el que / la que / los que / las que**

C'est Picasso qui a peint Guernica. **Fue** Picasso **quien** pintó el Guernica.

Ce sont elles qui ont gagné. **Son** ellas **las que** han ganado.

Attention Cette construction est beaucoup moins utilisée en espagnol qu'en français.

B La traduction de « il y a »

• Pour présenter, localiser, énumérer : **hay**

Aujourd'hui, il y a du poisson. Hoy **hay** pescado.

• Pour évoquer le temps : **hace**

Il y a une semaine que je l'ai vu. Lo he visto **hace** una semana.

C La traduction de « il faut »

• Obligation personnelle : **tener que, deber**

Il faut que tu te décides. **Tienes que** decidirte.

• Obligation impersonnelle : **hay que, es necesario, hace falta**

Il faut faire du sport. **Es necesario** hacer deporte.

D La traduction de « devenir »

• Changement passager : **ponerse** + adjectif

Il est devenu écarlate. **Se ha puesto** colorado.

• Changement progressif : **hacerse** + adjectif

Elle est devenue adulte. **Se ha hecho** adulta.

• Changement radical, plus ou moins durable : **volverse** + adjectif

Il est devenu fou. **Se ha vuelto** loco.

• Changement essentiel : **convertirse en** + nom

Le têtard est devenu grenouille. El renacuajo **se ha convertido en** rana.

E *Soler* + infinitif

• Cette construction est utilisée pour exprimer l'habitude.

Mis abuelos **suelen venir** los domingos. *Mes grands-parents ont l'habitude de venir le dimanche.*

F *Al* + infinitif

• Cette construction est utilisée pour indiquer que deux actions sont simultanées.

Al llegar al aparcamiento vi que su coche había desaparecido. *En arrivant au parking j'ai vu que sa voiture avait disparu.*

Ejemplos

Hoy **hay** sol, **hace** un tiempo estupendo. **Se hará** de noche a las nueve. *Aujourd'hui il y a du soleil, il fait un temps magnifique. Il fera nuit à 9 heures.*

Se puede ir en autobús, no **hace falta** coger el coche. *Nous pouvons y aller en bus, ce n'est pas nécessaire de prendre la voiture.*

Al llegar a casa por las tardes, **suelo ver** la televisión. *En rentrant chez moi le soir, j'ai l'habitude de regarder la télévision.*

Cuando le llevan la contraria, **se pone** furioso. *Quand on le contredit, il devient furieux.*

VI. TABLEAUX DE CONJUGAISON

42 Verbes réguliers

	Infinitif Gérondif Participe passé	Présent de l'indicatif	Impératif	Présent du subjonctif	Imparfait de l'indicatif	Passé simple	Imparfait du subjonctif	Futur de l'indicatif	Conditionnel
• Verbes en -AR	**cantar** *(chanter)* cantando cantado	canto cantas canta cantamos cantáis cantan	canta cante cantemos cantad canten	cante cantes cante cantemos cantéis canten	cantaba cantabas cantaba cantábamos cantabais cantaban	canté cantaste cantó cantamos cantasteis cantaron	cantara (-se) cantaras cantara cantáramos cantarais cantaran	cantaré cantarás cantará cantaremos cantaréis cantarán	cantaría cantarías cantaría cantaríamos cantaríais cantarían
• Verbes en -ER	**comer** *(manger)* comiendo comido	como comes come comemos coméis comen	come coma comamos comed coman	coma comas coma comamos comáis coman	comía comías comía comíamos comíais comían	comí comiste comió comimos comisteis comieron	comiera (-se) comieras comiera comiéramos comierais comieran	comeré comerás comerá comeremos comeréis comerán	comería comerías comería comeríamos comeríais comerían
• Verbes en -IR	**subir** *(monter)* subiendo subido	subo subes sube subimos subís suben	sube suba subamos subid suban	suba subas suba subamos subáis suban	subía subías subía subíamos subíais subían	subí subiste subió subimos subisteis subieron	subiera (-se) subieras subiera subiéramos subierais subieran	subiré subirás subirá subiremos subiréis subirán	subiría subirías subiría subiríamos subiríais subirían

FORMATION

• Infinitif
3 groupes : Verbes en *-AR*, en *-ER* et en *-IR*

• Participe passé
-AR : radical + *-ado*
-ER et *-IR* : radical + *-ido*

• Gérondif
-AR : radical + *-ando*
-ER et *-IR* : radical + *-iendo*

• Présent de l'indicatif
-AR : radical + *-o*, *-as*, *-a*, *-amos*, *-áis*, *an*
-ER : radical + *-o*, *-es*, *-e*, *-emos*, *-éis*, *-en*
-IR : radical + *-o*, *-es*, *-e*, *-imos*, *-ís*, *-en*

• Impératif
Deux personnes spécifiques : la 2e du singulier et la 2e du pluriel.
Les autres personnes sont issues du subjonctif présent.

• Présent du subjonctif
Les verbes en *-AR* ont un *-e* à toutes les personnes.
Les verbes en *-ER* et en *-IR* ont un *-a* à toutes les personnes.

• Imparfait de l'indicatif
-AR : radical + *-aba*, *-abas*, *-aba*, *-ábamos*, *-abais*, *-aban*
-ER et *-IR* : radical + *-ía*, *-ías*, *-ía*, *-íamos*, *-íais*, *-ían*
NB : Il y a seulement 3 imparfaits irréguliers : ceux de ***ser***, ***ir*** et ***estar***. (→ voir tableaux p. 216-217)

• Passé simple
-AR : radical + *-é*, *-aste*, *-ó*, *-amos*, *-asteis*, *-aron*
-ER et *-IR* : radical + *-í*, *-iste*, *-ió*, *-imos*, *-isteis*, *-ieron*

• Imparfait du subjonctif
Il est formé sur la 3e personne du pluriel du passé simple. On remplace *-ron* par *-ra* ou par *-se*.

• Futur
Infinitif + *-é*, *-as*, *-a*, *-emos*, *-éis*, *-án*

• Conditionnel
Infinitif + *-ía*, *-ías*, *-ía*, *-íamos*, *-íais*, *-ían*

• Temps composés
Ils sont tous formés avec l'auxiliaire ***haber*** conjugué + participe passé invariable.

• Voix passive
Verbe ***ser*** conjugué + participe passé qui s'accorde.

43 Principaux verbes irréguliers

Infinitif Gérondif Participe passé	Présent de l'indicatif	Impératif	Présent du subjonctif	Imparfait de l'indicatif	Passé simple	Imparfait du subjonctif	Futur de l'indicatif	Conditionnel
andar *(marcher)* andando andado	ando andas anda andamos andáis andan	 anda ande andemos andad anden	ande andes ande andemos andéis anden	andaba andabas andaba andábamos andabais andaban	anduve anduviste anduvo anduvimos anduvisteis anduvieron	anduviera (-se) anduvieras anduviera anduviéramos anduviérais anduvieran	andaré andarás andará andaremos andaréis andarán	andaría andarías andaría andaríamos andaríais andarían
caer *(tomber)* cayendo caído	caigo caes cae caemos caéis caen	 cae caiga caigamos caed caigan	caiga caigas caiga caigamos caigáis caigan	caía caías caía caíamos caíais caían	caí caíste cayó caímos caísteis cayeron	cayera (-se) cayeras cayera cayéramos cayerais cayeran	caeré caerás caerá caeremos caeréis caerán	caería caerías caería caeríamos caeríais caerían
dar *(donner)* dando dado	doy das da damos dais dan	 da dé demos dad den	dé des dé demos déis den	daba dabas daba dábamos dabais daban	di diste dio dimos disteis dieron	diera (-se) dieras diera diéramos dierais dieran	daré darás dará daremos daréis darán	daría darías daría daríamos daríais darían
decir *(dire)* diciendo dicho	digo dices dice decimos decís dicen	 di diga digamos decid digan	diga digas diga digamos digáis digan	decía decías decía decíamos decíais decían	dije dijiste dijo dijimos dijisteis dijeron	dijera (-se) dijeras dijera dijéramos dijerais dijeran	diré dirás dirá diremos diréis dirán	diría dirías diría diríamos diríais dirían
estar *(être)* estando estado	estoy estás está estamos estáis están	 está esté estemos estad estén	esté estés esté estemos estéis estén	estaba estabas estaba estábamos estabais estaban	estuve estuviste estuvo estuvimos estuvisteis estuvieron	estuviera (-se) estuvieras estuviera estuviéramos estuvierais estuvieran	estaré estarás estará estaremos estaréis estarán	estaría estarías estaría estaríamos estaríais estarían
haber *(avoir)* habiendo habido	he has ha (hay) hemos habéis han	 he haya hayamos habed hayan	haya hayas haya hayamos hayáis hayan	había habías había habíamos habíais habían	hube hubiste hubo hubimos hubisteis hubieron	hubiera (-se) hubieras hubiera hubiéramos hubierais hubieran	habré habrás habrá habremos habréis habrán	habría habrías habría habríamos habríais habrían
hacer *(faire)* haciendo hecho	hago haces hace hacemos hacéis hacen	 haz haga hagamos haced hagan	haga hagas haga hagamos hagáis hagan	hacía hacías hacía hacíamos hacíais hacían	hice hiciste hizo hicimos hicisteis hicieron	hiciera (-se) hicieras hiciera hiciéramos hicierais hicieran	haré harás hará haremos haréis harán	haría harías haría haríamos haríais harían
ir *(aller)* yendo ido	voy vas va vamos vais van	 ve vaya vayamos id vayan	vaya vayas vaya vayamos vayáis vayan	iba ibas iba íbamos ibais iban	fui fuiste fue fuimos fuisteis fueron	fuera (-se) fueras fuera fuéramos fuerais fueran	iré irás irá iremos iréis irán	iría irías iría iríamos iríais irían
oír *(entendre)* oyendo oído	oigo oyes oye oímos oís oyen	 oye oiga oigamos oíd oigan	oiga oigas oiga oigamos oigáis oigan	oía oías oía oíamos oíais oían	oí oíste oyó oímos oísteis oyeron	oyera (-se) oyeras oyera oyéramos oyerais oyeran	oiré oirás oirá oiremos oiréis oirán	oiría oirías oiría oiríamos oiríais oirían

Infinitif Gérondif Participe passé	Présent de l'indicatif	Impératif	Présent du subjonctif	Imparfait de l'indicatif	Passé simple	Imparfait du subjonctif	Futur de l'indicatif	Conditionnel
poder	puedo		pueda	podía	pude	pudiera (-se)	podré	podría
(pouvoir)	puedes	puede	puedas	podías	pudiste	pudieras	podrás	podrías
pudiendo	puede	pueda	pueda	podía	pudo	pudiera	podrá	podría
podido	podemos	podamos	podamos	podíamos	pudimos	pudiéramos	podremos	podríamos
	podéis	poded	podáis	podíais	pudisteis	pudierais	podréis	podríais
	pueden	puedan	puedan	podían	pudieron	pudieran	podrán	podrían
poner	pongo		ponga	ponía	puse	pusiera (-se)	pondré	pondría
(mettre)	pones	pon	pongas	ponías	pusiste	pusieras	pondrás	pondrías
poniendo	pone	ponga	ponga	ponía	puso	pusiera	pondrá	pondría
puesto	ponemos	pongamos	pongamos	poníamos	pusimos	pusiéramos	pondremos	pondríamos
	ponéis	poned	pongáis	poníais	pusisteis	pusierais	pondréis	pondríais
	ponen	pongan	pongan	ponían	pusieron	pusieran	pondrán	pondrían
querer	quiero		quiera	quería	quise	quisiera (-se)	querré	querría
(aimer,	quieres	quiere	quieras	querías	quisiste	quisieras	querrás	querrías
vouloir)	quiere	quiera	quiera	quería	quiso	quisiera	querrá	querría
queriendo	queremos	queramos	queramos	queríamos	quisimos	quisiéramos	querremos	querríamos
querido	queréis	quered	queráis	queríais	quisisteis	quisierais	querréis	querríais
	quieren	quieran	quieran	querían	quisieron	quisieran	querrán	querrían
saber	sé		sepa	sabía	supe	supiera (-se)	sabré	sabría
(savoir)	sabes	sabe	sepas	sabías	supiste	supieras	sabrás	sabrías
sabiendo	sabe	sepa	sepa	sabía	supo	supiera	sabrá	sabría
sabido	sabemos	sepamos	sepamos	sabíamos	supimos	supiéramos	sabremos	sabríamos
	sabéis	sabed	sepáis	sabíais	supisteis	supierais	sabréis	sabríais
	saben	sepan	sepan	sabían	supieron	supieran	sabrán	sabrían
salir	salgo		salga	salía	salí	saliera (-se)	saldré	saldría
(sortir)	sales	sal	salgas	salías	saliste	salieras	saldrás	saldrías
saliendo	sale	salga	salga	salía	salió	saliera	saldrá	saldría
salido	salimos	salgamos	salgamos	salíamos	salimos	saliéramos	saldremos	saldríamos
	salís	salid	salgáis	salíais	salisteis	salierais	saldréis	saldríais
	salen	salgan	salgan	salían	salieron	salieran	saldrán	saldrían
ser	soy		sea	era	fui	fuera (-se)	seré	sería
(être)	eres	sé	seas	eras	fuiste	fueras	serás	serías
siendo	es	sea	sea	era	fue	fuera	será	sería
sido	somos	seamos	seamos	éramos	fuimos	fuéramos	seremos	seríamos
	sois	sed	seáis	erais	fuisteis	fuerais	seréis	seríais
	son	sean	sean	eran	fueron	fueran	serán	serían
tener	tengo		tenga	tenía	tuve	tuviera (-se)	tendré	tendría
(avoir)	tienes	ten	tengas	tenías	tuviste	tuvieras	tendrás	tendrías
teniendo	tiene	tenga	tenga	tenía	tuvo	tuviera	tendrá	tendría
tenido	tenemos	tengamos	tengamos	teníamos	tuvimos	tuviéramos	tendremos	tendríamos
	tenéis	tened	tengáis	teníais	tuvisteis	tuvierais	tendréis	tendríais
	tienen	tengan	tengan	tenían	tuvieron	tuvieran	tendrán	tendrían
traer	traigo		traiga	traía	traje	trajera (-se)	traeré	traería
(apporter)	traes	trae	traigas	traías	trajiste	trajeras	traerás	traerías
trayendo	trae	traiga	traiga	traía	trajo	trajera	traerá	traería
traído	traemos	traigamos	traigamos	traíamos	trajimos	trajéramos	traeremos	traeríamos
	traéis	traed	traigáis	traíais	trajisteis	trajerais	traeréis	traeríais
	traen	traigan	traigan	traían	trajeron	trajeran	traerán	traerían
venir	vengo		venga	venía	vine	viniera (-se)	vendré	vendría
(venir)	vienes	ven	vengas	venías	viniste	vinieras	vendrás	vendrías
viniendo	viene	venga	venga	venía	vino	viniera	vendrá	vendría
venido	venimos	vengamos	vengamos	veníamos	vinimos	viniéramos	vendremos	vendríamos
	venís	venid	vengáis	veníais	vinisteis	vinierais	vendréis	vendríais
	vienen	vengan	vengan	venían	vinieron	vinieran	vendrán	vendrían
ver	veo		vea	veía	vi	viera (-se)	veré	vería
(voir)	ves	ve	veas	veías	viste	vieras	verás	verías
viendo	ve	vea	vea	veía	vio	viera	verá	vería
visto	vemos	veamos	veamos	veíamos	vimos	viéramos	veremos	veríamos
	veis	ved	veáis	veíais	visteis	vierais	veréis	veríais
	ven	vean	vean	veían	vieron	vieran	verán	verían

Infinitif Gérondif Participe passé	Présent de l'indicatif	Impératif	Présent du subjonctif	Imparfait de l'indicatif	Passé simple	Imparfait du subjonctif	Futur de l'indicatif	Conditionnel
Verbes à diphtongue								
e → ie	pierdo		pierda	perdía	perdí	perdiera (-se)	perderé	perdería
perder	pierdes	pierde	pierdas	perdías	perdiste	perdieras	perderás	perderías
(perdre)	pierde	pierda	pierda	perdía	perdió	perdiera	perderá	perdería
perdiendo	perdemos	perdamos	perdamos	perdíamos	perdimos	perdiéramos	perderemos	perderíamos
perdido	perdéis	perded	perdáis	perdíais	perdisteis	perdierais	perderéis	perderíais
	pierden	pierdan	pierdan	perdían	perdieron	perdieran	perderán	perderían
o/u → ue	cuento		cuente	contaba	conté	contara (-se)	contaré	contaría
contar	cuentas	cuenta	cuentes	contabas	contaste	contaras	contarás	contarías
(compter)	cuenta	cuente	cuente	contaba	contó	contara	contará	contaría
contando	contamos	contemos	contemos	contábamos	contamos	contáramos	conteremos	contaríamos
contado	contáis	contad	contéis	contabais	contasteis	contarais	contaréis	contaríais
	cuentan	cuenten	cuenten	contaban	contaron	contaran	contarán	contarían
Verbes à affaiblissement								
e → i	pido		pida	pedía	pedí	pidiera (-se)	pediré	pediría
pedir	pides	pide	pidas	pedías	pediste	pidieras	pedirás	pedirías
(demander)	pide	pida	pida	pedía	pidió	pidiera	pedirá	pediría
pidiendo	pedimos	pidamos	pidamos	pedíamos	pedimos	pidiéramos	pediremos	pediríamos
pedido	pedís	pedid	pidáis	pedíais	pedisteis	pidierais	pediréis	pediríais
	piden	pidan	pidan	pedían	pidieron	pidieran	pedirán	pedirían
Verbes à alternance								
e → *ie/i*	siento		sienta	sentía	sentí	sintiera (-se)	sentiré	sentiría
sentir	sientes	siente	sientas	sentías	sentiste	sintieras	sentirás	sentirías
(sentir)	siente	sienta	sienta	sentía	sintió	sintiera	sentirá	sentiría
sintiendo	sentimos	sintamos	sintamos	sentíamos	sentimos	sintiéramos	sentiremos	sentiríamos
sentido	sentís	sentid	sintáis	sentíais	sentisteis	sintierais	sentiréis	sentiríais
	sienten	sientan	sientan	sentían	sintieron	sintieran	sentirán	sentirían
o → *ue/u*	duermo		duerma	dormía	dormí	durmiera (-se)	dormiré	dormiría
dormir	duermes	duerme	duermas	dormías	dormiste	durmieras	dormirás	dormirías
(dormir)	duerme	duerma	duerma	dormía	durmió	durmiera	dormirá	dormiría
durmiendo	dormimos	durmamos	durmamos	dormíamos	dormimos	durmiéramos	dormiremos	dormiríamos
dormido	dormís	dormid	durmáis	dormíais	dormisteis	durmierais	dormiréis	dormiríais
	duermen	duerman	duerman	dormían	durmieron	durmieran	dormirán	dormirían
Verbes en *-acer, -ecer, -ocer, -ucir*								
c → cz	conozco		conozca	conocía	conocí	conociera (-se)	conoceré	conocería
conocer	conoces	conoce	conozcas	conocías	conociste	conocieras	conocerás	conocerías
(connaître)	conoce	conozca	conozca	conocía	conoció	conociera	conocerá	conocería
conociendo	conocemos	conozcamos	conozcamos	conocíamos	conocimos	conociéramos	conoceremos	conoceríamos
conocido	conocéis	conoced	conozcáis	conocíais	conocisteis	conocierais	conoceréis	conoceríais
	conocen	conozcan	conozcan	conocían	conocieron	conocieran	conocerán	conocerían
Verbes en *-ducir*								
c → cz	conduzco		conduzca	conducía	conduje	condujera (-se)	conduciré	conduciría
c → j	conduces	conduce	conduzcas	conducías	condujiste	condujeras	conducirás	conducirías
conducir	conduce	conduzca	conduzca	conducía	condujo	condujera	conducirá	conduciría
(conduire)	conducimos	conduzcamos	conduzcamos	conducíamos	condujimos	condujéramos	conduciremos	conduciríamos
conduciendo	conducís	conducid	conduzcáis	conducíais	condujisteis	condujerais	conduciréis	conduciríais
conducido	conducen	conduzcan	conduzcan	conducían	condujeron	condujeran	conducirán	conducirían
Verbes en *-uir*								
i → y	construyo		construya	construía	construí	construyera (-se)	construiré	construiría
construir	construyes	construye	construyas	construías	construiste	construyeras	construirás	construirías
(construire)	construye	construya	construya	construía	construyó	construyera	construirá	construiría
construyendo	construimos	construyamos	construyamos	construíamos	construimos	construyéramos	construiremos	construiríamos
construído	construís	construid	construyáis	construíais	construisteis	construyerais	construiréis	construiríais
	construyen	construyan	construyan	construían	contruyeron	contruyeran	construirán	construirían

LÉXICO

ESPAÑOL – FRANCÉS / FRANCÉS – ESPAÑOL

Ce lexique reprend le vocabulaire utilisé dans les séquences, y compris celui des encarts **LENGUA**, et propose également un lexique fonctionnel pour la classe. Il ne remplace pas le dictionnaire, mais pourra en compléter l'usage.

ABRÉVIATIONS UTILISÉES
adj. adjectif
adv. adverbe
amér. américanisme
conj. conjonction
f. féminin
fam. familier
loc. locution
m. masculin
n. nom
pl. pluriel
prép. préposition
pron. pronom
sg. singulier
[ue] indique la particularité du verbe
v. verbe
v.i. verbe irrégulier

ESPAÑOL – FRANCÉS

A

abrazar, v. prendre dans ses bras, étreindre
abrazo, n. m. accolade, étreinte
abuelo, a, n. grand-père, grand-mère. **Los abuelos,** les grands-parents
aburrido, a, adj. ennuyeux, euse
aburrir, v. ennuyer ; lasser ; dégoûter ; rebuter
acabar, v. achever, finir ; acabar de (+ inf.), venir de
acequia, n. f. canal d'irrigation ; (amér.) ruisseau
acera, n. f. trottoir
acerca (de), loc. à propos de, au sujet de
acercarse, v. pr. s'approcher
acoger, v. accueillir
acogida, n. f. accueil
acomodado, a, adj. aisé, e.; gente acomodada, des gens aisés
aconsejar (que + subj.) v. conseiller (de)
acontecimiento, n. m. événement
acordarse [ue], v. pr. se souvenir, se rappeler
acostar(se) [ue], v. (se) coucher
acostumbrarse, v. pr. s'habituer
actor, actriz, n. acteur, actrice
actuar, v. agir ; **actuar en una película,** jouer dans un film
acudir, v. se rendre (dans un lieu)
acuerdo, n. m. accord ; **estar de acuerdo,** être d'accord
adicto, a, adj. dépendant, accro
afición, n. f. goût, penchant ; ser aficionado, a, être passionné par
afortunadamente, adv. heureusement
agarrar, v. saisir, attraper
agotado, a, adj. épuisé, e
agradecer, irrég., v. remercier, être reconnaissant
agresivo, a, adj. agressif, ive
aguacate, n. m. avocat (fruit)
ahogarse, v. pr. se noyer ; s'étouffer
ahora, adv. maintenant
ahorrar, v. économiser, épargner
ajedrez, n. m. échecs (jeu)
alabar, v. vanter
alcalde, n. m. maire
alcanzar, v. atteindre, rattraper ; saisir
alcohol, n. m. alcool
alegrar, v. réjouir
alegría, n. f. joie
algo, pron. quelque chose
alguien, pron. quelqu'un
algún, apocope de **alguno,** quelque
alguno, a, adj. quelque ; pron., quelqu'un, une personne
aliciente, n. m. encouragement
aliviar, v. alléger, soulager, calmer
alma, n. f. âme
alquilar, v. louer
alquiler, n. m. location ; loyer
alrededor, adv. autour, alentour
altura, n. f. hauteur
amargo, a, adj. amer, ère
amarillo, a, adj. jaune
ambigüedad, n. f. ambiguïté
ámbito, n. m. domaine
ambos, as, adj./pron. tous (toutes) les deux
amenaza, n. f. menace
amenazar, v. menacer
amigo, a, adj./n. ami, e
amistad, n. f. amitié
amistoso, a, adj. amical, e
amo, n. m. maître
ancho, a, adj. large, ample
anciano, a, n. vieux, vieille
andar, irrég. v. marcher ; se déplacer
angustia, n. f. angoisse
animar, v. encourager
ánimo, n. m. esprit, âme ; *fig.*, courage. **Estado de ánimo,** état d'esprit
anoche, adv. hier soir
antemano (de), loc. d'avance, à l'avance
antepasado, a, n. ancêtre
antiguo, a, adj. ancien, enne
antes (de), adv. avant (de)
antorcha, n. f. torche, flambeau
anunciar, v. annoncer ; afficher ; faire de la publicité
anuncio, n. m. publicité ; affiche, pancarte
añadir, v. ajouter
año, n. m. an, année
apagar, v. éteindre
apagón, n. m. coupure de courant
aparecer, irrég., v. apparaître
apenas, adv. à peine, presque pas
aplastar, v. écraser
apodo, n. m. surnom
aprender, v. apprendre (l'élève)
aprendizaje, n. m. apprentissage
aprobar [ue], v. approuver ; réussir un examen
aprovechar, v. profiter de
apuntarse, v. s'inscrire, participer, être partant
apuntar, v. noter, relever
apunte, n. m. annotation, note. **Tomar apuntes,** prendre des notes
aquel, aquella, adj. ce, cette
aquí, adv. ici
área, n. f. domaine, secteur, zone
arma, n. f. arme
armadura, n. f. armure
armonía, n. f. harmonie
arraigado, a, adj. enraciné, e
arrepentirse [ie/i], v. pr. se repentir
arriba, adv. en haut
arriesgar, v. risquer
arrodillado, a, adj. agenouillé, e
arte, n. m. art. Las Bellas Artes, les Beaux-Arts
artesano, a, adj./n. artisan, e
asco, n. m. dégoût. **Dar asco,** dégoûter
asegurar, v. assurer, affirmer
asesinar, v. assassiner
así, adv. ainsi
asignatura, n. f. matière (enseignement)
asimismo, adv. aussi, de même
asistir, v. soigner ; assister. **Asistir a clase,** aller en cours
asombrar(se), v. pr. (s') étonner
asombro, n. m. surprise, étonnement
áspero, a, adj. rugueux, âpre
astuto, a, adj. astucieux, euse ; rusé, e
asunto, n. m. sujet ; question, affaire
asustar, v. effrayer
atardecer, n. m. soir, tombée du jour
atasco, n. m. embouteillage
atemorizar, v. effrayer, faire peur
atención, n. f. attention. **Llamar la atención,** attirer l'attention
atender [ie] (a), v. s'occuper (de)
atento, a, adj. attentif, ive ; attentionné, e
atesorar, v. amasser
atmósfera, n. f. atmosphère
atraer, irrég., v. attirer
atrás, adv. derrière, en arrière
atrasar, v. retarder
atraso, n. m. retard
atravesar [ie], v. traverser
atreverse (a), v. pr. oser
atrevido, a, adj. osé, e ; effronté, e ; audacieux, euse ; insolent, e
aula, n. f. salle de classe
aumentar, v. augmenter
aun, adv. même
aún, adv. encore, toujours
aunque (+ ind.), conj. bien que ; (+ subj.) même si
auriculares, n. m. pl. écouteurs
ausencia, n. f. absence
ave, n. f. oiseau
ayuda, n. f. aide
ayudar, v. aider
ayuntamiento, n. m. mairie
azúcar, n. m. sucre
azul, adj. bleu, e

B

bachillerato, n. m. baccalauréat
bailar, v. danser. **Sacar a bailar,** inviter à danser, faire danser

baile, n. m. danse, bal, ballet
bajar, v. descendre ; baisser ; télécharger (informatique)
bajo, a, adj. bas, basse ; prép. sous
bambas, n. f. pl. chaussures de sport
bandera, n. f. drapeau
bañador, n. m. maillot de bain
bañarse, v. pr. se baigner
baño, n. m. bain, baignade ; baignoire. **El cuarto de baño,** la salle de bains
barato, a, adj. bon marché
barba, n. f. barbe ; menton
barbudo, adj. barbu
barco, n. m. bateau
barrer, v. balayer
barrera, n. f. barrière
barrio, n. m. quartier. **Barrio de chabolas,** bidonville
bastante, adv. assez
bastar, v. suffire
bautismo, n. m. baptême
bautizar, v. baptiser
bebida, n. f. boisson
beneficiarse (de), v. pr. profiter (de)
besar, v. embrasser
beso, n. m. baiser, bise
bienestar, n. m. bien-être
bigote, n. m. moustache
boca, n. f. bouche
bocadillo, n. m. sandwich
bolsillo, n. m. poche
bolso, n. m. sac à main
bondad, n. f. bonté
bonito, a, adj. joli, e
borrar, v. effacer
bosque, n. m. bois ; forêt
botella, n. f. bouteille
brazo, n. m. bras
broma, n. f. plaisanterie
bromear, v. plaisanter
bruja, n. f. sorcière
bueno, a, adj. bon, bonne
burlarse (de), v. pr. se moquer (de)
buscar, v. chercher
búsqueda, n. f. recherche
buzón, n. m. boîte aux lettres

C

caballo, n. m. cheval
cabello, n. m. cheveux, chevelure
cabeza, n. f. tête
cabra, n. f. chèvre
cacique, n. m. chef
cada, adj. chaque. **Cada uno, a,** chacun, e. **Cada vez más,** de plus en plus
cadena, n. f. chaîne
caer(se), v. i. tomber. **Caerle bien / mal a uno,** aimer, ne pas aimer
caída, n. f. chute
cajón, n. m. tiroir
calentar [ie], v. chauffer
calidad, n. f. qualité (d'une chose, d'une personne)
calor, n. m. chaleur. **Hace calor,** Il fait chaud. **Tener calor,** avoir chaud
cálido, a, adj. chaud, e
callado, a, adj. silencieux, euse (pour une personne)
calle, n. f. rue
callejero, a, adj. de la rue
cama, n. f. lit
camarero, a, n. garçon de café, serveuse
cambiar, v. changer. **Cambiar por,** échanger contre
cambio, n. m. change ; monnaie ; changement. **En cambio,** en revanche
camelar, v. embobiner
camino, n. m. chemin ; route
camisa, n. f. chemise. **Camisa floreada,** chemise à fleurs
camiseta, n. f. tee-shirt
campeonato, n. m. championnat
campesino, a, adj./n. paysan, anne
campo, n. m. champ ; campagne
canción, n. f. chanson
cansancio, n. m. fatigue
cantante, n. chanteur, euse
cantidad, n. f. quantité
capaz, adj. capable
capítulo, n. m. chapitre
capricho, n. m. caprice
cara, n. f. visage
caramelo, n. m. bonbon
cárcel, n. f. prison
carecer (de), v. i. manquer de
caridad, n. f. charité
cariño, n. m. affection. **Tener cariño a,** avoir de l'affection pour
cariñoso, a, adj. affectueux, euse
carne, n. f. chair ; viande
carnicero, n. m. boucher
caro, a, adj. cher, ère (prix)
carretera, n. f. route
carril, n. m. voie ; **carril bici,** voie cyclable
carta, n. f. lettre (courrier)
cartel, n. m. affiche
cartera, n. f. portefeuille
cartero, n. m. facteur
carrera, n. m. course ; parcours ; cursus (études) ; carrière
casa, n. f. maison. **En casa de,** chez
casar(se), v. (se) marier
casi, adv. presque
castigar, v. punir
casualidad, n. f. hasard. **Por casualidad,** par hasard
caza, n. f. chasse
cazador, n. m. chasseur
cazadora, n. f. blouson
ceja, n. f. sourcil
celo, n. m. zèle. **Los celos,** la jalousie
cementerio, n. m. cimetière
cemento, n. m. ciment
centenar, n. m. centaine
cena, n. f. dîner
ceñir, v. serrer, mouler (vêtement)
cerca (de), adv. près (de)
cerdo, n. m. porc
cerebro, n. m. cerveau
cerrar [ie], v. fermer
cerveza, n. f. bière
chabola, n. f. baraque de bidonville
chaqueta, n. f. veste
charlar, v. bavarder
chaval, n. m. jeune ; enfant *(fam.)*
chillón, ona, adj. criard, e ; **un color chillón,** une couleur criarde
chispa, n. f. étincelle ; lueur
chiste, n. m. blague
chocar, v. heurter, choquer
ciego, a, adj./n. aveugle
cierto, a, adj. certain, e
cifra, n. f. chiffre
cirugía, n. f. chirurgie
cirujano, n. m. chirurgien
cita, n. f. rendez-vous
ciudad, n. f. ville
ciudadano, a, n. citadin, e ; citoyen, ne
claro, a, adj. clair, e. **Claro que sí,** bien sûr
clase, n. f. cours ; sorte, espèce. **Dar clase,** faire cours. **Ir a clase,** aller en cours
clavar, v. clouer
cliente, n. client, e
cobarde, adj./n. lâche
cobre, n. m. cuivre
coche, n. m. voiture
coger, v. prendre. **Coger un taxi**, prendre un taxi
colegial, adj. collégien, enne
colgar, [ue], v. pendre, accrocher ; mettre en ligne (informatique)
colocar, v. placer ; mettre ; poser
color, n. m. couleur
colmena, n. f. ruche
coma, n. f. virgule
combatir, v. combattre
comedor, n. m. salle à manger; **comedor escolar,** cantine scolaire
comer, v. manger
cómico, a, adj. comique
comida, n. f. nourriture
cómodo, a, adj. confortable
comparar (con), v. comparer (à)
compartir, v. partager ; **compartir coche,** faire du covoiturage
compasión, n. f. pitié
competir [i], v. rivaliser, concurrencer
comportamiento, n. m. comportement
compra, n. f. achat. **Ir de compras,** faire des courses
comprar, v. acheter
comprobar [ue], v. vérifier ; constater
comprometerse (por), v. pr. s'engager (en faveur de)
compromiso, n. m. engagement
computadora, n. f. ordinateur
concejal, a, n. conseiller municipal
concluir, v. i. conclure, finir
condena, n. f. condamnation
condenar, v. condamner
conducir, v. i. conduire
confiar (en), v. avoir confiance (en)
confortar [ue], v. réconforter
confundir, v. confondre
conjunto, n. m. ensemble
conmover [ue], v. émouvoir

conocer, v. i. connaître
conocimiento, n. m. connaissance
conquistar, v. conquérir
consecuencia, n. f. conséquence
conseguir [i], v. obtenir ; réussir à
consejo, n. m. conseil
consumidor, a, n. consommateur, trice
consigo, pron. avec soi
contaminación, n. f. pollution
contaminar, v. polluer
contar [ue], v. raconter ; compter
contigo, pron. avec toi
contrario, a, adj. contraire, opposé, e. **Al contrario,** au contraire.
contratar, v. embaucher
convencer, v. convaincre
convertirse [ie/i] (en), devenir
convidar, v. inviter
convincente, adj. convaincant
convivir, v. vivre ensemble
copla, n. f. couplet ; chanson
corazón, n. m. cœur
correo, n. m. courrier ; **correos,** poste ; bureau de poste. **Correo electrónico,** e-mail
correr, v. courir ; couler (eau)
corriente, n. f. courant
cortar, v. couper
cortés, adj. courtois, e ; poli, e
cortesía, n. f. courtoisie, politesse
cosechar, v. récolter
costar [ue], v. coûter. **Le cuesta Ø,** il a du mal à. **Costar un ojo de la cara,** coûter les yeux de la tête
costumbre, n. f. coutume, habitude
crear, v. créer
crecer, v. i. grandir
creencia, n. f. croyance
creer, v. croire
criar, v. élever
cristal, n. m. verre (matière)
cruz, n. f. croix. **La Cruz Roja,** la Croix Rouge
cruzar, v. traverser
cuadrado, a, adj./n. carré, e
cuadro, n. m. tableau
cualidad, n. f. qualité (caractéristique positive)
cualquier, cualquiera, adj. indéf./pron. n'importe quel(le), n'importe qui
cuanto, a, adj./pron./adv. généralement corrélatif de **tanto, a,** autant de ; tant ; combien. **En cuanto a mí,** quant à moi
cubrir, v. couvrir
cuchillo, n. m. couteau
cuenta, n. f. compte ; addition. **Darse cuenta de (que),** se rendre compte de / que
cuento, n. m. conte, histoire
cuerpo, n. m. corps
cuidado, n. m. soin, attention ; interj. Attention !
cuidar, v. prendre soin de, s'occuper de
culpa, n. f. faute (morale). **No es culpa mía,** Ce n'est pas ma faute
cultivar, v. cultiver
cultivo, n. m. culture (au sens agricole)
culto, n. m. culte ; adj. cultivé
cultura, n. f. culture (au sens culturel)
cumbre, n. f. sommet
cumpleaños, n. m. anniversaire
cumplir, v. accomplir, respecter, tenir (promesse, parole)
curar, v. guérir ; v. soigner. **Curarse,** se soigner, guérir
custodiar, v. garder, surveiller
curso, n. m. année scolaire
cuyo, a, os, as, pron. dont le, dont la, dont les

D

daño, n. m. mal ; dommage. **Hacer(se) daño,** (se) faire mal
dato, n. m. donnée, renseignement
débil, adj. faible
decepcionar, v. décevoir
decidir, v. décider
decir, v. i. dire
dedicar, v. dédier ; consacrer. **Dedicar su vida a,** consacrer sa vie à
dedo, n. m. doigt
deducir, v. i. déduire
defecto, n. m. défaut, imperfection
defender [ie], v. défendre, soutenir (une opinion)
dejar, v. laisser, abandonner. **Dejar de,** arrêter de
delante, adv./loc. devant. **Delante de la pantalla,** devant l'écran
demás, pron. autre. **Los demás,** les autres
demasiado, adj./adv. trop de, trop
demostrar [ue], v. démontrer
dentro, adv. dedans, à l'intérieur
denunciar, v. dénoncer
dependiente, n. m. vendeur ; employé
deporte, n. m. sport. **Practicar deporte,** faire du sport
derecho, a, adj./n. droit, e. **Tener derecho a,** avoir le droit de
derrochar, v. gaspiller
derroche, n. m. gaspillage
derrumbar, v. démolir, abattre
derrumbarse, v. pr. s'effondrer
desafiar, v. défier
desagradable, adj. désagréable
desagradar, v. déplaire
desalentarse [ie], v. pr. se décourager
desaparecer, v. i. disparaître
desarrollar, v. développer
desarrollo, n. m. développement ; **desarrollo sostenible,** développement durable
desayunar, v. déjeuner
desayuno, n. m. petit-déjeuner
descalzo, a, adj. nu-pieds
descansar, v. se reposer
descargar, v. télécharger
desconfiar (de), v. se méfier (de)
desconocido, a, adj. inconnu, e
descubrimiento, n. m. découverte
descubrir, v. découvrir
desde, prép. dès, depuis. **Desde hace un siglo,** depuis un siècle
desdicha, n. f. malheur
desear, v. désirer, souhaiter
desecho, n. m. déchet
desempeñar un papel, v. jouer un rôle
desenlace, n. m. dénouement
deseo, n. m. désir ; souhait
desgracia, n. f. malheur
desgraciadamente, adv. malheureusement
desigualdad, n. f. inégalité
desinteresarse (de), v. pr. se désintéresser (de)
desnudo, a, adj. nue, e
despabilado, a, adj./n. débrouillard, e
despacio, adv. lentement, doucement
despacho, n. m. bureau
despedirse (de) [i], v. pr. dire « au revoir », faire ses adieux (à)
despertar(se) [ie], v. (se) réveiller.
Despertar la curiosidad, éveiller la curiosité
despiadado, a, adj. impitoyable
despliegue, n. m. déploiement
despreciar, v. mépriser
desprecio, n. m. mépris
despreocupación, n. f. insouciance
después (de), adv. après
destacar, v. souligner, ressortir, se détacher. **Destacarse,** se distinguer, se faire remarquer
destapar, v. ouvrir, découvrir, déboucher
destierro, n. m. exil
destino, n. m. destin ; destination
destruir, v. i. détruire, dévaster
detalle, n. m. détail ; attention
detener [ie], v. arrêter
detenido, a, n. détenu, e
determinar, v. décider
detrás (de), adv. derrière. **Detrás de él,** derrière lui
deuda, n. f. dette
devolver [ue], v. rendre, rembourser
día, jour, journée. **Cada día,** chaque jour
diario, n. m. journal (personnel)
dibujar, v. dessiner
diente, n. m. dent
dinero, n. m. argent.
dios, n. m. dieu
dirección, n. f. direction ; adresse
director, a, n. directeur, trice
dirigirse (a), v. et pr. s'adresser (à) ; se diriger (vers)
discapacitado, a, adj./n. handicapé, e
disculparse, v. pr. s'excuser
diseño, n. m. dessin, conception (graphique)
disfraz, n. m. déguisement
disfrazarse, v. pr. se déguiser
disfrutar (de), v. jouir de, profiter de
disgusto, n. m. contrariété ; chagrin
disponer, v. i. disposer
distinto, a, adj. différent, e
divertido, a, adj. amusant, e
divertirse [ie/i], v. pr. se distraire, s'amuser
dividir, v. diviser ; partager
divisar, v. apercevoir
doblar, v. doubler (cinéma) ; plier ; tourner
documentación, n. f. les papiers d'identité
doler [ue], v. avoir mal à ; faire mal
dolor, n. m. douleur. **Me duele la cabeza,** j'ai mal à la tête
dominio, n. m. domaine, maîtrise ; **dominio del idioma,** maîtrise de la langue
doncella, n. f. damoiselle (littérature)
dormir [ue/u], v. dormir ; endormir
duda, n. f. doute, hésitation

dueño, a, n. patron, ne
dulce, n. m. sucrerie, bonbon ; adj. doux, sucré
duración, n. f. durée
durante, prép. pendant

E

echar, v. jeter, lancer ; expulser. **Echar a** (+ inf.), se mettre à. **Echar de menos,** avoir la nostalgie de, regretter
edad, n. f. âge ; temps, époque. **La Edad Media,** le Moyen Âge
edificio, n. m. construction, immeuble
eficacia, n. f. efficacité
eficaz, adj. efficace
ejemplo, n. m. exemple
ejército, n. m. armée
elección, n. f. élection ; choix
elegir [i], v. élire ; choisir
elogio, n. m. éloge
emocionarse, v. pr. s'émouvoir
empezar [ie], v. commencer
emplear, v. employer
empresa, n. f. entreprise
empujar, v. pousser
enamorado, a, adj./n. amoureux, euse
enamorarse, v. pr. tomber amoureux
encanto, n. m. charme, enchantement
encargarse, v. pr. se charger, prendre en charge
encender [ie], v. allumer
encerrar [ie], v. enfermer
encima, adv. au-dessus, en haut
encontrar [ue], v. trouver
encuentro, n. m. rencontre
encuesta, n. f. sondage, enquête
enemigo, a, adj./n. ennemi, e
enfadarse, v. se fâcher, se mettre en colère
enfermarse, v. pr. tomber malade
enfermedad, n. f. maladie
enfrentamiento, n. m. affrontement
engañar, v. tromper
engaño, n. m. tromperie
enganchado, a , adj. *(fam.),* accro
enlazar, v. relier
enmarcar, v. encadrer
enriquecerse, v. pr. s'enrichir
ensayo, n. m. répétition
enseguida, adv. tout de suite
enseñanza, n. f. enseignement
enseñar, v. enseigner ; montrer
entender [ie], v. comprendre
enterarse (de), v. apprendre (une nouvelle)
entonces, adv. alors
entorno, n. m. environnement
entre, prép. entre ; parmi
entregar, v. livrer, remettre
entrevista, n. f. entretien, interview
entretener [ie], v. amuser, distraire ; occuper
entretenerse, v. pr. se distraire, s'attarder
entristecer, irrég. v. attrister
envejecer, irrég. v. vieillir
equivocación, n. f. erreur
equivocarse, v. pr. se tromper, faire une erreur
esbozar, v. ébaucher
escalinata, n. f. perron
escanear, v. scanner
escapar, v. échapper
escaso, a, adj. rare, peu abondant, e
escena, n. f. scène
escenificación, n. f. mise en scène
escoger, v. choisir
esconderse, v. pr. se cacher
escribir, v. écrire
escuchar, v. écouter
escudo, n. m. bouclier ; écusson
esfuerzo, n. m. effort
eslogan, n. m. slogan
espabilado, a, adj. vif, vive, dégourdi,e
espada, n. f. épée
espalda, n. f. dos
espantar, v. faire peur, effrayer
espantoso, a, adj. épouvantable, effrayant, e
espectáculo, n. m. spectacle
espejo, n. m. miroir
espera, n. f. attente
esperanza, n. f. espoir
esperar, v. attendre ; espérer
espíritu, n. m. esprit
espléndido, a, adj. splendide
esposo, a, n. époux, se
esquí, n. m. ski
esquiar, v. skier
esquina, n. f. coin (d'une maison, d'une rue)
estación, n. f. saison ; gare
estancia, n. f. séjour
estilo, n. m. style
estrecho, a, adj. étroit, e
estrella, n. f. étoile ; star
estribillo, n. m. refrain
estupendo, a, adj. super *(fam.)* ; extraordinaire, formidable
eterno, a, adj. éternel, elle
euskera, n. m. basque (langue)
evento, n. m. événement
exagerar, v. exagérer
examinarse, v. pr. passer un examen
exclamar, v. s'exclamer
éxito, n. m. succès. **Tener éxito,** avoir du succès
experimentar, v. éprouver (un sentiment)
explotación, n. f. exploitation
explotar, v. exploiter
expresar, v. exprimer
extranjero, a, adj. étranger, ère
extraño, a, adj. bizarre, étrange

F

fábrica, n. f. usine
falda, n. f. jupe
falso, a, adj. faux, fausse
falta, n. f. manque ; faute. **La falta de,** le manque de
faltar, v. manquer, faire défaut
fama, n. f. renommée, réputation
famoso, a, adj. célèbre. **Hacerse famoso,** devenir célèbre
fantasma, n. m. fantôme
fastidiar, v. ennuyer, embêter
fatal, adj. fatal ; très mauvais ; lamentable. **Estar fatal,** se sentir très mal
fe, n. f. foi
fecha, n. f. date
feliz, adj. heureux, euse
feo, a, adj. laid, e
ferrocarril, n. m. chemin de fer
fichero, n. m. fichier
fiel, adj. fidèle, loyal, e
fin, n. m. fin. **El fin de semana,** le week-end
fingir Ø, v. faire semblant (de)
flecha, n. f. flèche
flor, n. f. fleur
folleto, n. m. dépliant
fomentar, v. encourager ; favoriser
foro, n. m. forum
fracasar, v. échouer
fracaso, n. m. échec
fraude, n. m. fraude
frente, n. f. front (visage)
frente, n. m. front (combat, guerre)
frente a, prép., face à
frescura, n. f. fraîcheur
frijol, n. m. haricot
frío, adj./n., froid. **Tener frío,** avoir froid
fruta, n. f. fruit (d'un arbre)
fuego, n. m. feu
fuente, n. f. source ; fontaine
fuera de, loc. en dehors de
fuerza, n. f. force. **A la fuerza,** par force

G

gafas, n. f. pl. lunettes
gallego, n. m. galicien (langue)
gallego, a, adj. galicien,enne
gana, n. f. envie. **Tener [ie] ganas de,** avoir envie de. **Dar ganas de,** donner envie de
ganar, v. gagner. **Ganarse la vida,** gagner sa vie
gastar, v. dépenser ; user
gasto, n. m. dépense ; pl., **gastos,** frais
gente, n. f. les gens ; le monde. **Mucha gente,** beaucoup de gens
gesto, n. m. expression (sur le visage)
gira, n. f. tour, tournée. **Irse de gira,** partir en tournée
girar, v. tourner
globo, n. m. ballon ; bulle (de B.D)
gloria, n. f. gloire
gobernar [ie], v. gouverner
gobierno, n. m. gouvernement
golpe, n. m. coup. **De golpe,** soudain
gordo, a, adj. gros, grosse
gozar (de), v. jouir (de)
grabar, v. enregistrer
gracias, n. f. pl. merci. **Gracias a,** grâce à
grandeza, n. f. grandeur
gritar, v. crier
grito, n. m. cri
guapo, a, adj. beau, belle (personne).
guardar, v. garder ; ranger (dans un meuble). **Estar guardado,** être rangé
guía, n. m. guide (d'un musée) ; n. f., guide, indicateur, plan d'une ville
guiar, v. guider
guionista, n. m./f. scénariste
gusto, n. m. goût

H

habitación, n. f. pièce (d'appartement) ; chambre
hablar, v. parler
hacerse, v. i. pr. devenir. **Hacerse rico,** devenir riche
hacia, prép., vers, envers, en direction de
hada, n. f. fée. **Un cuento de hadas,** un conte de fées
hallar(se), v. pr. (se) trouver
harto, a, adj. rassasié, e ; fatigué, e, las, lasse. **Estar harto, a (de),** en avoir assez (de)
hambre, n. f. faim ; famine
hay (v. **haber**), il y a
hecho, n. m. fait. **De hecho,** en fait
hembra, n. f. femelle
heredar, v. hériter (de)
herencia, n. f. héritage
herir, v. blesser
hermano, a, n. frère, sœur
hermoso, a, adj. beau, belle
herramienta, n. f. outil
héroe, n. m. héros
hierro, n. m. fer
hijo, n. m. fils ; enfant
historieta, n. f. bande dessinée
hoja, n. f. feuille
holgazán, adj. paresseux, fainéant
hombro, n. m. épaule
honra, n. f. honneur
hormiga, n. f. fourmi
huelga, n. f. grève
huir, v. i. fuir
humano, a, adj. humain, e
humilde, adj. humble
humo, n. m. fumée
humor, n. m. humour

idioma, n. m. langue (parlée ou non)
iglesia, n. f. église
ilusión, n. f. illusion ; joie, plaisir. **Me hace ilusión ir...,** Je rêve d'aller...
impactar, v. faire de l'effet
impedir [i], v. empêcher
imponer, irrég., v. imposer
importar, v. avoir de l'importance
imprescindible, adj. indispensable
improviso (de), loc. à l'improviste
incluso, adv. même (y compris)
increíble, adj. incroyable
indígena, n. m. indigène
inesperado, a, adj. inattendu, e
infantil, adj. infantile
infeliz, adj. malheureux, euse
infiel, adj. infidèle
infierno, n. m. enfer
ingresar, v. entrer, rentrer
iniciar(se), v. commencer
inservible, adj. inutilisable
insistir (en), v. insister (sur)
instituto, n. m. lycée
intercambio, n. m. échange
interés, n. m. intérêt
invadir, v. envahir
invento, n. m. invention
inverosímil, adj. invraisemblable
investigar, v. faire des recherches ; enquêter
invierno, n. m. hiver
involucrarse, v. pr. s'impliquer
ira, n. f. colère
ironía, n. f. ironie
irse, irrég. v. pr. partir

jamás, adv. jamais
jamón, n. m. jambon
jarrón, n. m. vase
jaula, n. f. cage
jefe, n. m. chef
joven, adj./n. jeune ; jeune homme, jeune fille
joya, n. f. bijou, joyau
judío, a, adj. juif, ve
juego, n. m. jeu
juez, n. m. juge
jugar [ue], v. jouer
juntar, v. allier, associer
junto a, adv. près de
juntos, as, adj. ensemble
justicia, n. f. justice
juventud, n. f. jeunesse
juzgar, v. juger

labio, n. m. lèvre
labor, n. f. travail, labeur ; ouvrage
ladrón, ona, adj./n. voleur, euse
lágrima, n. f. larme
lamentar, v. être désolé (de), regretter (de)
lámpara, n. f. lampe
lápiz, n. m. crayon
largo, a, adj. long, longue
leal, adj. loyal, fidèle
legado, n. m. legs, héritage
lejos, adv. loin
lema, n. m. slogan
letra, n. f. lettre ; écriture ; paroles (d'une chanson)
letrero, n. m. écriteau
levantarse, v. pr. se lever
ley, n. f. loi
leyenda, n. f. légende
libertad, n. f. liberté
lienzo, n. m. tableau, toile
ligereza, n. f. légèreté
ligero, a, adj. léger, ère
limosna, n. f. aumône
limpiar, v. nettoyer
limpieza, n. f. propreté ; nettoyage
lindo, a, adj. joli, e ; gracieux, euse
lío, n. m. embrouille
listo, a, adj. **ser listo,** être intelligent. **Estar listo,** être prêt
llamar, v. appeler. **Llamar la atención,** attirer l'attention
llamativo, a, adj. vif, vive
llanto, n. m. pleurs
llave, n. f. clé ; robinet
llegar, v. arriver. **Llegar a ser una estrella,** devenir une star
lleno, a, adj. plein, e, rempli, e
llevar, v. porter
llorar, v. pleurer
llover [ue], v. imp. pleuvoir
lluvia, n. f. pluie
lo, art. déf. neutre, ce qui est, ce qu'il y a de. **Lo increíble**, ce qui est incroyable
lobo, n. m. loup
loco, a, adj. fou, folle
locura, n. f. folie
lodo, n. m. boue
logotipo, logo, n. m. logotype, logo
logrado, a, adj. réussi, e
lograr, v. réussir à ; obtenir
lomo, n. m. le dos, l'échine
lucha, n. f. lutte
luchar (por), v. lutter (pour)
luego, adv. ensuite, après
lugar, n. m. lieu, place. **En lugar de,** au lieu de
lujo, n. m. luxe
luto, n. m. deuil. **Llevar ropa de luto,** porter des vêtements de couleur noire
luz, n. f. lumière

macho, n. m. mâle
madera, n. f. bois (matière)
madrugada, n. f. aube, point du jour
madrugar, v. se lever tôt
mal, adv. mal. **Está mal Ø,** ce n'est pas bien de
maldad, n. f. méchanceté
maleta, n. f. valise
malgastar, v. gaspiller
malo, a, adj. méchant, e
manada, n. f. troupeau, bande
mandar, v. ordonner ; envoyer
mando, n. m. télécommande
mano, n. f. main. **Echar una mano,** rendre service
manso, a, adj. calme ; doux, douce ; inoffensif
manta, n. f. couverture
mañana, n. f. matin ; demain. **Por la mañana,** le matin
maniquí, n. mannequin (dans une vitrine)
mapa, n. m. carte géographique
marcha, n. m. ambiance, fête. **Ir de marcha,** sortir, faire la fête
margen, n. m./f. bord, rive ; marge
marginado, adj. m. exclu
marginar, v. marginaliser, exclure
marido, n. m. mari
marinero, n. m. marin, matelot
martillo, n. m. marteau
más, adv. plus, davantage. **Más bien,** adv. plutôt
máscara, n. f. masque
matanza, n. f. massacre
matar, v. tuer
matricularse, v. s'inscrire

matrimonio, n. m. couple (marié)
mayo, n. m. mai
mayor, adj. plus grand, plus âgé ; majeur, important. **El mayor número,** le plus grand nombre
mayoría, n. f. majorité
mediante, prep. grâce à
medio, n. m. milieu ; moyen
medio ambiente, n. m. environnement
mejor, adj. adv., meilleure,e ; mieux. **A lo mejor,** peut-être
mejorar, v. améliorer
memoria, n. m. mémoire ; **de memoria,** par cœur ; **hacer memoria,** essayer de se rappeler quelque chose
mendigo, a, n. mendiant, e
menor, adj. plus petit, e ; moindre ; plus jeune
menos, adv. moins ; prép., sauf. **Al menos que,** à moins que
mente, n. f. esprit, entendement
mentira, n. f. mensonge
mentiroso, a, adj. menteur, euse
mercado, n. m. marché
merecer, v. i. mériter ; **merecer la pena,** valoir la peine
mesa, n. f. table
mestizaje, n. m. métissage
meta, n. f. but
metáfora, n. f. métaphore
meterse (en), v. entrer (dans)
mezcla, n. f. mélange
mezclarse, v. pr. se mélanger
miedo, n. m. peur. **Dar miedo,** faire peur
mientras, conj., pendant que, tant que
mientras que, conj., alors que
milagro, n. m. miracle
mimado, a, adj., **un niño mimado,** un enfant gâté
minusválido, a, adj. handicapé, e
mirada, n. f. regard
mirar, v. regarder
mismo, adj./pron. même
mitad, n. f. moitié
modo, n. m. mode ; manière, façon
mojar, v. mouiller
molestar, v. gêner, déranger
molesto, a, adj. gênant, e. **Estar molesto,** être fâché
monte, n. m. mont, montagne ; forêt, bois
morder [ue], v. mordre
moro, n. m. maure
mostaza, n. f. moutarde
mostrar [ue], v. montrer
mote, n. m. surnom
moverse [ue], v. pr. bouger, se mouvoir
muchedumbre, n. f. foule
mudarse, v. pr. déménager
muerte, n. f. mort
muestra, n. f. modèle, échantillon
mujer, n. f. femme
multa, n. f. amende
músico, a, n./adj. musicien, enne

N

nacer, irrég. v. naître
nacido, n. m., **recién nacido,** nouveau-né
nacimiento, n. m. naissance
nada, n. f. néant ; indéf., rien ; adv., pas du tout
nadar, v. nager
nadie, pron. personne
nariz, n. f. nez
naturaleza, n. f. nature
náufrago, a, n. naufragé, e
nave, n. f. vaisseau
navegante, n. m. navigateur, trice
navegar, v. naviguer, surfer (internet)
Navidad, n. f. Noël
necesitado, a, n. indigent, e
necesitar (Ø), v. avoir besoin (de)
negarse (a) [ie], v. pr. refuser (de)
nervioso, a, adj. nerveux, euse
nevar [ie], v. imp. neiger
niebla, n. f. brume, brouillard
nieto, a, n. petit-fils, petite-fille
nieve, n. f. neige
ninguno, a, adj. pron. aucun, e
niñez, n. f. enfance
niño, a, n. enfant
nivel, n. m. niveau
noche, n. f. nuit. **Es de noche,** il fait nuit. **Dar las buenas noches,** souhaiter bonne nuit
noticia, n. f. nouvelle (actualité)
novedad, n. f. nouveauté
novela, n. f. roman
novelista, n. romancier, ère
novio, a, n. fiancé, e, petit(e) ami(e)
nube, n. f. nuage
nuevo, a, adj. nouveau, elle ; neuf, ve
numeroso, a, adj. nombreux, euse
nunca, adv. jamais

O

obedecer, irrég. v. obéir
objetivo, n. m. but, objectif
objeto, n. m. objet
obrero, a, n. ouvrier, ère
obtener [ie], v. obtenir
ocio, n. m. loisir
ocurrir, v. se produire, se passer. **Se le ocurre Ø,** il a l'idée de
odiar, v. haïr
ofender, v. offenser
oficina, n. f. bureau (à l'extérieur de chez soi)
oído, n. m. ouïe ; oreille
oír, v. irrég. entendre
ojo, n. m. œil
ola, n. f. vague
oler (a) [ue], v. sentir
olor, n. m. odeur
olvidar, v. oublier
opción, n. f. option
oponer, irrég. v. opposer
oportunidad, n. f. occasion, opportunité
orden, n. f. ordre (commandement)
orden, n. m. ordre (rangement).
ordenador, n. m. ordinateur
orfanato, n. m. orphelinat
ordenar, v. ordonner, commander ; mettre en ordre
orgulloso, a, adj. fier, ère
origen, n. m. origine
originarse en, v. pr. tirer son origine de
orilla, n. f. bord ; lisière ; limite ; rive. **A orillas del mar,** au bord de la mer
oscuro, a, adj. obscur, e
oveja, n. f. brebis ; mouton

P

padre, n. m. père. **Los padres,** les parents
pagar, v. payer
paisaje, n. m. paysage
pájaro, n. m. oiseau
palabra, n. f. mot ; parole
pálido, a, adj. pâle
palo, n. m. bâton ; bois
pandilla, n. f. bande (copains)
pantalla, n. f. écran
pañuelo, n. m. mouchoir ; foulard
papel, n. m. papier ; rôle. **Los papeles,** les papiers d'identité
parada, n. f. arrêt (d'autobus)
paraíso, n. m. paradis
parar(se), v. (s') arrêter
parecer, v. i. apparaître, paraître ; sembler
parecer, n. m. avis, opinion. A mi parecer, à mon avis
pared, n. f. mur
pareja, n. f. couple
paro, n. m. chômage
párrafo, n. m. paragraphe
parte, n. f. partie ; part. **Por todas partes,** partout. **Formar parte,** faire partie
participar (en), v. participer (à)
partir, v. s'en aller, partir
pasar, v. passer. **Pasarlo bien / bomba,** bien s'amuser ; **Pasarse el tiempo** (+ gér.), passer son temps à
pasar, v. se passer, avoir lieu ; passer
paseo, n. m. promenade. **Dar un paseo,** se promener
pasillo, n. m. couloir
patio, n. m. cour ; patio de recreo, cour de récréation
patriotismo, n. m. patriotisme
patrocinar, v. sponsoriser. **Patrocinado por,** sponsorisé par
patrocinio, n. m. parrainage
pauta, n. f. règle, consigne
paz, n. f. paix
peatón, n. m. piéton
pecho, n. m. la poitrine
peculiar, adj. particulier,ère
pedazo, n. m. morceau
pedir que (+ subj.) [i], v. demander (de)
pegar, v. coller
pegamento, n. m. colle
pelea, n. f. bagarre
película, n. m. film ; **ver una película,** regarder un film
peligro, n. m. danger. **Estar en peligro,** être en danger
peligroso, a, adj. dangereux, euse

pelo, n. m. poil ; cheveux. **Un corte de pelo,** une coupe de cheveux
peluca, n. f. perruque
pena, n. f. peine. **Vale la pena,** cela vaut la peine
penoso, a, adj. pénible
pensamiento, n. m. pensée
pensar (en) [ie], v. penser (à)
peor, adj. plus mauvais, e, pire ; adv. pis, plus mal
perder [ie], v. perdre
pérdida, n. f. perte
peregrino, n. m. pèlerin
perezoso, a, adj. paresseux, euse
perfil, n. m. profil. **De perfil,** de profil
periódico, n. m. journal, quotidien
periodista, n. m. journaliste
permanecer, v. i. rester, demeurer
permitir (Ø), v. permettre (de), autoriser à
pertenecer, v. i. appartenir
pesadilla, n. f. cauchemar
pesado, adj. lourd, pesant
pesar, n. m. chagrin ; souci ; regret. **A pesar de,** malgré
peso, n. m. poids, pesanteur.
pie, n. m. pied. **Estar de pie,** être debout
piel, n. f. peau ; cuir
pierna, n. f. jambe
pinta, n. f. air ; **tener pinta de,** avoir l'air de
piña, n. f. ananas
pintar, v. peindre
piso, n. m. sol, plancher ; étage ; appartement
placer, n. m. plaisir
planear, v. planifier ; projeter
plantear, v. poser, envisager. **Plantear un problema,** poser un problème
plata, n. f. argent
plato, n. m. assiette
playa, n. f. plage
pobre, adj. pauvre
pobreza, n. f. pauvreté
poder, n. m. pouvoir
poderoso, a, adj. puissant, e
polideportivo, n. m. salle omnisports
polvo, n. m. poussière
poner, v. i. mettre, poser ; faire devenir, rendre
por, prép. **Por eso,** c'est pourquoi
portada, n. f. couverture (livre) ; une (1re page de journal)
portátil, adj. portable (ordinateur)
porvenir, n. m. avenir
posición, n. f. situation
postre, n. m. dessert
precio, n. m. prix ; valeur
precioso, a, adj. précieux, euse ; très beau, très belle
precisar, v. préciser ; avoir besoin de
preferir [ie/i], v. préférer
pregunta, n. f. question. **Hacer una pregunta,** poser une question
preguntar (por), v. prendre (demander) des nouvelles (de)
prejuicio, n. m. préjugé
premio, n. m. récompense, prix
prensa, n. f. presse
preocuparse (por), v. pr. se préoccuper (de)
preso, a, adj./n. prisonnier, ère, détenu, e. **Caer preso de,** tomber sous l'emprise de
presupuesto, n. m. budget
principio, n. m. commencement, début. **Al principio,** au début
principiante, adj. débutant,e
probar [ue], v. prouver ; mettre à l'épreuve ; essayer ; goûter
procesador, n. m. traitement. **Procesador de textos,** traitement de texte
procurar (Ø), v. essayer (de)
prohibir (que) (+ subj.), v. interdire (de)
prójimo, n. m. prochain, autrui
pronto, adv. vite, rapidement. **De pronto,** soudain
propiciar, v. favoriser
proporcionar, v. fournir, apporter. **Proporcionar ayuda,** fournir de l'aide
propuesta, n. f. proposition
proyecto, n. m. projet
pueblo, n. m. village ; peuple
puente, n. m. pont
pues, conj. puisque ; donc ; eh bien
punto, n. m. point. **Estar a punto de,** être sur le point de
puro, a, adj. pur, e

quedar, v. rester, demeurer ; être, se donner rendez-vous
queja, n. f. plainte
quejarse, v. pr. se plaindre
quemar, v. brûler
queso, n. m. fromage
quieto, a, adj. tranquille
quitar, v. enlever, ôter

R

rabia, n. f. rage
raíz, n. f. racine
raro, a, étrange, bizarre
rasgo, n. m. trait, caractéristique
rato, n. m. instant
ratón, n. m. souris
reaccionar, v. réagir
realce, n. m. relief. **Poner de realce,** mettre en valeur
realista, adj. réaliste
rebaño, n. m. troupeau
rechazar, v. rejeter ; refuser
rebelde, adj. rebelle
recibir, v. recevoir
reclutar, v. recruter. **Reclutar volontarios,** recruter des bénévoles
recobrar, v. retrouver
recordar [ue] (Ø), v. se souvenir (de) ; se rappeler.
recorrer, v. parcourir
recorrido, n. m. parcours
recreo, n. m. la récréation
recuerdo, n. m. souvenir
red, n. f. réseau. **Las redes sociales,** les réseaux sociaux
reflexionar, v. réfléchir
refrán, n. m. proverbe
regalar, v. offrir
regalo, n. m. cadeau
regañar, v. gronder
regar [ie], v. arroser, irriguer
registrar, v. fouiller
regresar, v. rentrer ; revenir
regreso, n. m. retour
reinado, n. m. règne
reino, n. m. royaume
relatar, v. raconter
relato, n. m. récit
relieve, n. m. relief
reloj, n. m. horloge ; montre, pendule
remedio, n. m. remède
remolino, n. m. tourbillon
remoto, a, adj. lointain, e
reñir [i], v. réprimander ; se disputer
repartir, v. répartir ; partager ; distribuer
repente (de), n. m. soudain
reportero, a, n. reporter
requisito, n. m. condition requise. **Cumplir los requisitos,** remplir les conditions requises
resolver [ue], v. résoudre
respaldar, v. soutenir, appuyer
respecto a, loc. au sujet de, par rapport à
respetar, v. respecter
respuesta, n. f. réponse
reto, n. m. défi
retraso, n. m. retard
retratar, v. faire le portrait
retrato, n. m. portrait
revés (al), loc. à l'envers
rey, n. m. roi
rezar, v. prier
rezo, n. m. prière
rico, a, adj. riche. **Ser rico,** être riche
riesgo, n. m. risque
riqueza, n. f. richesse
robar, v. voler
robo, n. m. vol
rodar [ue], v. rouler ; tourner
rodear, v. entourer
rodilla, n. f. genou
rogar [ue], v. supplier
romper, v. casser, briser
ropa, n. f. vêtements ; linge
rostro, n. m. visage
rubio, a, adj. blond, e
ruido, n. m. bruit
ruidoso, a, adj. bruyant, e
rumbo, n. m. cap, route ; fig., direction

saber, irrég. v. savoir
sabiduría, n. f. savoir ; sagesse
sabio, a, adj. savant, e ; sage
sabor, n. m. saveur, goût
sacar, v. sortir, extraire ; ôter
salida, n. f. sortie ; départ
salir, v. i. sortir ; partir
salud, n. f. santé
salvar, v. sauver
salvo, adv. sauf. **Sano y salvo,** saint et sauf

sangre, n. f. sang
satisfacer, irrég. satisfaire
sed, n. f. soif
seguir [i], v. suivre ; continuer
seguir (+ gér.), continuer à
según, prép. selon
seguro, a, adj. sûr, e
sellar, v. sceller
selva, n. f. forêt
sembrar, v. semer
semejante, adj. semblable
semilla, n. f. graine, semence
sencillez, n. f. simplicité
sencillo, a, adj. simple, facile
sentado, a, adj. assis, e
sentarse [ie], v. pr. s'asseoir
sentir [ie/i], v. sentir
señalar, v. marquer ; montrer
siempre, adv. toujours
siglo, n. m. siècle
siguiente, adj. suivant, e. Lo siguiente, ce qui suit
sin, prép. sans. **Sin embargo,** cependant
siquiera, adv. au moins. **Ni siquiera,** même pas
sitio, n. m. place, endroit
sobre, prép. sur, au-dessus de
sobresaliente, adj. excellent (appréciation scolaire)
sobresalir, v. dépasser, se distinguer
sol, n. m. soleil
soledad, n. f. solitude
soler [ue] (+ inf.), v. avoir l'habitude de
solidaridad, n. f. solidarité
soltar [ue], v. détacher, délier ; lâcher
soltero, a, adj. célibataire
sombra, n. f. ombre
sombrero, n. m. chapeau
sonar [ue], v. résonner ; avoir l'air, dire quelque chose. **Suena raro,** ça a l'air bizarre. **Me suena,** ça me dit quelque chose
sonido, n. m. son
sonrisa, n. f. sourire
soñar (con) [ue], v. rêver (de)
sorprenderse, v. pr. s'étonner, être surpris
sorpresa, n. f. surprise
sospecha, n. f. soupçon, suspicion
suave, adj. doux, ce
subir (a), v. monter (dans)
subtitular, v. sous-titrer
subtítulo, n. m. sous-titre
suceder, v. arriver ; se produire
sucio, a, adj. sale
suelo, n. m. sol
sueño, n. m. rêve ; sommeil
suerte, n. f. sort ; chance
sufrir, v. souffrir (de)
suministrar, v. fournir
sustituir, irrég. v. remplacer
susto, n. m. peur

T

tabla, n. f. planche
talante, n. m. humeur
talento, n. m. talent
tamaño, n. m. taille
también, adv. aussi
tampoco, adv. non plus
tarea, n. f. tâche, travail
tarjeta, n. f. carte (à jouer, de crédit)
taberna, n. f. bistrot
techo, n. m. plafond , toit
teclado, n. m. clavier
tejado, n. m. toit (extérieur)
temblar [ie], v. trembler
temer, v. craindre
temor, n. m. crainte
temprano, adv. tôt
tener, v. i. avoir, posséder
ternura, n. f. tendresse
tesoro, n. m. trésor
tienda, n. f. boutique, magasin
tierno, a, adj. tendre
tinieblas, n. f. pl. ténèbres
tío, n. m. oncle ; type
tirar, v. jeter
tocar, v. toucher ; jouer (musique)
todavía, adv. encore
tolerancia, n. f. tolérance
tomar, v. prendre
tontería, n. f. bêtise
tonto, a, adj. idiot, e, bête
tópico, n. m. lieu commun, cliché, idée reçue
torpe, adj. maladroit, e
torpeza, n. f. maladresse
tortilla, n. f. omelette
tortuga, n. f. tortue
traer, irrég. v. apporter, amener
tráfico, n. m. trafic ; circulation
tragar(se), v. pr. avaler
trago, n. m. gorgée ; coup ; boisson
trampa, n. f. piège
trasladar, v. déplacer, transférer
tratarse (de), v. pr. s'agir (de)
trigo, n. m. blé
tripulación, n. f. équipage
trocear, v. couper en morceaux
triunfar, v. triompher ; réussir dans la vie
trozo, n. m. morceau, bout
tumbado, a, adj. allongé, e
tumbarse, v. pr. s'allonger, s'étendre, se coucher
turnarse, v. pr. se relayer
turno, n. m. tour. **Es tu turno,** c'est ton tour
tutear, v. tutoyer

U

último, a, adj. dernier, ère
urbanización, n. f. lotissement
usar, v. utiliser ; v., faire usage de
uso, n. m. usage
usuario, a, n. usager, utilisateur, trice

V

vacilar, v. hésiter (à). **Vacilar (en),** vaciller, chanceler
vacío, n. m. vide
vacunar, v. vacciner. **Vacunarse,** se faire vacciner
valer, v. i. valoir, coûter
valiente, adj. courageux, euse
valor, n. m. valeur ; courage
vanguardia, n. f. avant-garde. **Ser vanguardista,** être à l'avant-garde
vaqueros, n. m. pl. jean (pantalon)
varios, as, plusieurs ; variés,ées
vascuence, adj. basque
vasija, n. f. pot
vaso, n. m. verre
vecino, a, adj./n. voisin, e
vejez, n. f. vieillesse
vela, n. f. bougie, voile
velada, n. f. veillée, soirée
vello, n. m. poils, duvet
velocidad, n. f. vitesse
vencedor, a, n. vainqueur
vencer, v. vaincre
ventaja, n. f. avantage
ventana, n. f. fenêtre
verano, n. m. été
verdad, n. f. vérité
verdadero, a, adj. vrai, e
vergonzoso, a, adj. timide
vergüenza, n. f. honte
verosímil, adj. vraisemblable
verso, n. m. vers
vestido, n. m. vêtement ; robe
vestir [i], v. habiller ; porter (un vêtement)
vestir(se) [i], v. s'habiller
vez, n. f. fois. **A veces,** parfois. **Cada vez más,** de plus en plus. **En vez de,** au lieu de
viajar, v. voyager
viaje, n. m. voyage
viajero, n. m. voyageur
vid, n. f. vigne
vida, n. f. vie
vigilar, v. surveiller
violento, a, adj. violent, e
vista, n. f. vue ; regard. **Un punto de vista,** un point de vue
vistoso, a, adj. voyant, e
voluntario, n. m. bénévole
vivienda, n. f. logement
volver [ue], v. revenir
volverse [ue], v. pr. devenir
voz (voces) n. f. voix ; **en voz alta / baja,** à voix haute / basse
vuelta, n. f. tour. **Dar una vuelta,** faire un tour

ya, adv. déjà. **Ya no** (+ verbe) ne plus
yelmo, n. m. heaume, casque du Moyen Âge

zapatilla, n. f. chaussons ; **zapatillas (de deporte),** chaussures de sport, tennis
zapato, n. m. chaussure
zumo, n. m. jus

FRANCÉS – ESPAÑOL

A

à cause de, por, por culpa de
à la fin de, al final de
à l'envers, al revés
à nouveau, de nuevo, otra vez,
à plein-temps, a jornada completa
l'abonnement, la suscripción
s'abonner (journal, internet), suscribirse
l'accent, el acento
accepter, aceptar
l'accident, el accidente.
accueillir, acoger
les achats, las compras ; **faire des achats,** ir de compras
acheter, comprar
l'acteur, l'actrice, el actor, la actriz
adapter, adaptar ; **s'adapter,** adaptarse
l'addition (au restaurant), la cuenta ; la suma
adresser, dirigir
s'adresser à, dirigirse a
affamé, hambriento
l'affection, el cariño ; **avoir de l'affection pour,** tener cariño a
affectueux, cariñoso
l'affiche, el cartel
affreux, horrible, horroroso
l'affrontement, el enfrentamiento
affronter, enfrentarse a/con
afin de, con el fin de
afin que, para que (+ subj.)
agacer, irritar
l'âge, la edad
agenouillé, arrodillado
agir, actuar
s'agir de, tratarse de
agréable, agradable
l'aide, la ayuda
aider, ayudar
ailleurs, en otro sitio ; **par ailleurs,** por lo demás
aimable, amable
aimer, plaire, gustar
aimer quelqu'un, querer [ie] a alguien, amar
aîné(e), mayor
ainsi, así ; **c'est ainsi que,** así es como
ajouter, añadir.
l'alcool, el alcohol
l'aliment, el alimento
aller, ir ; **s'en aller,** irse, marcharse
l'aller-retour, la ida y vuelta
allongé, tumbado
allumer, encender [ie]
l'allusion, la alusión
alors, entonces
alors que, mientras que, mientras
l'ambiance, el ambiente
l'ambiguïté, la ambigüedad
ambitieux, ambicioso
l'ambition, la ambición
améliorer, mejorar
amener, traer
l'Amérique du Sud, América del Sur, Suramérica
amical, amistoso
l'amitié, la amistad
l'amour-propre, el amor propio
amoureux, enamorado ; **être amoureux,** estar enamorado
ample (large), amplio, ancho
amusant, divertido, gracioso
amuser (être drôle), divertir [ie/i], hacer gracia
les ancêtres, los antepasados
l'anecdote, la anécdota
l'angoisse, la angustia
l'année, el año ; **à quinze ans,** a los quince años
l'annonce, el anuncio
annoncer, anunciar
antipathique, antipático(a)
apercevoir, ver, divisar
s'apercevoir que, darse cuenta de que
apparemment, aparentemente, al parecer
l'apparence, la apariencia ; **se fier aux apparences,** fiarse de las apariencias
appartenir, pertenecer, ser de
appeler, llamar
s'appeler, llamarse
l'apport, el aporte
apporter, traer
apprendre (la leçon), aprender ; **(une nouvelle),** enterarse de
apprendre que, enterarse de que
l'apprentissage, el aprendizaje
s'approcher de, acercarse a
après, después ; (+ nom ou infinitif) después de
l'après-midi, la tarde
l'architecte, el arquitecto
les arènes (corrida), la plaza de toros
l'argent (métal), la plata ; **(monnaie),** el dinero ; **dépenser de l'argent,** gastar dinero
l'argument, el argumento
argumenter, argumentar
l'armée, el ejército
l'armure, la armadura
arrêter, parar, detener ; **arrêter de,** dejar de, cesar de
s'arrêter, detenerse [ie], pararse
en arrière, atrás, para atrás
arriver (lieu), llegar ; **(se produire)** ocurrir, pasar, suceder, acontecer
arriver à (parvenir à), conseguir [i] Ø, lograr Ø
l'article de presse, el artículo de prensa
s'asseoir, sentarse [ie]
assez, assez de, bastante ; **en avoir assez,** estar harto
l'assiette, el plato
assis, sentado ; **être assis,** estar sentado
l'atmosphère, la atmósfera
atteindre, alcanzar, llegar a, **(sentiment)** afectar
attendre, esperar
attentif, atento ; **être attentif,** estar atento
l'attention, la atención ; **faire attention,** tener cuidado, poner atención ; **faire attention à,** fijarse en ; **attirer l'attention,** llamar la atención
attirant, atractivo
attirer, atraer (comme traer)
l'attitude, la actitud
aucun, ninguno, ningún
audacieux, audaz, atrevido
augmenter, aumentar, crecer (comme parecer)
aujourd'hui, hoy
auparavant, antes
aussi, también
aussitôt, en seguida
aussitôt que, tan pronto como, tan como
l'autorisation, la autorización, el permiso
autoriser, autorizar, permitir
l'auteur, el autor, la autora
autour, alrededor
avaler, tragar(se)
l'avant-dernier(e), el, la penúltimo(a)
l'avant-garde, la vanguardia
l'avantage, la ventaja
avare, avaro, tacaño
avec, con ; **avec moi, toi, lui...,** conmigo, contigo, consigo...
l'avenir, el porvenir, el futuro
aveugle, ciego
l'avis, la opinión, el parecer ; **à mon avis,** a mi parecer, en mi opinión, desde mi punto de vista
avoir beau, por más que, por mucho que
avoir lieu, pasar, transcurrir, tener [ie] lugar, ocurrir
avoir (posséder), tener
avoir (auxiliaire), haber

B

la bagarre, la pelea
se baigner, bañarse
baisser, bajar ; **baisser (la tête),** agachar (la cabeza)
la balade, el paseo. **Faire une balade,** dar un paseo, dar una vuelta
se balader, se promener, pasearse,
la bande dessinée, el cómic, el tebeo
la banlieue, las afueras
en bas, abajo
les baskets, las zapatillas (de deporte)
basque, vasco, **(langue)** vascuence, euskera
beau, bonito, hermoso, bello, **(exclusivement pour des personnes)** guapo
beaucoup ; beaucoup de, muchos, muchas
la beauté, la belleza, la hermosura
le bénéfice, el beneficio ; **faire des bénéfices,** sacar beneficios
le bénévolat, el voluntariado. **Être bénévole,** ser voluntario,a
le besoin, la necesidad ; **avoir besoin (de),** necesitar Ø
le bidonville, el barrio de chabolas
le bien-être, el bienestar
bien que, aunque (+ indicatif)
bien sûr, desde luego, por cierto (que), claro
bientôt, pronto, dentro de poco
le bijou, la joya
bilingue, bilingüe
le billet, el billete ; **prendre un billet,** sacar un billete
bizarre, raro, extraño
blesser, herir ; **(sentiment)** ofender
blouson, la cazadora
bon, bueno ; **(un plat),** rico
la bonté, la bondad
le bonbon, el caramelo
le bois, la madera **(matière)**
le bonheur, la felicidad
le bord, el borde ; **au bord de la mer,** a orillas del mar
le bouclier, el escudo
bouger, moverse [ue]
la bouteille, la botella
la boutique, le magasin, la tienda
le bracelet, la pulsera
briller, brillar, lucir
brusquement, de repente
le bruit, el ruido
bruyant, ruidoso
le bureau, el despacho ; **les bureaux,** las oficinas
burlesque, burlesco, grotesco
le but, el objetivo, el propósito, la meta

ça, esto, eso
ça et là, aquí y allá
cacher, esconder, ocultar ; **caché,** oculto, escondido
le cadeau, el regalo
le cahier, el cuaderno
la caisse, la caja; **cinéma, gare,** la taquilla ; **la caisse enregistreuse,** la caja registradora
le calendrier, el calendario ; **planning, carnet,** la agenda
calme, quieto, tranquilo
le calme, la calma
la caméra, la cámara
la campagne, el campo ; **(electorale)** la campaña electoral
le candidat, el candidato ; **être candidat,** ser candidato
la candidature, la candidatura
capable, capaz
le caprice, el capricho
capricieux, caprichoso
captivant, cautivador
car, pues, porque, ya que, que
le caractère, el carácter
la caricature, la caricatura
la carte (de crédit), la tarjeta ; **(géographique),** el mapa
la carte d'identité, el documento nacional de identidad (DNI)
le cas, el caso ; **au cas où,** por si acaso
la casquette, la gorra
casser, romper ; **cassé,** roto
le cauchemar, la pesadilla. **Faire un cauchemar,** tener una pesadilla
à cause de, a causa de, por culpa de, **par la faute de.**
célèbre, famoso
célibataire, soltero
cent, ciento, cien
au centre, en el centro
cependant, sin embargo
cesser de, dejar de
c'est-à-dire, o sea, es decir
chacun, cada uno
le chagrin, el pesar, la pena ; **avoir du chagrin,** estar triste
chahuter, armar jaleo
la chaine, la cadena ; **(télévision)** el canal
la chaleur, el calor
la chance, la suerte ; **avoir de la chance,** tener [ie] suerte
le change, el cambio
le changement, el cambio
changer, cambiar
le chanteur, el cantante
chaque, cada
chargé, cargado ; **(responsable)** encargado
charmant, encantador ; **le prince charmant,** el príncipe azul
chaud (temps, voix), cálido ; **(chose)** caliente
la chaussure, el zapato
le chef, el jefe
le chef-d'œuvre, la obra maestra
la chemise, la camisa
chercher, buscar
les cheveux, el pelo ; **la coupe de cheveux,** el corte de pelo
le chewing-gum, el chicle
chez, en casa de, a casa de ; **rentrer chez soi,** volver a casa
le chiffon, el trapo ; **(vêtements)** trapos
le chiffre, la cifra
choisir, escoger, elegir [i]
le choix, la opción ; **ne pas laisser / avoir le choix,** no dejar / tener opción
le chômage, el paro, el desempleo ; **être au chômage,** estar parado
le chômeur, el parado, el desempleado
la chose, la cosa ; **faire les choses à moitié,** hacer las cosas a medias
la chute, la caída
le citadin, el ciudadano
le citoyen, el ciudadano
le classeur, la carpeta ; **(meuble)** el archivador
la civilisation, la civilización
le client, el cliente
le climat, el clima
le coffre, el baul; **(voiture)** el maletero ; **(banque)** la caja fuerte
la coiffure (coupe de cheveux), el peinado ; **(métier)** la peluqueria
la colère, la ira ; **être en colère,** estar furioso ; **se mettre en colère,** ponerse furioso
collé, pegado
combien ; combien de, cuánto, as, os, as
comique, cómico
comme, como, igual que
comme ça, así, de esta manera
comme si, como si (+ imp. du subj.)
commencer, empezar [ie], comenzar [ie]
la compagnie, la compañía ; **tenir compagnie,** hacer **(irrég.)** compañía
la comparaison, la comparación
comparer à, comparar con
le comportement, el comportamiento
comporter, constar de
se comporter, comportarse
composer, componer ; **composé,** compuesto
comprendre, entender [ie]
le compte, la cuenta ; **se rendre compte de,** darse cuenta de que
concerner, concernir [ie] ; **en ce qui concerne,** respecto a, en lo que se refiere a
conclure, concluir
la concurrence, la competencia
concurrencer, competir [i] con
la condition, la condición ; **à condition de,** con tal de ; **à condition que,** con tal que (+ subj.)
conduire, conducir
la confiance, la confianza
la connaissance, el conocimiento
connaître, conocer ; **faire connaître,** dar a conocer
conquérir, conquistar
se consacrer à, dedicarse a
la conscience, la conciencia ; **prendre conscience,** tomar conciencia

conscient, consciente ; **être conscient de,** ser consciente de
le conseil, el consejo. (municipal) el concejo
le conseiller (municipal), el concejal
conseiller de, aconsejar que (+ subj.)
par conséquent, por consiguiente, por tanto
consister à, consistir en
le consommateur, el consumidor
la consommation, el consumo
se contenter de, contentarse con ; conformarse con
continuer à, continuar, seguir [i] (+ gér.)
au contraire, al contrario
la contravention, la multa
contre, contra ; **par contre,** en cambio
convaincant, convincente
convaincre, convencer, persuadir
convenable (tenue), decente ; conveniente
le corps, el cuerpo
le côté, el lado
à côté de, cerca de, junto a, al lado de
la couleur, el color
un coup, un golpe ; **tout à coup,** de pronto, de repente
la coupe, la copa
un couple, una pareja ; **(marié)** un matrimonio
le couplet, la copla
la cour, el patio ; **la cour de récréation,** el patio de recreo
le courage, el valor
courageux, valiente
coûter, costar [ue] ; valer (irrég.)
la coutume, la costumbre
craindre, temer ; **craindre que,** temer que (+ subj.)
créer, crear
le cri, el grito
croire, creer
la croix, la cruz
la croyance, la creencia
la cruauté, la crueldad
cruel, cruel
le culte, el culto
la culture (agricole), el cultivo ; **(intellectuelle),** la cultura
la curiosité, la curiosidad

D

d'abord, primero, en primer lugar
d'accord, de acuerdo
le danger, el peligro
dangereux, peligroso
dans, en, dentro de (+ nom), por
débarquer, desembarcar
se débarrasser de (quelqu'un/quelque chose), deshacerse de (alguien/algo)
debout, de pie
débrancher, desconectar ; **(appareil électrique)** desenchufar
se débrouiller, arreglárselas
au début, al principio
décider de, decidir Ø
la découverte, el descubrimiento
découvrir, descubrir ; **découvert,** descubierto
décrire, describir ; **décrit,** descrito
dedans, dentro, adentro
la défaite, la derrota
le défi, el reto, el desafío
se dégager (une impression), desprenderse (una impresión)
le déguisement, el disfraz
se déguiser, disfrazarse
dehors, fuera, afuera
déjà, ya
au-delà de, por encima de, más allá de
demain, mañana
demander (poser une question), preguntar
demander de, pedir [i] que (+ subj.)
démodé, pasado de moda, anticuado
démontrer, demostrar [ue]
démuni, desprovisto
dénoncer, denunciar
le dénouement, el desenlace
dépenser de l'argent, gastar dinero
le dépliant, el folleto
depuis, dès, desde, desde hace ; depuis que, desde que
se dérouler, desarrollarse
derrière, detrás, detrás de (+ nom ou pronom)
dès que, en cuanto
descendre, bajar
se désintéresser (de), desinteresarse (de)
le désir, el deseo, el anhelo
désirer que, desear que (+ subj.)
être désolé, sentirlo ; **je suis désolé,** lo siento
le désordre, el desorden
dessous, bajo, debajo, debajo de (+ nom ou pronom)
dessus, encima, encima de (+ nom ou pronom)
un détail, un detalle
détruire, destruir (verbes en -uir)
devant, delante, delante de (+ nom ou pronom)
le développement, el desarrollo ; **le développement durable,** el desarrollo sostenible
développer, desarrollar
deviner, adivinar
la dictature, la dictadura
dieu, dios (los dioses)
différent, diferente ; distinto
difficile, difícil ; **dificile à,** difícil de (+ inf.) ; **difficile de,** difícil (+ inf.)
dire, decir ; **c'est-à-dire,** es decir, o sea
disparaître, desaparecer, irrég
se disputer, reñir [i] ; discutir
(c'est) dommage, es una lástima, es una pena
le doigt, el dedo
donc, pues, pues bien
donner, dar
dormir, dormir [ue/u]
la douleur, el dolor
un doute, una duda ; **il n'y a pas le moindre doute,** no cabe la menor duda ; **sans doute,** quizás, tal vez
doux, suave, dulce
le drapeau, la bandera
à droite, a la derecha
drôle (bizarre), raro ; **(comique, amusant),** divertido

E

l'eau, el agua (mot féminin : el agua fría)
en échange de, a cambio de
échanger (contre), cambiar (por)
un échec, un fracaso
échouer, fracasar
l'écologie, la ecologia
économiser, ahorrar
écouter, escuchar
l'écran, la pantalla
écrire, escribir ; **écrit,** escrito
faire (avoir) de l'effet, impactar, tener impacto
l'efficacité, la eficacia
s'efforcer de, esforzarse [ue] por
l'effort, el esfuerzo
effrayant, espantoso
effrayer, asustar
égal, igual. **Cela m'est égal,** me da igual
l'égalité, la igualdad
à l'égard de, para con
égoiste, egoista
éloigné (espace), alejado ; **(espace et temps),** remoto
emmener, llevar
émouvant, conmovedor
émouvoir, conmover [ue]
empêcher de, impedir [i] Ø
emporter, llevar
encore, aún, todavía, otra vez, de nuevo, seguir (+ gér.)
encourager, animar
un endroit, un lugar, un sitio
l'enfance, la niñez, la infancia
enfermer, encerrar [ie]
enfin, por fin, finalmente, por último
engagé, comprometido
s'engager à, comprometerse a
une énigme, un enigma
l'ennemi, el enemigo
l'ennui, el fastidio, el aburrimiento
s'ennuyer, aburrirse
l'enquête, la investigación / **enquêter,** investigar
enraciné, arraigado
s'enrichir, enriquecerse
enseigner, enseñar
ensuite, luego, a continuación, después
entendre, oír, irrég
entraîner, acarrear
envers, para con, hacia

environ, unos (as), alrededor de, poco más o menos
l'envie, la gana ; **avoir envie de,** tener [ie/i] ganas de
l'environnement, el entorno ; el medio ambiente
une époque, una época ; **à cette époque,** en esta, esa, aquella época
éprouver (un sentiment), experimentar, sentir
l'équilibre, el equilibrio
l'équipage, la tripulación
une erreur, un error
l'esclavage, la esclavitud
espérer, esperar, confiar en
l'espoir, la esperanza
l'esprit, el espíritu, la mente ; **venir à l'esprit (à l'idée) de quelqu'un,** ocurrírsele a alguien
essayer de, tratar de, intentar Ø, procurar Ø
essentiel, esencial. **L'essentiel,** lo esencial
l'est, el este
l'état d'esprit, el estado de ánimo
éteindre, apagar
l'étoile, la estrella
étonner, extrañar, sorprender
étrange, extraño, raro
un étranger, un extranjero
être, ser, estar
être amoureux, estar enamorado
être content (circonstance), estar contento
être contre, estar en contra de
être d'accord, estar de acuerdo, estar conforme
être debout, estar de pie
être en faveur de, estar a favor de
être en vacances, estar de vacaciones.
être fatigué, estar cansado
être habillé de, vestir [i]
être habitué à, estar acostumbrado, soler [ue]
être malade, estar enfermo/malo
être mort, estar muerto
être prêt à, estar listo para, estar dispuesto a
être surpris, estar sorprendido
l'Europe, Europa
européen, europeo
un événement, un acontecimiento
évidemment, desde luego, por supuesto
mettre en évidence, evidenciar
évoquer, evocar, aludir a
s'exclamer, exclamar
excuser, disculpar ; **s'excuser,** disculparse
l'exploitation, la explotación
exploiter, explotar
exprès, a propósito ; **le faire exprès,** hacerlo a propósito, adrede
l'expression (sur le visage), el gesto
exprimer, expresar
extravagant, estrafalario

F

face à, frente a
en face de, frente a, enfrente de
facile, fácil ; **facile à,** fácil de (+ inf.) ; **facile de,** fácil (+ inf.)
faible, débil ; desvalido
faillir, por poco, casi (+ verbe au présent)
la faim, el hambre
fainéant, holgazán, vago, perezoso
faire allusion à, aludir a
faire partie, formar parte
faire peur, dar miedo
faire prendre conscience, concienciar
faire semblant de, fingir Ø
un fait, un hecho ; **en fait,** de hecho ; **le fait est que,** el caso es que ; **le fait que,** el que
falloir, hay que, tener que
fatigué, cansado
la fatigue, el cansancio
le feu, el fuego
fier, orgulloso
se fier à, fiarse de
la fierté, el orgullo
finalement, por fin, finalmente
finir par, acabar (+ gér.)
la foi, la fe
une fois, una vez (veces) ; **chaque fois,** cada vez ; **il était une fois,** érase una vez
la folie, la locura
au fond, en el fondo
la force, la fuerza
la forêt vierge, la selva
fou, loco
fouiller (lieu, personne), registrar
la foule, la muchedumbre
frimer, vacilar, presumir
le fruit, la fruta
fuir, huir (verbes en -uir) ; escapar

G

gagner sa vie, ganarse la vida
gaspiller, despilfarrar, malgastar
gâté, mimado ; **un enfant gâté,** un niño mimado
à gauche, a la izquierda
gêner, molestar
la générosité, la generosidad
le genou, la rodilla
les gens, la gente ; **peu / beaucoup de gens,** poca / mucha gente
gentil, amable, bueno ; **être gentil,** ser bueno
un geste, un ademán
la gloire, la gloria
le goût, el gusto
le gouvernement, el gobierno
grâce à, gracias a ; con, mediante
grand, grande, gran ; **(taille d'une personne),** alto ; **plus grand,** mayor
la grandeur, la grandeza
le grand-père, el abuelo
gros, gordo
guider, guiar

H

habiller, vestir ; **s'habiller,** vestirse
les habits, la ropa
l'habitude, la costumbre ; **avoir l'habitude de,** soler (+ inf.) , tener la costumbre de
habitué, acostumbrado (estar acostumbrado a)
haïr, odiar
handicapé, discapacitado, minusválido
par hasard, casualmente, por casualidad
en haut, arriba
l'héritage, la herencia, el legado
hériter, heredar
le héros, el héroe
hésiter, vacilar, dudar ; **hésiter à,** dudar en, vacilar en
heureusement, afortunadamente
hier, ayer
hispanophone, hispanohablante
la honte, la vergüenza

ici, aquí
il faut, hay que (+ inf.)
l'illusion, la ilusión
il y a, hay
impitoyable, despiadado
l'importance, la importancia
n'importe quel ; n'importe qui, cualquiera ; **n'importe quoi,** cualquier cosa ; **n'importe où,** dondequiera ; **n'importe quand,** en cualquier momento, cuando sea
inattendu, inesperado
inconnu, desconocido
un inconvénient, un inconveniente, una desventaja
incroyable, increíble, inaudito
l'indigène, el indígena
l'inégalité, la desigualdad
influencer, influenciar
influer sur, influir (verbes en -uir) en
inquiéter, preocupar ; **s'inquiéter de,** preocuparse por
l'inquiétude, la preocupación
insister sur, insistir en, hacer hincapié en, recalcar
s'inspirer de, inspirarse en
l'insouciance, la despreocupación
un instant, un instante ; **pour l'instant,** de momento ; **à chaque instant,** en cada momento ; **à l'instant,** ahora mismo
interdire de, prohibir que (+ subj.)
s'intéresser à, interesarse por
l'intérêt, el interés
inviter, convidar, invitar
invraissemblable, inverosímil
l'ironie, la ironía
irréel, irreal

J

la jalousie, los celos
jaloux, celoso
jamais, nunca
le jean, los vaqueros
jeter, echar, tirar
la jeunesse, la juventud
la joie, la alegría
jouer, jugar [ue]
jouer (rôle), desempeñar un papel ; **(instrument)** tocar Ø ; **(film, pièce)** actuar
le jour, el día ; **de nos jours,** hoy en día
un journal, un diario, un periódico
le journaliste, el periodista
joyeux, alegre
juger, juzgar
jusqu'à, hasta

L

là, aquí, ahí, allí
là-bas, allí, allá
lâche, cobarde
laid, feo
lancer, tirar
la langue, la lengua ; el idioma
les larmes, las lágrimas
latino-américain, latinoamericano
la légende, la leyenda
le lendemain, el día siguiente ; **(complément de temps),** al día siguiente
lequel, cuál, el cual
une lettre (alphabet), una letra ; **(courrier),** una carta
se lever, levantarse
un lieu, un lugar, un sitio ; **avoir lieu,** tener [ie] lugar ; **au lieu de,** en vez de, en lugar de
lire, leer
le lit, la cama
le locataire, el inquilino
la location, el alquiler
le logotype, le logo, el logotipo, el logo
loin, lejos ; **au loin,** a lo lejos ; **plus loin,** más adelante, más lejos
lointain (espace), alejado ; **(espace et temps),** remoto
le loisir, el ocio
longtemps, mucho tiempo ; **il y a longtemps,** hace mucho tiempo, en tiempos remotos
la lumière, la luz
les lunettes, las gafas ; gafas de sol, **des lunettes de soleil**
la lutte, la lucha
lutter (pour), luchar (por)

le magasin, la tienda
un magazine, una revista
maintenant, ahora, ya
la mairie, el ayuntamiento, la alcaldía
le maître (le chef), el amo, el jefe ; **(d'école),** el maestro
majeur, mayor de edad
la majorité, la mayoría
la maladie, la enfermedad
la malchance, la mala suerte
malgré, a pesar de, pese a ; **malgré tout,** con todo.a pesar de todo
le malheur, la desgracia
malheureusement, desgraciadamente, desafortunadamente
malin, e, astuto, a
le manque, la falta
manquer de, carecer de ; **manquer (faire défaut),** faltar
marcher, andar, caminar
le mari, el marido
le mariage (la noce), la boda ; **(l'institution),** el casamiento
se marier, casarse
le matin, la mañana
la méchanceté, la maldad
méchant, malo ; **être méchant,** ser malo
la méfiance, el recelo, la desconfianza
se méfier (de), desconfiar (de)
meilleur, mejor
le mélange, la mezcla
mélanger, mezclar
même, aun, hasta, incluso
même pas, ni siquiera
même si, aunque (+ subj.)
menacer, amenazar ; **menacer de,** amenazar con
le mensonge, la mentira
mentir, mentir [ie/i]
le mépris, el desprecio, el menosprecio
mépriser, despreciar, menospreciar
merveilleux, maravilloso
à mesure que, au fur et à mesure que, a medida que
la métaphore, la metáfora
la méthode, el método
un métier, un oficio
un métis, un mestizo
le métissage, el mestizaje
le metteur en scène (ciné.), el director
mettre, poner ; **se mettre à,** ponerse a ; **mettre du temps à,** tardar en
le midi, el mediodía
mieux, mejor
au milieu de, en medio de
un million, un millón
un miracle, un milagro
la mise en scène, la puesta en escena
le mode de vie, el modo de vida
moins, menos ; **le moins ;** moins... que ; **moins... moins...,** cuanto menos... menos... ; **de moins en moins,** cada vez menos
du moment que, con tal de + inf. ; con tal (de) que (+ subj.)
monter, subir
montrer, mostrar [ue]
se moquer, burlarse
la mort, la muerte
mourir, morir [ue/u]
un mouvement, un movimiento

N

nager, nadar
naïf, ingenuo, inocente
naître, nacer (verbes en -acer)
la naïveté, la ingenuidad
la nature, la naturaleza
le navigateur, el navegante
naviguer, navegar
le navire, el buque, la nave
négliger, descuidar, desatender ; **se négliger,** descuidarse
nettoyer, limpiar
nombreux, numerosos
non plus, tampoco
le nord, el norte
la note, la nota ; **prendre des notes,** tomar apuntes
noter, notar ; apuntar
nourrir, alimentar
à nouveau, de nuevo
nuancer, matizar
nuire, perjudicar
nuisible, dañino ; perjudicial
nulle part, en ninguna parte

obéir, obedecer (verbes en ecer)
obéissant, obediente
obtenir, conseguir [i], obtener [ie]
s'occuper (de), ocuparse de, atender [ie]
l'odeur, el olor
l'œil, el ojo
ordonner (de), mandar Ø
un ordre, una orden
l'origine, el origen ; **tirer son origine de,** originarse en
oser, atreverse a
où, donde, dónde
l'ouest, el oeste
en outre, además
l'ouvrier, el obrero

P

une page, una página
le papier, el papel ; **les papiers d'identité,** la documentación, los papeles
par, por

le paradoxe, la paradoja
paraître, parecer
parce que, porque
pareil, igual
les parents, los padres
parfois, a veces, algunas veces
parmi, entre
la parodie, la parodia
la part, la parte ; **d'une part,** por una parte ; **d'autre part,** por otra parte ; **nulle part,** en ninguna parte ; **quelque part,** en alguna parte
partager avec, compartir con
partir, irse, marcharse, salir ; **partir en vacances,** irse de vacaciones
partout, por todas partes
se passer, ocurrir, pasar, suceder, acontecer
pauvre, pobre
la pauvreté, la pobreza
payer, pagar
le paysage, el paisaje
le paysan, el campesino
la peine, la pena
le peintre, el pintor
pendant (temps), durante, cuando ; **pendant ce temps,** mientras tanto, entre tanto, entretanto
pendant que, mientras
pénible, penoso
la pensée, el pensamiento
penser, pensar [ie]
penser à, pensar [ie] en
le père, el padre
permettre, permitir Ø
personne, nadie
la personnification, la personificación
le petit-fils, el nieto
peu à peu, poco a poco
peu de, poco, a, os, as
le peuple, el pueblo
la peur, el miedo
peut-être que, quizá, acaso, tal vez...
le pied, el pie
le piège, la trampa ; **tomber dans le piège,** caer en la trampa
le piéton, el peatón ; **le passage pour piétons,** el paso de peatones
la pitié, la compasión
plaire, gustar
plaisanter, bromear
une plaisanterie, una broma. **Faire une plaisanterie,** gastar una broma
un plan, un plano ; **au premier plan,** en el primer plano, en el primer término ; **un gros plan,** un primer plano
plein, lleno
pleurer, llorar
les pleurs, el llanto
pleuvoir, llover [ue]
la pluie, la lluvia
la plupart, la mayor parte, la mayoría ; **la plupart du temps,** casi siempre
plus, más ; **en plus,** además, por lo demás ; **le plus ; plus... que ; plus... plus...,** cuanto más... más... ; **plus loin,** más lejos, más allá ;
de plus en plus, cada vez más ; **non plus,** tampoco
plusieurs, varios (as)
plutôt, más bien
un poème, un poema
le poète, el poeta
poétique, poético
le point de vue, el punto de vista ; **du point de vue de,** desde el punto de vista de
poli, cortés
la pollution, la contaminación
la portée, el alcance ; **être à la portée de,** estar al alcance de
porter, llevar
un portrait, un retrato ; **faire le portrait de,** retratar a
poser, poner, colocar ; **poser un problème,** plantear un problema
pour, por, para
pour que, para que
pourquoi, por qué ; **c'est pourquoi,** por eso
pourvu que, ojalá
pousser, empujar
le pouvoir, el poder
pouvoir, poder [ue]. **Je n'en peux plus,** no puedo más
précolombien, precolombino
précieux, precioso
préférer, preferir [ie/i]
premier, primero, primer ; **au premier plan,** en el primer término
prendre, tomar, coger ; **prendre au sérieux,** tomar en serio ; **prendre conscience,** tomar conciencia ; **se prendre pour,** tenerse [ie/i] por
se préoccuper (de), preocuparse (por)
près de, cerca de, junto a
presque, casi
prêter attention à, fijarse en
prier de, rogar [ue] que (+ subj.)
un problème, un problema ; **poser un problème,** plantear un problema
un procédé, un procedimiento, un recurso
produire, producir (verbes en –ucir)
se produire, ocurrir, pasar, suceder, acontecer
le profil, el perfil ; **de profil,** de perfil
profiter de, aprovechar ø
le projet, el proyecto
la promenade, el paseo
se promener, dar un paseo, pasear
proposer, proponer ; **proposer de,** proponer que (+ subj.)
publicitaire, publicitario
une publicité, un anuncio
puis, luego
puisque, ya que, puesto que
la puissance, la potencia
punir, castigar

quand, cuando, cuándo, al (+ inf.)
quant à, en cuanto a
la quantité, la cantidad
le quartier, el barrio
quelques, unos, algunos
quelque chose, algo
quelqu'un, alguien
une question, una pregunta ; **poser une question,** hacer una pregunta
quoi qu'il en soit, sea lo que sea
quotidien, cotidiano, diario

R

la racine, la raíz
raconter, relatar, contar [ue], narrar
la rage, la rabia
la raison (faculté intellectuelle), la razón ; **(motif, cause),** el motivo,
ranger, ordenar, guardar ; **être rangé,** estar guardado
un rapport, una relación ; **par rapport à,** con relación a
réagir, reaccionar
la recherche, la búsqueda, la investigación ; **être à la recherche de,** estar en busca de
un récit, un relato
réconforter, confortar [ue]
réel, real. **Le réel,** lo real
réfléchir, reflexionar
le refrain, el estribillo
refuser de, negarse [ie] a
le regard, la mirada
regarder, mirar
le régime, el régimen (los regímenes)
le règne, el reinado
regretter, déplorer, sentir [ie/i] ; **(l'absence de quelqu'un ou de quelque chose),** echar de menos.
le rejet (poésie), el encabalgamiento
rejeter, rechazar
relever (dans un document), entresacar
le relief, el relieve ; **mettre en relief,** poner de relieve, de realce, de manifiesto, destacar
relier, enlazar
remarquer, notar ; **faire remarquer,** advertir [ie/i]
une rencontre, un encuentro
rencontrer, encontrar [ue]
se rendre compte, darse cuenta
renforcer, reforzar [ue]
rentrer, regresar
répéter, repetir [i]
répondre, contestar
le reporter, el reportero
se reposer, descansar
le respect, el respeto
respecter, respetar

réprimander, reñir [i]
ressembler à, parecerse a
ressentir, sentir [ie/i], experimentar
le reste, el resto, lo demás
rester, quedar, quedarse
un résumé, un resumen
résumer, resumir
le retour, el regreso, la vuelta
réussi, logrado
réussir à, lograr Ø, conseguir [i] Ø
en revanche, en cambio
le rêve, el sueño
réveiller, despertar [ie]
revenir, volver [ue], regresar
rêver de, soñar [ue] con. **Soñar con los angelitos,** faire de beaux rêves
rêveur, iluso
riche, rico, adinerado
la richesse, la riqueza
ridiculiser, poner en ridículo, ridiculizar
rien, nada
une rime, una rima
rire, reír ; **faire rire,** mover [ue] a risa
le risque, el riesgo ; **prendre des risques,** tomar riesgos
risquer, arriesgar
un rôle, un papel ; **jouer un rôle,** desempeñar un papel
un roman, una novela
le romancier, el novelista (la novelista)
le royaume, el reino
rude, recio
rusé, astuto
le rythme, el ritmo

S

le sable, la arena
saisir, agarrar, procesar (informatique)
la saison, la estación
le sang, la sangre
sans que, sin que
la satire, la sátira
satisfaire, satisfacer
sauf, salvo, excepto
le savant, el sabio
savoir, saber
le scénario, el guión (cine)
sécher, secar
selon, según
semblable, parecido, semejante
faire semblant de, fingir ø
sembler, parecer
sentir (odorat), oler (huele a)
une séquence filmique, una secuencia fílmica
sérieux, serio
rendre service, echar una mano
servir à, servir para
seulement, sólo
si, si
un siècle, un siglo ; **au vingtième siècle,** en el siglo veinte
signaler, señalar
silencieux (pour une personne), callado
simple, sencillo
la simplicité, la sencillez
sinon, si no
la situation, la situación, la posición ; **la situation sociale,** la posición social
soigné, esmerado
le slogan, el eslogan, el lema
la société, la sociedad ; **la société de consommation,** la sociedad de consumo
le sol, el suelo
la solidarité, la solidaridad
la solitude, la soledad
le sommeil, el sueño ; **avoir sommeil,** tener [ie/i] sueño
une sorte de, una especie de
sortir (en se déplaçant), salir ; **(tirer, ôter),** sacar
soucieux, preocupado ; **être soucieux,** estar preocupado
soudain, repentino ; de repente
la souffrance, el sufrimiento, el dolor
souligner, subrayar
la souris, el ratón
sous, bajo, debajo, debajo de (+ nom)
se souvenir de, recordar [ue] Ø, acordarse [ue] de
un souvenir, un recuerdo
souvent, a menudo, muchas veces
un spectacle, un espectáculo
sponsoriser, patrocinar
un spot publicitaire, un anuncio
la star, la estrella
une strophe, una estrofa
le succès, el éxito. **Avoir du succès,** tener éxito
le sud, el sur
suffire de, bastar con ; **il suffit de,** basta con
suggérer, sugerir [ie/i] ; **suggérer de,** sugerir [ie/i] que (+ subj.)
suivant, selon, según
suivre, seguir [i]
au sujet de, a próposito de, acerca de
le sujet, el tema ; **à ce sujet,** al respecto
super, estupendo
sûr, seguro ; **être sûr de soi,** estar seguro de sí ; **bien sûr,** claro
surnaturel, sobrenatural
surprenant, sorprendente
surprendre, extrañar, sorprender
la surprise, la sorpresa
surtout, sobre todo
surveiller, vigilar
suspendu, pendiente
le suspense, el suspense, la suspensión
une syllabe, una sílaba
un symbole, un símbolo
symboliser, simbolizar

un tableau (art), un cuadro, un lienzo
la taille, el tamaño
le talent, el talento
tandis que, mientras que, mientras
tant, tanto ; **tant de,** tanto, a, os, as
tant que, mientras
tel que, tal como
un témoignage, un testimonio
un témoin, un testigo ; **être témoin de,** ser testigo de
le temps, el tiempo ; **de temps en temps,** de vez en cuando
la tendresse, la ternura
un terme, un mot, un término
la tête, la cabeza
tirer une conclusion, sacar una conclusión
le titre, el título
le toit, el techo
la tolérance, la tolerancia
tomber, caer(se), irrég ; **tomber amoureux,** enamorarse
toucher, tocar
toujours, siempre
un touriste, un turista
tourner, girar
tout, todo ; **tout** (c.o.d.), lo... todo ; **pas du tout,** en absoluto nada ; **tout au long de,** a lo largo de ; **tout de suite,** en seguida
se transformer en, convertirse [ie/i] en
traverser, cruzar, atravesar [ie]
trembler, temblar [ie]
très, muy
triompher, triunfar
troisième, tercero, tercer
tromper, engañar ; **se tromper,** equivocarse
la tromperie, el engaño
trop, demasiado ; **trop de,** demasiado, a, os, as
trouver, encontrar [ue], hallar ; **(réussir, voir juste)** acertar [ie]
se trouver, estar, hallarse
tuer, matar

un, une ; **les uns et les autres,** unos y otros
unique, único
user, gastar

les vacances, las vacaciones; **être en vacances,** estar de vacaciones ; **partir en vacances,** irse de vacaciones
la vague, la ola
le vainqueur, el vencedor
la valeur, el valor ; **mettre en valeur,** poner de realce

valoir, valer, irrég
vanter, alabar
venir, venir ; venir de (+ inf.), acabar de ; **venir à l'esprit (à l'idée) de quelqu'un,** ocurrírsele a alguien
vérifier, comprobar [ue]
le verre, el cristal **(matière)** ; el vaso ; la copa
vers, hacia
un vers, un verso ; **un vers octosyllabique,** un verso octosilábico
les vêtements, la ropa ; los vestidos
vide, vacío ; estar vacío
vieux, viejo ; **(pour les objets),** antiguo
vif, llamativo ; **des couleurs vives,** colores llamativos
la ville, la ciudad
violent, violento
le visage, la cara, el rostro
vite, pronto, de prisa ; **le plus vite possible,** cuanto antes
vivant, vivo
vivre ensemble, convivir
voir, ver ; vu, visto
le voisin, el vecino
la voix, la voz (voces)
le vol (délit), el robo ; **(en l'air),** el vuelo
voler (délit), robar
le voleur, el ladrón
vouloir, querer [ie]
un voyage, un viaje ; **partir en voyage,** ir(se) de viaje
voyager, viajar ; **voyager dans le monde,** viajar por el mundo
vrai, real, verdadero ; **c'est vrai,** es verdad, es cierto ; **il est vrai que,** es verdad que
vraiment, de veras, realmente
vraisemblable, verosímil
la vue, la vista
en vue de, con el propósito de

W

le week-end, el fin de semana.

PARA NAVEGAR

NUEVAS TECNOLOGÍAS

LEXIQUE

El ordenador, la computadora *(am.)*

el monitor
le moniteur

la pantalla
l'écran

el lector CD
le lecteur de CD

el ratón, el mouse *(am.)*
la souris

el teclado (una tecla)
le clavier (une touche)

la webcam
la webcam

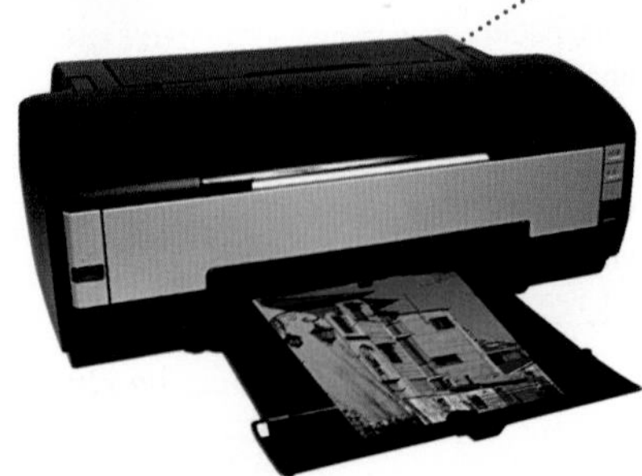

la impresora
l'imprimante

el pen,
el pen-drive,
el lápiz
la clé USB

el altavoz
le haut-parleur

Internet

la red: *le Web*
la dirección de correo electrónico: *l'adresse électronique*
un sitio Web, una página Web: *un site web, une page web*
la portada, la página inicial: *la page d'accueil*
el buscador, el motor de búsqueda: *le moteur de recherche*
la contraseña: *le mot de passe*

navegar: *naviguer*
conectarse: *se connecter*
teclear: *taper (sur un clavier)*
hacer clic, cliquear, pulsar, pinchar: *cliquer*
descargar, bajar: *télécharger*
salvar, guardar: *sauvegarder*
insertar: *insérer*
copiar / pegar: *copier / coller*

RECHERCHES SUR INTERNET

Pour réussir vos "*ciberinvestigación*"

Une sélection de sites vous est proposée* dans les pages *Nuevas Tecnologías* pour effectuer vos recherches sur Internet. Ce ne sont que des pistes ; il est possible que certains liens ne soient plus actifs. Dans ce cas, passez par un moteur de recherche et des mots clés pour retrouver l'information recherchée.

* Sur *nuevas-voces.com* accédez d'un simple clic à notre sélection de sites et à des conseils méthodologiques pour trouver rapidement les informations.

CLAVIER

Obtenir les caractères spécifiques à l'espagnol sur un clavier

• Sur un ordinateur de bureau

Pour écrire les caractères spéciaux de l'alphabet espagnol et la ponctuation, il suffit de maintenir enfoncée **la touche ALT** et de taper le code numérique indiqué ci-dessous.
Attention, pour utiliser ces combinaisons, il faut penser à activer **la touche NumLock** du pavé numérique (à droite du clavier).

Majuscules

Á	ALT + 181
É	ALT + 144
Í	ALT + 214
Ó	ALT + 224
Ú	ALT + 233
Ñ	ALT + 165

Minuscules

á	ALT + 160
í	ALT + 161
ó	ALT + 162
ú	ALT + 163
ñ	ALT + 164

Ponctuation

¿	ALT + 168
¡	ALT + 173

• Sur un ordinateur portable

Par exemple sous *Microsoft Office 2007*, sous l'onglet ***Insertion***, puis dans le groupe ***Symboles***, cliquez sur ***Symbole*** puis sur ***Autres symboles***.
La fenêtre ***Caractères spéciaux*** s'ouvre et vous permet de sélectionner le caractère à insérer.

► Plus d'informations sur le site :
www.nuevas-voces.com

LOGICIELS : MODE D'EMPLOI

OPENOFFICE : suite bureautique

OpenOffice est une suite bureautique complète et gratuite proposant entre autres un traitement de texte *(Writer)*, un tableur *(Calc)* et un logiciel de présentation multimédia *(Impress)*.
Ces différents outils vous permettront de vous familiariser avec les logiciels de bureautique et d'acquérir des compétences utiles dans un environnement professionnel.

► Plus d'informations sur le site :
nuevas-voces.com

OPENOFFICE IMPRESS : créer vos présentations multimédia

OpenOffice Impress est un logiciel gratuit qui permet de créer des diaporamas contenant des images, du texte, des graphiques, etc.
Vous pourrez améliorer vos présentations avec des effets de transition ou en insérant des sons ou des clips vidéo.

► Un mode d'emploi accessible à tous sur le site *nuevas-voces.com*

AUDACITY : créer et monter vos fichiers audio

Audacity est un logiciel gratuit et très simple d'utilisation : il permet d'enregistrer, de lire, d'importer et d'exporter des fichiers audio mais surtout d'enregistrer votre voix et de l'écouter.
Vous pourrez traiter vos sons avec les commandes *Couper*, *Copier* et *Coller*, combiner les pistes et ajouter des effets à vos enregistrements.

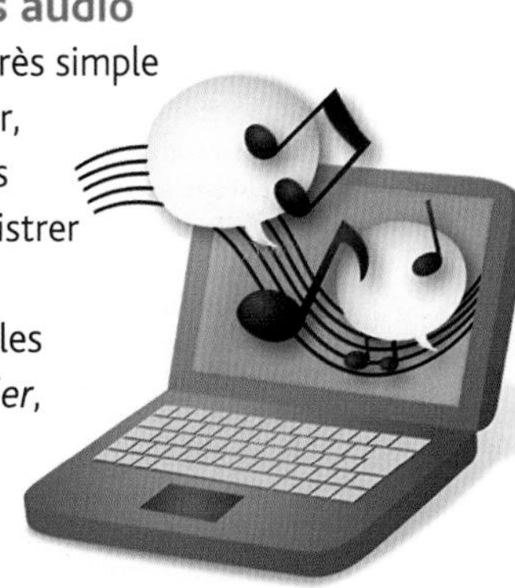

► Un mode d'emploi accessible à tous sur le site *nuevas-voces.com*

Crédits photographiques et illustrations

Couverture : (hg) J. Larrea/Age Fotostock;
(bd) Leon/Riser/Gettyimages;
(bg) J. Blacklock-Fotolia.com

8, 9, 11, 22 UNICEF © Isabel Muñoz
10 *7 minutos*, Daniela Féjerman
© Tornasol Films/Castafiore Films/Siete Minutos (AIE), 2008
14 S.Ross/Taxi/Gettyimages; D. Gludice/Archivo-latino/Réa
15 J. Fuste Raga/Corbis; M.M.
16 (hg) Óscar Carriquí
18 (b) Stock4B/Gettyimages; S. Ollivier
19 Mauritius/Photononstop
20 S. Barrenechea/Efe; I. Warlin
21 Ayuntamiento de Antequera, Centro de información Juvenil; Images.com/Corbis
22 (b) Globo Media
23 Photoaisa.com/Leemage/© Succession Picasso 2010
26, 27 Banco de Imágenes de VEGAP/© Adagp, Paris 2010
28 (1) J. Larrea/Age fotostock
(2) Art Directors &TRIP/Alamy
(3) J. Feingersh/Blend Images/Corbis
29 J.M. Ordonez/123rf.com; C. Beurton (28)
30 O. Fdez. Santana/Age fotostock
31 J. Puig/Age fotostock
32 TV Cultura
33 Axiom/Hemis.fr; M.M.
35 Heritage Images/Leemage
36 www.linguamon.cat; Denis/Réa
37 (1, 4) Oscurecido-Fotolia.com; J. Priewe-Fotolia.com ; Pandore-Fotolia.com; http://es.wikipedia.org/wiki/Archivo:Banner_of_the_Aulla_Suyu.svg; http://es.wikibooks.org /wiki/Archivo: Banner_of_the_Inca_ Empire.svg; DR; http:/.es.wikipedia.org/wiki/Archivo:Flag_of_the_ Mapuches.svg
38 Editorial Alfaguara/Santillana; Visor Editores
39 M. Nascimento/Réa; Photo Art Resource/B. Schalkwijk/Scala, Florence; M. R. Gómez Collection/The Bridgeman Art Library; © 2010 Banco de México, Diego Rivera-Frida Kahlo Museums Trust, México, D.F./Adagp, Paris
40 Harmonia Mundi/Sohoartists; Dogan Music Company, DR
41 Bildarchiv Steffens/AKG-Images; Frida Larios, Ideas Frescas
44, 45 Créatrice Christine Cabirol/Festival Cinespaña; Mathilde Schoettl & Gwladys Esnault, Atelier Mêlé, Festival Biarritz
46-47 (1) Benainous A./Gamma/Eyedea;
(2) El Deseo SA/Universal International Pictures (UI) Album/AKG;
(3) J. Larson/Imagestate/Eyedea;
(4) B. Gardel/Hemis.fr;
(5) Gusman/Leemage;
(6) Fundación Federico García Lorca;
(7) P. Narayan/Age Fotostock/Guggenheim Bilbao, Frank Gehry;
(8) Bettmann/Corbis/© 2010 Banco de México, Diego Rivera-Frida Kahlo Museums Trust, México, D.F./Adagp, Paris;
(9) L. Ricciarini/Leemage/© Succession Picasso 2010;
(10) Ballesteros/Efe;
(11) J. Hicks/Corbis;
(12) E. Miller/AFP;
(13) M. Cheli/Efe
48 (hc) Studio Gi-Fotolia.com;
(hd) Edusol-Fotolia.com;
(mg) RENFE/Efe
50 M.M.; M. Nascimento/Réa
51 Ilustración Pablo Checo; M.M.
52 Michelle Chaplow
53 C. Alvarez/Afp
54 Instituto Cervantes; J. Gerard Sidaner/Age Fotostock
55 Tsian-Fotolia.com; M.M./Chupa Chups, grupo Perfetti Van Melle, DR; M. Nascimento/Réa; www.the-art-company.com
56 White Star/Mónica G/Age Fotostock
57 Debolsillo, Random House Mondadori; Carlos Iglesias, Adivina Producciones S.L./Album/Akg; J. Ferreras/Efe
58 J. Strauss/Contributeur/Wire Image/Gettyimages; RTVE
59 ©Museo Torres García, www.torresgarcia.org.uy/© Adagp, Paris 2010
63, 65 (b) Scott Griessel/Age fotostock
64 DR
65 Javier Fabian Furnodavlos
67 M. Borchi/Atlantide Photo Travel/Corbis
68 R. Benegas/Abacapress.com; Bigas Luna, Televisió de Catalunya (TV3)/Album/Akg-Images
69 Ilustración Bernat Literas, Esfera Libros; Lola Delgado, DR
70 J. Beckman/Pymca; G. Medina/Blend Images/Corbis; R. Demurez/ Imagebroker/Age fotostock; G. Jones/Latinphoto.org; T. Fewings/ Pymca
71 Kirsty Pargeter-Fotolia.com; NL Shop-Fotolia.com; Ghoto.net-Fotolia.com; S. Siz'kov-Fotolia.com; Travis Manley-Fotolia.com
72 A. Paredes/Age Fotostock; G. Vola/Latinphoto.org
73 N. Loran/Istockphoto.com
74 D. Vervitsiotis/Photographer's Choise/Gettyimages
75 Artcolor/Age Fotostock/© Fernando Botero; The Metropolitan Museum of Art/RMN; ddraw-Fotolia.com
76 Caminito S.a.s. Literary Agency; La imagen incorporada a la presente obra es titularidad de Televisión Pública de Canarias, S.A. Copyright. Todos los derechos reservados
77 Photoaisa.com/Leemage
80 Un techo para mi país, Perú
81, 82 www.untechoparamipais.org.ar, Argentina
83 DR; L. Medina-Fotolia.com; R. Gunn/Flickr/Gettyimages; B. Yankushev/Mauritius/Photononstop; F. Lerouge/Photononstop
84 A. Roque/Afp
85 A. Ernesto/Efe; IIMI
86 Image Source/Gettyimages; Cruz Roja Española
87 M.M.; M. Acosta/Archivolatino/Réa; (a) United Nations Volunteers (UNV); (b) JPP-Fotolia.com; (c) Erika-Fotolia.com
88 Nueva Acropolis, Perú
89 Jérôme Pallé; M. Vazquez de la Torre/Agencia MVT/Latinphoto.org; Prisma/Leemage; J. Larrea/Age fotostock; J.- C. Molina/Efe; J. Brusco/Latinphoto.org
90 H. Hughes/Hemis.fr
91 I. Kounadeas-Fotolia.com; O. Franken/Corbis; X. Subias/Age Fotostock; P.Perinelle-Fotolia.com; Nausicaa-Fotolia.com; IKO-Fotolia.com
92 Solidarios para el desarrollo
93 World Fair Trade Organization; J. Ferreras/Efe
94 M. H. de León/Efe; Antonio Fraguas dit Forges; DR; adn.es
95 Courtesy of The Bancroft Library, University of California, Berkeley, Taller de Gráfica Popular collection (graphic); Reproducción autorizada por el Instituto Nacional de Bellas Artes y Literatura, 2010
98 P. Rotger/Iberfoto/Photoaisa.com/Leemage/© Successió Miró - Adagp, Paris 2010
100 Catedra Intercultural
101 Correos; Unesco; www.diversiacultural.com
102 J.C. Hidalgo/Efe
103 J.D. Dallet/Age Fotostock
104 P. Rotger/Iberfoto/Photoaisa.com/Leemage
105 Oronoz/Photo 12; © Random House Mondadori
106 P. Farfán, A.-M. Marrero, R. González de la Fuente, Asociación de Vecinos La Corrala
107 Comunidad de Madrid; M. López/Festival de Málaga; Ayuntamiento de Los Santos de Maimona; Gandules 2007, CCCB © Marti Pons, 2007
108 A. Juliette/Age Fotostock
109 M. Rojas, www.mayugrafica.com/lart; Bsanchez-Fotolia.com; Joe Gough-Fotolia.com; Kertis-Fotolia.com
110 M. Fourmy/Réa
111 Plataforma ciudadana contra el racismo, DR; T. Albir/Efe
112 wikimedia.org; C. Matthieu/Hemis.fr
113 "The State Hermitage Museum, St. Petersburg", photograph © The State Hermitage Museum/Photo by Vladimir Terebenin, Leonard Kheifets, Yuri Molodkovets
116, 117 Heritage Images/Leemage
118 Photoaisa.com/Leemage/© 2010 Banco de México, Diego Rivera - Frida Kahlo Museums Trust, México D.F./Adagp, Paris
119 SPL/Cosmos
120 Jordi Castells, DR
121 Photoaisa.com/Leemage; Prismaarchivo.com/Leemage
122 M.M.; M. Nascimento/Réa
123 M.M.; Leemage; L. Tettoni/Corbis
124, 125 (1) The Art Archive/Picture-desk.com;
(2) Oronoz/Photo12.com;
(3, 4, 5) Photoaisa.com/Leemage;
(b) Legende
126 (h) Icarito/La Tercera; G. Paire-Fotolia.com; Bodea-Fotolia.com; Chez Marc-

	Fotolia.com; N. Lauria-Fotolia.com; R. Marscha-Fotolia.com; P. Martin-Fotolia.com; Neo-Fotolia.com; S. Barone-Fotolia.com; Akalong Suitsuit-Fotolia.com; E. Isselée, lifeonwhite.com-Fotolia.com; NL-Fotolia.com; A. Meyer-Fotolia.com; LDiza-Fotolia.com; P. Surmely-Fotolia.com; Rido-Fotolia.com;
(b)	Bildarchiv Preussischer Kulturbesitz/RMN
127	Alexander-Fotolia.com; Alvoroc-Fotolia.com; Library of Congress; http://bancroft.berkeley.edu/Exhibits/nativeamricans/lf25_2 htm/ wikimedia.org; John Hamlin-Fotolia.com
128	Aleruaro/Age Fotostock
129	Beba-Iberfoto/Photoaisa.com/Leemage;
(2,3)	Prismaarchivo.com/Leemage; Ridley Scott/Christophe L -
130, 99	VivAmérica, Casa de América
131	The British Museum, Londres, Distr. RMN/The Trustees of the British Museum
134, 135, 140	Comunidad de Madrid
136	Maitena
139	Wojtek Kalinowski Photography/Corbis
141	Sunrgia/Christophe L; M.M.
142	Mariano G. Aponte
143	Ericos-Fotolia.com
144	*La véritable histoire du Chaperon rouge*, Hoodwinked de ToodEdwards, 2005/BCA/Rue des Archives; Austrophoto/Age Fotostock
145	G. Aita-Fotolia.com; P. Rao/Istockphoto.com; A. Rich/Istockphoto.com; MaryLB/Istockphoto.com; I. Bliznetsov/Istockphoto.com; Taiga-Fotolia.com
146	Perico Pastor/La Fábrica
147	Caminito S.a.s. Literary Agency; K. Vojnar/Workbook Stock/ Gettyimages
148	Warner Bros./Album/AKG; Wild Bunch
149	The Art Archive/Thyssen Bornemisza Collection Madrid/Picture Desk/© Salvador Dalí, Fundació Gala-Salvador Dalí/Adagp, Paris 2010
152, 153	Diseño: Catálogo Publicidad para Diputación de Granada - Juventud
154, 155	Memento Film; *La Zona*, Rodrigo Pla, Distrimax, Videomax.com.mc, DR
156	Hill Creek Pictures/Age Fotostock
157	A. Intxaausti/El País; J. Larrea/Age fotostock; Mafatu-fotolia.com; Lookata-Fotolia.com; Vectorsmartini-Fotolia.com
158	M.M.; Ludovic Maisant/Hemis.fr
159	M.M.; M. Menegazzo/Latinphoto.org
160, 161	www.desayunoconviandantes.com; Ayuntamiento de Alicante
162	Ayuntamiento de Santander; Anteproyecto para 706 viviendas en Boadilla del Monte (Madrid) realizado por los arquitectos Antonio de Miguel Reyes y Javier Martin/Comunidad de Madrid
163	Barrios de Pie; L. Kaltman/Istockphoto.com; M. Delatour-Fotolia.com; Shock-Fotolia.com; C. Magnin-Fotolia.com; Pedrosala-Fotolia.com
164	www.tranviasdezaragoza.es
165	A. Querner/Aurora/Gettyimages; G. Manuilo/Efe
166	Zityest; Renaud Visage/Age Fotostock
167	H. Donnezan/Age fotostock/© Adagp, Paris 2010; M.M.; J. Mora
170, 171	T. Roepke/Corbis
172, 181	S. Pereyra/Latinphoto.org
173	Plan Ceibal
174	J. Haro/El País; La Cuatro (181)
175, 181	I. Solovyov & M. Solovyova/Yanko Design; Won-Seck Lee/Yanko Design; M. Newson/EADS/Ciel et Espace
176, 181	Reproduced with permission of Yahoo! Inc. © 2010 Yahoo! Inc. FLICKR and the FLICKR logo are registered trademarks of Yahoo! Inc.
179	O. Altunina-Fotolia.com
180, 236	Ministerio Educación
181	I. Warlin
182-185	Norma Editorial
236	Liquidlmage-Fotolia.com; J. Mora (2, 5); A. Sunenko-Fotolia.com; F. Prochasson-Fotolia.com; B. Simsek/Istockphoto.com; M. Rozanski/Istockphoto.com.

Table des références de textes

12, 38	*21 relatos contra el acoso escolar* © Ediciones SM, 2008, pp. 35-37
13	*21 relatos contra el acoso escolar* ©Ediciones SM, 2008, pp. 13-14
20	www.fernandolalana.com
23	*Los ocho nombres de Picasso y no digo más de lo que digo* © Rafael Albertí, 1970. El Alba del Alhelí, SL
24-25	*21 relatos contra el acoso escolar* © Ediciones SM, 2008, pp. 61-62
28	Nacho Requena, http://nosologeeks.es
34-35	© Herederos de Mario Benedetti, c/o Guillermo Schavelzon & Asociados, Agencia Literaria www.schavelzon.com
40	Dogan Music company, DR
42-43	Editorial Anagrama, S.A., 2003 Barcelona
48	Artículo publicado en la sección diaria "Rinconete" del Centro Virtual Cervantes ©Instituto Cervantes (España) http://cvc.cervantes.es/el_rinconete/anteriores/enero_ 99/11011999_02.htm -
56	Chupa Chups, grupo Perfetti Van Melle, DR
58	Musique de Juan Mostazo Morales et Sixto Cantabrana Ruíz-Aguirre © Southern Music Espanola SA, « Publié avec l'autorisation de la Societé d'Editions Musicales Internationales-Paris-France »
60-61	Editorial Planeta © Dragonwords, 2001
66	Mondadori 2008, original title: *The brief wondrous life of Oscar Wao* ©2007, Junot Diaz © 2008, Random House Mondadori, S.A. Translation by Achy Obejas
70	Colegio Gamo Diana
74	Elsa Lopez, DR
79-80	Editorial Sudamericana
94	© Tronco Records S.L. Ed Musicales. Droits exclusifs pour France, Territoires SACEM (Luxembourg exclu), RTL (Programmes Français), Europe n° 1: Warner Chappell Music France
102	Lucía Etxebarría, Planeta Editorial
103, 119	Eduardo Galeano, Siglo XXI Editores
110	Madrid, Akal, 2009, pp. 11-12
114-115	Adaptación de Emilio Fontanilla Debesa, Anaya
120, 121, 128	© Laura Esquivel
132-133	Adaptada por Dona D'Ors, director de la colección don Alfredo González Hermoso, Ediciones Edelsa
138, 146	© Juan José Millas
139	Eñe, n° 16
143	*Cuentos*, Augusto Monterroso, Alianza Editoria, Anaya
147	Carlos Sobrino Sánchez, DR
150-151	Gabriel García Márquez, revista mexicana "El Cuento", 2003
157	Polideportivo J.A. Ruiz Espartaco (Espartinas), Juan Antonio Rodríguez Conde
164	Alfaguara, Santillana
166	*Barcelona 1000 Graffitis* Rosa Puig Torres, Paul Hammond, Editorial Gustavo Gil, 2008
168-169	Herederos de Carmen Martín Gaite. Ediciones Siruela, 1990
173	Jorge Abner Drexler © Ediciones Sea SL. Droits exclusifs pour France, Territoires SACEM (Luxembourg exclu), RTL (Programmes Français), Europe n° 1: Warner Chappell Music France
175	http://dvice.com
177	Lucía Martín, Colegio Gamo Diana
189	*El niño duerme sonriendo (Arrullo number3)*, Atahualpa Yupanki/ Pablo del Cerro ©Editorial Musical Tierra Linda Droits exclusifs pour France, Territoires SACEM (Luxembourg exclu), RTL (Programmes Français), Europe n° 1: Warner Chappell Music France.

Références sonores

40, p 11	Adama Music & Publishing LTd./Harmonia Mundi, Soho Artist
58, p 17	Avec l'aimable autorisation de Warner Music France
68, 69, pp 19, 20	Con la amable autorización de Sociedad Española de Radiodifusión, S.A. - Cadena Ser
94, p 28	(P) 1998 Virgin Records España. Avec l'aimable autorisation d'Emi Music France
104, 105, pp 30, 32	Fragmento Programa "Documentos RNE. La expulsión de los moriscos o el final de una convivencia que no fue posible", 04/07/2009
105, p 31	Fragmento REE del 14/01/2009 "Un idioma sin fronteras"
140, pp 40, 42	Armando Trejo, Comunidad de Madrid
178, p 49	Fragmento Programación Radio-5 del 13/07/2009 "Discoteca ecológica descontaminante" RNE.

Nous avons recherché en vain les éditeurs ou les ayants droit de certains textes ou illustrations reproduits dans ce livre. Leurs droits sont réservés aux Éditions Didier.

Conception maquette et couverture : Marie-Astrid Bailly-Maître

Illustrations :

Lucie Albon : pp. 12-13, pp. 34-35, p. 66

Camille Beurton : p. 237

Rafael Castañer : pp. 24-25, p. 49, p. 139, pp. 168-169

José A. Labari : pp.96-97, pp. 150-151

Enrique Lorenzo : pp.132-133

Ken Niimura : pp. 42-43, p. 137

Javier Olivares : pp. 78-79

David Rubín : pp. 60-61, pp.114-115

Mise en pages et photogravure : MCP

Enregistrements, montage et mixage : Olivier Ledoux (Studio Pierre Corby)

« Le photocopillage, c'est l'usage abusif et collectif de la photocopie sans autorisation des auteurs et des éditeurs. Largement répandu dans les établissements d'enseignement, le photocopillage menace l'avenir du livre, car il met en danger son équilibre économique. Il prive les auteurs d'une juste rémunération. En dehors de l'usage privé du copiste, toute reproduction totale ou partielle de cet ouvrage est interdite.»

« La loi du 11 mars 1957 n'autorisant, au terme des alinéas 2 et 3 de l'article 41, d'une part, que les copies ou reproductions strictement réservées à l'usage privé du copiste et non destinées à une utilisation collective » et, d'autre part, que les analyses et les courtes citations dans un but d'exemple et d'illustration, « toute représentation ou reproduction intégrale, ou partielle, faite sans le consentement de l'auteur ou de ses ayants droit ou ayants cause, est illicite. »(alinéa 1er de l'article 40) - « Cette représentation ou reproduction, par quelque procédé que ce soit, constituerait donc une contrefaçon sanctionnée par les articles 425 et suivants du Code pénal. »

PAPIER À BASE DE
FIBRES CERTIFIÉES

éditions didier s'engagent pour l'environnement en réduisant l'empreinte carbone de leurs livres. Celle de cet exemplaire est de :
1,7 kg éq. CO_2
Rendez-vous sur www.editionsdidier-durable.fr

© Les Éditions Didier, Paris 2010 ISBN 978-2-278-06674-2 Imprimé en Espagne
Achevé d'imprimer en Octobre 2012 par Macrolibros - Dépôt légal : 6674/06